Modos de homem & modas de mulher

Gilberto Freyre

Modos de homem & modas de mulher

2ª edição revista

Apresentação de Mary Del Priore

Biobibliografia de Edson Nery da Fonseca

© **Fundação Gilberto Freyre, 2005**
Recife-Pernambuco-Brasil
1ª Edição, Editora Record 1987
2ª Edição, Global Editora, São Paulo 2009
1ª Reimpressão, 2021

Jefferson L. Alves – diretor editorial
Gustavo Henrique Tuna – editor assistente
Flávio Samuel – gerente de produção
Dida Bessana – coordenação editorial
Alessandra Biral e João Reynaldo de Paiva – assistentes editoriais
Lucas Carrasco e Tatiana Y. Tanaka – revisão
Reverson R. Diniz – projeto gráfico e editoração eletrônica
Victor Burton – capa
Acervo Fundação Gilberto Freyre – imagens do encarte

Agradecemos à família de Alceu Penna e ao jornal
O Estado de Minas pela graciosa cessão das imagens.

CIP-BRASIL. CATALOGAÇÃO NA PUBLICAÇÃO
SINDICATO NACIONAL DOS EDITORES DE LIVROS, RJ

Freyre, Gilberto, 1900-1987.
Modos de homem & modas de mulher / Gilberto Freyre. – 2. ed. rev. – São Paulo : Global, 2009.

Bibliografia.
ISBN 978-85-260-1336-0

1. Arte – História 2. Brasil – Usos e costumes 3. Moda – Aspectos sociais – Brasil 4. Usos e costumes 5. Usos e costumes – História I. Título.

08-09136 CDD-391.0981

Índice para catálogo sistemático:

1. Brasil : Moda : Aspectos sociais : Usos e costumes 391.0981

Obra atualizada conforme o
NOVO ACORDO ORTOGRÁFICO DA LÍNGUA PORTUGUESA.

Global Editora e Distribuidora Ltda.
Rua Pirapitingui, 111 — Liberdade
CEP 01508-020 — São Paulo — SP
Tel.: (11) 3277-7999
e-mail: global@globaleditora.com.br

globaleditora.com.br

/globaleditora
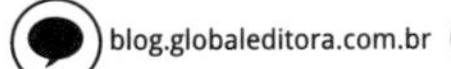
blog.globaleditora.com.br

/globaleditora

/globaleditora

/globaleditora

/globaleditora

Direitos reservados.
Colabore com a produção científica e cultural.
Proibida a reprodução total ou parcial desta obra sem a autorização do editor.

Nº de Catálogo: **2995**

Gilberto Freyre fotografado por Pierre Verger, 1945.
Acervo da Fundação Gilberto Freyre.

Sumário

Gilberto Freyre: modos, sem modas, de fazer a história
Mary Del Priore 11

Advertência do autor 17
Introdução: modos, o que são?..19
Modos de homem: símbolos e imagens 21
Que são modos de homem em confronto com modas de mulher? 27
E, em modas de mulher, o que é correspondência com modos
de homem?..29
Que é ser dissidente em moda? 33
Nova concepção de feminilidade 35
Antropologia, sociologia e modas 39
E o envelhecimento da mulher? 43
Modas de mulher e idades 45
Dionisíaco & apolíneo em modas 47
Exibição de pernas e de seios 51
Trajo de mulher e prosperidade do marido 53
Moda e complexos socioculturais...55
Aqui entra a morenidade brasileira 57
Diferenças em ritmos de modificações sociais 61
Defesas da natureza contra excessos artificializantes 63
Relógio e moda de mulher 67
Mulher ornamental? 69
Sinhás e mucamas brasileiras 71
É moda falar errado? 73
Sofisticações e primitivismos..75
A mulher brasileira, inventora de modas? 77
Modas brasileiras e possíveis expansões 79
Ecologia e modas..83
Consagração da morenidade..85

Triunfante a miscigenação brasileira 87
Formas de corpo de mulher e bronzeamento 89
Desafios a modas no Brasil na sua mais viva atualidade 91
Modernização além de *ismos* modernistas 93
A renovação do teatro no Brasil 95
Uma nova maneira de escrever-se a história do homem 97
População brasileira e miscigenação 99
Ancas de mulher em artes brasileiras 103
Imponências de formas da mulher tradicionalmente feminina 105
Dignidade e amplas ancas 107
Modas brasileiras de mulher e suas transferências com o trópico 109
Voltando à mulher ibérica 111
Um brasileirismo 113
Terminologia erótica 115
Efeitos da competição profissional da mulher com o homem 117
Uma talvez omissão do professor Roberto DaMatta 119
A Antropologia entre as Ciências Sociais aplicadas a situações brasileiras e essas aplicações como estudo sensível a modos e a modas, ou vogas, de várias espécies 121
Testemunhos de historiadores 125
A perspectiva empática em estudos sociais 129
Defesas de valores culturais 133
O movimento regionalista partido do Recife 135
Antecipações recifenses 137
O Primeiro Congresso de Estudos Afro-brasileiros 141
Ecologismo e empatia em voga 145
A moda de mulher saída do Brasil 149
Transeuropeização de modas brasileiras 151
O caso do brasileiríssimo Villa-Lobos 153
Uma futurologia brasileira 155
Que é, afinal, moda? 157
Ouvindo dicionários 159
O amorenamento da gente brasileira 163
Uma pioneira advertência sobre ciência e moda 165
O Brasil e o mundo ibero-tropical 169
Afinidades de outros ibero-tropicais com o Brasil 173
O Brasil passivo importador de modas 175

Martírio da mulher brasileira 177
Trajos e calçados 181
Julián Marías e modas de mulher 185
E o arianismo? 189
Outra vez a morenidade brasileira 191
Consciências metarraciais 193
Moda de mulher e tempo tríbio 195
Recorrendo a anúncios de jornais 197
O luto no Brasil e modas 201
Fazendas e modas de mulher 203
Modas e mulheres brasileiras de trabalho 207
Modas e ascensão social 209
Orientalismos em modas brasileiras 213
Dom Pedro II e a imperatriz: seus trajos 215
Volta ao assunto: a França e modas brasileiras de mulher 217
Modas e vários tipos brasileiros de mulher 221
O que ensina o livro *Ordem e progresso*? 227
Francesismos em anúncios de jornais 231
Nacionalismo e modas 233
Modas brasileiras de mulher de hoje: mais ecológicas 239
O impacto da boneca loura 243
Vicente do Rego Monteiro, um precursor 247
O exemplo arquitetônico da casa-grande 249
Iniciativa particular na formação brasileira 253
Em vez de catedrais, casas-grandes monumentais 257
Arte arquitetônica e sedentariedade 261
Oscar Niemeyer e o modelo arquitetônico das casas-grandes 263
Modas de residências brasileiras 267
Novos tipos brasileiros de residências 269
Novos tipos de edifícios e novos tipos de móveis 271
O que ensinam anúncios de leilões 273
Rede e cafuné: brasileirismos 275
Arte e engenharia 277
Vauthier e o Brasil 279
Moda brasileira e ecologia 283

Biobibliografia de Gilberto Freyre 295

Gilberto Freyre: modos, sem modas, de fazer a história

Em épocas onde tudo *tem* que estar na moda, se não *está fora* de moda, o livro de Gilberto Freyre é uma joia rara. E por quê? Pois desvenda um autor premonitório, capaz de identificar, há anos de distância, temas e domínios que, hoje, as ciências humanas devoram com apetite. Por meio de trabalhos seminais para a compreensão de nossa história, o "bruxo" de Apipucos foi capaz de revelar não só os traços mais distintivos da sociedade brasileira, mas, também, de apontar temas e objetos de estudo que seriam desenvolvidos à frente. E a moda é um deles.

Vale a pena sublinhar sua importância: inscrita simultaneamente na história da arte e das mentalidades, na história das técnicas e das artes decorativas, a moda ocupa, ao longo dos tempos, um lugar singular. Esta é condição mesma de sua riqueza e complexidade. Estudá-la permite dar conta de mudanças sociais, da transformação de códigos culturais, da rapidez e, por vezes, violência das trocas comerciais. Mas ela, também, inaugura uma história das sensibilidades. A busca do belo, do gosto e do prazer evoluíram, ao longo da história, assim como a imagem do corpo, ora constrangido, ora liberto, se modificou.

Moda: fronteira íntima entre o indivíduo e o mundo. Escudo que preserva contra as agressões, mas, também, sedução, sonho e convite a violar limites. No corpo a corpo com a intimidade, a moda e os modos alimentam as ciências que estudam o cotidiano. Que se debruçam, como diz Gilberto Freyre, sobre "as vivências e convivências humanas", podendo "tornar-se modas de pensar, de sentir, de crer, de imaginar e, assim, subjetivas, influírem sobre as demais modas, sobre maneiras pessoais e gerais de indivíduos e grupos seguirem modas concretas".

Início dos anos 1980: "estamos numa época assinalada por várias transferências de caráter cultural de umas áreas a outras", definia o mestre pernambucano. Com razão. A guerra fria acabara, o Muro de Berlim caiu, no espaço só ficou a estação orbital MIR. Margareth Thatcher e Ronald Reagan davam as cartas da política externa, enquanto o recém-criado videoclipe bombardeava o mundo com imagens de Madonna e Michael Jackson. No Brasil era tempo de Anistia, os exilados voltavam e debutava a campanha das "Diretas Já!". Os chamados "filhos da revolução" tinham aulas de educação moral e cívica no colégio e ouviam Cazuza se perguntar "que país é este?". O abrandamento da censura enchia as telas de televisão com palavrões e nus masculinos e femininos.

Em Recife, do alto do bairro de Apipucos, Gilberto Freyre acompanhava tudo. As mudanças nos costumes eram muitas. Era preciso pensá-las. Antropólogo da cultura, sentia que as tradições locais tendiam a dissolver-se no grande caldeirão de modificações. Como bom leitor de Franz Boas, ele entendia a cultura como um sistema original, dotado de um estilo ou de características que se exprimiam por meio da língua, das crenças, dos costumes e "dos modos e modas". Daí a importância de também entender a história como uma totalidade, da qual participam as sensibilidades e o que antropólogos e historiadores chamaram de cultura material. Ou seja, a história da alimentação, das casas e sua arquitetura, da mobília, dos utensílios e da indumentária. Que, aliás, ele via em franca mutação como tudo o mais.

Desde os anos 1920 e 1930, Freyre já demonstrava interesse pelo relacionamento entre objeto e meio, e os usos e costumes daí resultantes. Donde seus estudos sobre a comida e os doces de Pernambuco, o vestuário de crianças no século XIX ou as joias de escravas. Em sua obra-prima, *Sobrados e mucambos*, dedicou especial atenção ao vestuário feminino, às barbas masculinas e ao dimorfismo sexual. Tais modos e modas eram indícios morfológicos de diferentes culturas que aqui se misturaram. Além de explorar essa tese, Freyre se preocupava em desvendar fundos documentais absolutamente inéditos, capazes de contar as peculiaridades dos diferentes grupos sociais e de suas manifestações culturais.

Era, por exemplo, o caso do baiano que só andava, amolengado, de liteira carregada no ombro de escravos. Ou o do gaúcho, ágil e musculoso sobre o seu cavalo campeiro. Ou do requebro do estancieiro sulino ao som do fandango, comparado à ginga do carioca mulato, negro forro, aos primeiros acordes do samba. Era, ainda, o caso do rico citadino comedor de comida vinda do além-mar – *petit-pois*, a uva-passa, o bacalhau, o chá, a cerveja – e remédios "civilizados", como as pílulas *Le Roy*, que Gilberto comparou ao matuto e caipira, morador das margens da grande cidade, curando-se com ervas e benzimento, comedor de abóbora e bagres, peixe considerado inferior e conhecido popularmente como "mulato velho".

Gilberto Freyre observou as diferenças entre os que dormiam em camas, sinal de distinção social, e os que embalavam seus sonhos em redes. A valorização social começava a se fazer em torno de elementos importados da Europa burguesa, donde chegavam novos estilos de vida, contrários aos "rurais ou mesmo patriarcais". A ida ao teatro substituía a ida à igreja. Trocavam-se a espada e o chicote pela bengala. Os sobrados e mocambos iam sofregamente tomando o lugar das casas-grandes e das senzalas. O Ocidente, metaforizado no surgimento de máquinas, capitais britânicos e modas francesas, esmagava os hábitos orientais, o cafuné, o banho quente, as cabeleiras negras e longas, restos da dominação mourisca na Península Ibérica, e modelava, agora no Dezenove, os corpos dos brasileiros.

Estes brilhantes *insights* do sociólogo-historiador difundiram paradigmas inéditos, abrindo novos campos para a pesquisa, mais tarde explorados no valioso *Modos de homem & modas de mulher*. Nesta obra, Freyre verticalizou algumas de suas preocupações anteriores, antecipando, ao mesmo tempo, temas de grande atualidade, ontem e hoje: o envelhecimento da mulher, o traje feminino como sinônimo da prosperidade familiar, a moda brasileira e suas possíveis expansões, a relação entre ecologia e moda, o martírio das escravas de modismos, a importância de trajes e calçados, o "abrasileiramento" de modelos importados, a importância do algodão – "material ecológico" ligado ao nosso clima –, as conexões entre nacionalismo e modas, o papel de "*designers*" de moda como agentes de transformação, enfim, um mundo de ideias e teses a serem repensadas, interpretadas e desenvolvidas. Ele demonstra como as *yayás*, com suas sombrinhas na mão, esmagadas pelo patriarcalismo do século XIX, foram capazes de ressurgir, gloriosas, com o relógio no pulso marcando o tempo da modernidade, vestidas, paramentadas e embelezadas pela moda do século XX.

Por meio de inédita pesquisa em jornais, Gilberto faz uma etnografia pioneira de tecidos, inventariando os que atualmente fariam parte de um dicionário de palavras perdidas: chita indiana, cretones belgas ou suíços, jaine de lã, moreninha, angolinha, foulardinas, pekins, mariposas imperiais. E muito antes dos renomados medievalistas franceses mostrarem que as cores também têm história, nosso bruxo inventariou cores que desapareceram das palhetas e dos vocabulários: groselha, rubi, pinhão, bronze, cor de lírio, cor de azeite, *champagne* heliotrópio, violeta de Parma ou azul Sévres.

Neste livro, Gilberto Freyre é, também, o primeiro a criticar a "albinização", ou seja, a falsa lourice, mesmo da boneca – a equivalente da atual Barbie – capaz, segundo ele, de alimentar preconceitos raciais. Na contramão de modismos importados, ele se fazia porta-voz da "morenidade" ou da pigmentação tropical. Morenidade de pele, mas, também, de modos femininos que exprimiam o encontro de raças e culturas: a forma de andar da brasileira, ondulante e sensual, denotando miscigenação "como se dançasse". Outro signo de miscigenação, suas poderosas ancas, retratadas na grande arte pelos melhores cinzéis ou pincéis: Di Cavalcanti, entre outros. Ou a valorização, nos textos literários de Oswald de Andrade, das libertinagens em torno do traseiro feminino. Traseiro cantado em prosa e verso por Manuel Bandeira, que homenageou solenemente os "jenipapos na bunda", contra o modelo da "*flapper*", a mulher sem formas, achatada, estrangeira.

Segundo ele, uma tal dialética entre modas e modos, por meio da qual se enforjavam novas tendências e se interpenetravam influências, sem distinção de gêneros, ia além da indumentária. E se convertia em comportamento, em modo de ser, expressando-se numa gramática nacional com manifestações na arquitetura – com Niemeyer e Lucio Costa – ou no mobiliário. Na cozinha e na joalheria.

Na leitura desta joia de livro, é importante não esquecer o contexto da época. Gilberto defendia, então, a ideia de que o Brasil era parte de uma complexa civilização ecologicamente tropical. Segundo ele, de "uma civilização ao mesmo tempo transnacional e inter-regional, tendo por base essa ecologia e formada por um conjunto de áreas, todas, tropicais, ou quase tropicais, inter-relacionadas pelas suas condições ecológicas e pelos seus também comuns motivos essenciais de vida. E, ainda pelos seus processos, também eles comuns, de integração". Daí a ênfase na *morenidade*, na mestiçagem de pessoas, de objetos e práticas sociais, enfim, dos aspectos tipicamente tropicais de nossa cultura. Ele defendia a miscigenação como fator de integração cultural. Não de democracia racial, como quiseram alguns.

Nesses ensaios, valiosa é a utilização do "pluralismo metodológico" para atingir a história da privacidade e da intimidade. História onde se elaboram e capturam as modas e os modos de mulheres e homens. Onde se encontram o particular e o geral, a diacronia e a sincronia. O autor usou muitos documentos pessoais, confidenciais, biográficos, autobiográficos, testemunhos orais, anúncios de jornais, verdadeiros instantâneos dos comportamentos gerais. Assim como palavras, gestos, silêncios, modos de falar, de andar, de sorrir, num grande leque de possibilidades para a compreensão deste domínio que, mais uma vez, cruzando sociologia e história, ele inaugurava.

A mensagem de Gilberto Freyre nesta obra é a de que não há modas, apenas, de sapatos, de penteados, de vestidos. Também há modas de ideias, de ideologias, de teorias. E que todas podem ser apresentadas como exemplos da "capacidade brasileira para, na sua cultura, combinar valores de origens diversas numa terceira expressão de cultura plasticamente, dinamicamente, ativamente brasileira". Segundo ele, "tais combinações e tais adaptações vêm se processando, quase todas, como aquela busca, consciente ou não, de ajustamento de contrários numa ordem social e num flexível sistema cultural sob vários aspectos, funcionais e experimentais, novos. Elas constituem manifestações de um processo social e culturalmente revolucionário".

O frescor das ideias, a inovação dos temas e a riqueza de informações fazem de Gilberto Freyre um autor que está para além das modas. Seus admiradores, e também seus detratores, continuam a viver à sua sombra. E isso porque, apesar do imenso pioneirismo, a importância de sua obra não reside, apenas, nas novidades temáticas que apresenta. Essa celebração do inédito se completou com outro dispositivo, não voltado para o presente, mas para o passado. É a autenticidade. Autenticidade capaz de nos restituir o que nos é singular, familiar e cúmplice na reconstrução de uma identidade ou de uma memória histórica. E nos dois quesitos, pioneirismo e autenticidade, Gilberto Freyre continua imbatível!

Mary Del Priore

é historiadora, doutora pela Universidade de São Paulo e pós-doutorada pela École des Hautes Études en Sciences Sociales. Sócia honorária do Instituto Histórico e Geográfico Brasileiro (IHGB), lecionou na USP e na PUC-RJ. Autora de mais de 25 livros de história do Brasil, recebeu inúmeros prêmios, entre os quais Jabuti, Casa Grande & Senzala e Prêmio da Associação Paulista dos Críticos de Arte (APCA). Escreve para jornais e revistas, científicos ou não, mantendo uma coluna no jornal *O Estado de S.Paulo*.

Advertência do autor

Advirta-se de modos e de modas que, neste livro, são considerados sob perspectiva mais sociológica que em puros sentidos literários. Mais: admitindo-se, de modas, que sejam condicionadas por modos e de modos que não sejam, atualmente, só de homens, mas que venham crescentemente incluindo atuações de mulheres competidoras com homens. E ainda: que, no contexto sócio-histórico brasileiro, os ritmos de relações entre modos e modas vêm, para o autor, variando, tendo sido um, antes de 1850, outro, em épocas seguintes, podendo-se dar destaque à década de 1970, como início de significativo abrasileiramento de modelos importados, por vezes passivamente.

Introdução: modos, o que são?

A cultura brasileira é, para o brasileiro, alguma coisa que lhe pertence quase como se fosse parte do corpo e do ânimo de cada um. À cultura espanhola que Unamuno descobriu lhe doer, quando ultrajada, corresponde uma cultura brasileira com igual ou maior sensibilidade: capaz de doer no brasileiro em dias de angústia para desígnios culturais não correspondidos.

Será que estamos vivendo dias dolorosos para o que, em nós, brasileiros, é nossa cultura nacional? Há brasileiros que pensam estar vivendo tais dias. Pessimistas, talvez. Pois há sinais de criatividade, nesses setores, que compensam deficiências, noutros.

Através deste livro, será recorrente a apresentação de modos de homem ao lado de modas de mulher, com não poucos casos de formas ou ambíguas ou bivalentes ou mistas. Ou intermediárias entre tais diferenças. E subentendendo-se, de modos de homem, vários deles terem se tornado comuns aos brasileiros dos dois sexos.

Não há desapreço pelos modos de homem, só à base de um inferior quantitativismo. As modas de mulher serão mais numerosas que esses modos, quando, na verdade, os exemplos qualitativos podem compensar essa deficiência e se imporem a um maior apreço, num exato julgamento de valores. Daí a advertência ao leitor de conservar-se em constante estado de vigilância quanto à superação de referências a modos de homem por modas de mulher. Um analista de valores pode chegar a conclusões surpreendentes quanto a superações mais decisivas por serem verdadeiramente mais conclusivas.

São da linguagem cotidiana expressões como "homem de bons modos", "homem de modos finos", com "modos", nesses casos, correspondendo àquelas maneiras, feições ou formas particulares e até, jeitos, artes e comedimentos próprios de homens bem-educados. De homens habilidosos. De homens requintados nos seus comportamentos ou, particularmente, nos seus meios, civilizados e civilizantes, de expressão.

De onde as palavras módulo e modulação, a primeira significando medida reguladora de proporções de uma obra arquitetônica, a segunda, ato ou efeito de modular, isto é, de dizer, de tocar ou de cantar melodicamente. Disciplinas sistemáticas, ou estéticas, de fazer, de construir, de compor, de ordenar, de ligar, de unir por diferentes meios técnicos, artísticos, engenhosos, capazes dessas articulações.

Note-se da maneira por que tenderiam a se afirmar mais incisivamente modos de homem serem menos ostensivos que modas de mulher. É no que mais se diferenciam de modas, de conotações não copiosamente femininas.

Modo e moda tendem a confluir a serviço do ser humano. Mas sem perderem essenciais de característicos que fazem, de um, expressão de masculinidade e de moda; da outra, expressão mais de feminilidade do que de masculinidade.

Modos de homem: símbolos e imagens

Quando se diz do homem que vem sendo, favorecido por circunstâncias, um maior criador de modos de ser, de agir, de decidir, de construir, do que a mulher, superior na criação de modas, de vestir, de criar filho, de ser religiosa, de pentear, de calçar, de cozinhar, de fazer doce, não se subestima a mulher nem se deixa de estimar o valor representado pelas modas.

O modo, reduzido a imagem – e desde que apareceu o imagismo e eu, particularmente, tornei-me, na segunda década do século, por influência diretíssima de Amy Lowell (há documentação a esse respeito encontrada no arquivo da escritora pelo pesquisador Edson Nery da Fonseca), o primeiro imagista brasileiro, é inevitável pensar-se imagisticamente; e inevitável um imagista pioneiro, no Brasil, deixar de sentir-se esse precursor em língua portuguesa de um novo e incisivo *ismo*. Novo e incisivo *ismo* que logo passou a apresentar-se menos no tempo que no espaço.

Já James Joyce, no clássico que se tornou *A portrait of the artist as a young man,* advertia, da imagem estética, ser de um objeto apreendido como um todo que primeiro surge no espaço, antes de afirmar-se no tempo. Os Proust viriam sempre depois. O que faz um dos intérpretes de Joyce dizer que, a despeito do autor de *Ulysses* ter sido de gosto mais musical que pictórico e, especificamente, de escritor, sua perspectiva da vida tornou-se, entretanto, essa perspectiva mais a do pintor que a de artista sensível à música. Que seguisse desenvolvimentos estéticos através de sons. De onde, para o agudíssimo crítico que é Walton Litz, *Ulysses* apresentar-se ao leitor como "vasta imagem estética". Vasta e complexa. E por ser complexa, exigindo ser lida e relida. Cada releitura, "novo conjunto de relações" enriquecendo as imagens sugeridas pelas leituras anteriores.

O característico de autores criativa ou genialmente imagistas – não só como Joyce, porém, como Amy Lowell – é o de nunca se entregarem a um leitor empenhado em ler poetas, romancistas, ensaístas sem o ânimo imediato de relê-los. Inclusive para captar o essencial de um Joyce ou de uma Lowell, em seus livros mais complexos, como veio a ser, no caso de Joyce, *Finnegans wake*. Vários os livros, nenhum deles da dimensão de *Ulysses*, em que Joyce passou a requintar-se no uso de imagens múltiplas, capazes de abordagens simultâneas de temas concentrados. Exemplo a ser seguido por discípulos?

Haverá escritor, já clássico, de língua portuguesa, que tenha intuído Joyce, em como que coincidências com o método imagista a que ele deu esplendor? Talvez se possa dizer dessas quase coincidências para-imagistas terem ocorrido em Raul Pompéia, Augusto dos Anjos e Guimarães Rosa.

Litz sugere de Joyce ter assimilado, na sua prosa de fase a mais sutilmente imagista, sugestões – imagine-se de quem? – de Michelet, que aparece, entretanto, fantasiado num enigmático "michemichelet". Quase uma brincadeira infantil de esconder. Uma coisa, entretanto, é paradoxalmente certa de Joyce, com todas suas audácias de disfarces de nomes exatos: o leitor de seu *Ulysses* ter se tornado conhecedor visual profundo de Dublin. O suposto universalista absoluto, tornado regionalista – e como! – por força de uma, para ele, Joyce, irresistível visualidade que transmitiu, de modo entre épico e lírico, ao leitor.

E que é um dos característicos do que, na sua genialidade de artista literário pós-moderno, foi o seu modo de captar sugestões saídas mais de espaços visíveis que de tempos proustianamente evocáveis, embora não se possa dizer de Joyce terem lhe faltado devaneios de memorialista. Esse modo de captar sugestões de tempo parece explicar grande parte da sensibilidade criativa de Joyce como tendo sido mais masculinamente assimiladora do que femininamente receptiva. A espécie da capacidade tão culminante nas grandes romancistas inglesas e, em língua portuguesa, presente em Rachel de Queiroz e um tanto em Dinah Silveira de Queiroz, e, muito em Lygia Fagundes Telles.

Mas não se esqueça de o imagismo, criativamente renovador de perspectivas estéticas, ter tendido a juntar a olhos, ouvidos, sexo e, até, paladar. Daí ser importante a frase de Joyce: "*Shut your eyes and see*", que desenvolve um tanto arrevesadamente em *Finnegans wake*, ao lançar o método de "*arquivisual presentment*". Não é sem razão que de Joyce haja quem sugira predecessores como os poetas simbolistas e a chamada novela wagneriana. Compromissos entre expressão literária e música. Curiosa a esse respeito uma afinidade entre Joyce e Proust: o gosto pela repetição musicalmente verbal, quase se desprezando a separação convencional entre poesia e prosa. As possibilidades musicais da expressão literária utilizadas, embora menos que as visuais: tão mais incisivas nos imagistas, através de sua revolução que vem se prolongando dos seus começos na segunda década do século.

Amy Lowell quis que eu, mal saído da Universidade de Columbia, conhecesse Joyce em Paris. Difícil. Já era um Joyce temeroso da cegueira. Quase cego. Escondendo-se dos próprios amigos. Daí, talvez, sua tendência para uma prosa orquestral em que as deficiências de um indivíduo, já de maus olhos, fossem compensadas por coletivações sonoramente orquestrais. Que impressão pessoal direta Joyce teria causado em mim? Creio que, sobretudo, a de experimentador confiante em simultaneidades do ponto de vista literário em relação ao das artes plásticas. Tendência que já era um pouco a minha.

Como, nestas confissões, estou sendo mais autobiográfico que biográfico, de Joyce e de outros grandes da época, como Tagore e, é claro, Amy Lowell, Vachel Lindsay, William Butler Yeats, com os quais tive a bela oportunidade de conviver, cabe registrar a impressão que me ficou de o judeu, personagem de *Ulysses*, monologar, sentado num *water-closet*. Talvez que dessa impressão tenha resultado, em *Casa-grande & senzala*, um típico senhor de engenho ser apresentado em sua rede senhorial, peidando alto, para quem quisesse ouvir. Era uma das afirmações de seu poder semelhante à do homem sentado em *water-closet*.

Estive, em Universidade do extremo norte dos Estados Unidos, em valioso contato com papéis e livros do precioso arquivo de Joyce. E lá encontrei uma gramática em língua portuguesa do século XV, escrita por um jesuíta. Qual o préstimo dessa gramática? É um dos testemunhos da extensão da curiosidade intelectual do *scholar* que foi o autor de *Ulysses*.

Há análises numerosas do sistema de composição de *Ulysses*. Dizendo-se sistema, não se exagera. A análise de Litz revela, da parte de Joyce, uma intensa e constante procura, não com relação direta a ele, mas com relação a personagens um tanto autobiográficos que precisassem de ser visualmente confirmados. Portanto, empatia da mais abrangente. Lembre-se de *Ulysses* que muitas foram as revisões do texto pelo autor. Um texto que já tendo sido fluido, esteticamente, em *A portrait*, em *Ulysses* tomou, além de fluido, aspecto de verdadeira renda de emendas. Atento até a exatidões mínimas de hora. Matemático. Cronométrico. Mas pode-se sugerir que alguma coisa do Joyce de *A portrait* sempre se fez presente em revisões de ânimo mais matemático do que fluido. Antijoyciano.

A importância que atribuo, sob perspectiva atual, ao imagismo e a Joyce decorre do fato de vir constatando terem influenciado, de maneira marcante, adultos brasileiros de hoje, quando adolescentes ou muito jovens. Eu, um deles. O Brasil tendo sido, dos países de formação caracteristicamente latina, o que recebeu impacto mais decisivo de influência literária, artística, estética e ecologicamente atuante do imagismo de origem criativamente anglo-saxônica, apresenta-se, como sociedade, de alguns componentes ainda hoje marcados, em sua maneira de serem, artisticamente literário, por essa influência, quer na linguagem, quer em opções artísticas e, talvez se possa acrescentar, também numa filosofia social de cultura. Com o imagismo, avivou-se, no nosso país, em alguns brasileiros, uma vocação simbolista vinda de poetas e escritores antigos, dessa tendência. Mas avivou-se adquirindo amplitude e abrangência novas. O grande poeta brasileiro Manuel Bandeira, graças a amigo brasileiro ligado ao imagismo estadunidense, recebeu sugestões imagistas que passaram a se refletir, adaptadas ao Brasil, em inovações literárias que, surgindo no fim da década de 1920 e na de 1930, só fizeram prolongar-se. Que o diga o que há de visual nos "sinos de Belém, bate bem, bem, bem". São sons que se veem. Releia-se a própria "Evocação do Recife" com a recordação daquela pernambucanazinha jovem, "nuinha no banho", que o poeta evoca com toda a força de seu poder visual. Vendo seus sexos. Vendo suas nádegas.

Força visual em linguagem imagista também presente – e como! – em Joaquim Cardozo. Presente em Mário de Andrade: e como! E seguida, de maneira muito caracteristicamente mineira e pessoal, por Carlos Drummond de Andrade.

A Carlos Drummond de Andrade pode ser atribuída parte da influência que levou o ministro Gustavo Capanema a valorizar símbolos culturais – imagismo cívico – já existentes em Pernambuco e na Bahia, como as defesas de valores tradicionais e regionais e, paradoxalmente, pós-modernos, em arquitetura e noutras artes espaciais e visuais. Os espaços quase religiosamente considerados importantes e, com essa valorização, consagrações visuais, sem que o ministro Capanema deixasse de consagrar nacionalmente um oposto: o oposto apresentado pela música genial de Villa-Lobos. Um Villa-Lobos que, sensível à influência de Bach, juntava-lhe sugestões por ele diretamente colhidas de sons abrasileirados de músicas populares de origem índia e africana. Portanto, coincidindo com Joyce em procurar dizer coisas diferentes em expressões polivalentes: "*Several things in one moment*". Simultaneidade com o visual deixando-se completar, ou procurando completar-se, pelo musical. Simultaneidade magnificamente presente também em Guimarães Rosa.

Que são modos de homem em confronto com modas de mulher?

Os significados apresentados por dicionários das palavras *modo* e *moda*, em língua portuguesa, e *mode* e *fashion*, em língua inglesa, indicam que, nessa, assim como noutras linguagens modernas, os significados atribuídos a *modos* e *modas* por vezes se confundem.

Da cultura brasileira pode-se sugerir que exprime tanto modos como modas de um comportamento nacional, por vezes interligados em suas projeções.

Daí ser oportuno transcreverem-se, de dicionários idôneos, nas línguas portuguesa e inglesa, os significados que atribuem às palavras *modos* e *modas*, *mode* e *fashion*.

É o que aqui se faz como informações necessárias ao leitor de uma obra que, destinando-se a considerar *modas* no seu sentido mais abrangente, considera *modos* de pensamento e comportamento caracteristicamente brasileiros, como ainda mais abrangentes.

Assim, *moda*, como uso, hábito ou estilo geralmente aceito, variável no tempo e resultante de determinado gosto, ideia, capricho, ou das influências do meio. Uso passageiro que regula a forma de vestir, calçar, pentear etc. Arte e técnica de vestuário. Maneira, feição, modo. Vontade, fantasia, capricho. Ária, cantiga, modinha. Canção típica de folclore. Fenômeno social ou cultural, mais ou menos coercitivo, que consiste na mudança periódica de estilo, e cuja vitalidade provém da necessidade de conquistar ou manter, por algum tempo, determinada posição social.

Modo, como maneira, feição ou forma particular; jeito; sistema, prática, método; estado, situação, disposição; meio, maneira, via; educação, comedimento, prudência; jeito, habilidade; arte, significa quase um inteiro processo de aculturação.

Aurélio Buarque de Holanda Ferreira, no *Novo dicionário da língua portuguesa* (1ª edição, 2ª reimpressão, Rio de Janeiro), apresenta o assunto do ponto de vista brasileiro. E, em língua inglesa, os dicionários nos falam de *mode* como "*manner of doing or being; method; form; fashion; custom; way; style. Popular custom; fashion*".

E de *fashion*, os dicionários falam como "*shape, manner.* Lat. Factio, *a making. The make or form of anything; style, shape, appearance, or mode of structure; pattern; workmanship; execution. Prevailing, mode of style, esp. of dress. Polite or genteel life. Social position. Mode of action or conduct, manner; way*". Uma definição que torna a de Aurélio uma insignificância. É a que vem em *Webster's international dictionary*, Springfield, 1907.

Não registrando especificamente a palavra *mode*, *The Columbia Encyclopedia* (Nova York, 1935) atribui à palavra *fashion* o sentido de "*prevailing mode affecting the details living and the modernization of dress*". Faz "*mode*" quase "moda".

E, em modas de mulher, o que é correspondência com modos de homem?

Muito se tem escrito sobre o assunto complexo e fascinante que é moda, associando-se sobretudo ao que ele sugere de mais psicologicamente atraente: a moda como uma expressão ou como um complemento de beleza, de elegância, de físico, de característico antropológico, de personalidade, mais de mulher do que de homem. Ao seu trajo, ao seu penteado, ao seu calçado, ao seu adorno de cabeça, de rosto, de orelhas, de pescoço, de seios, de braços, de mãos, de pés e do próprio sexo, tão diferenciados do masculino na apresentação, na decoração, na caracterização das formas femininas de corpo mais ligadas à moda. Inclusive modas menos visuais como a de perfumes e a de gostos, considerados nos seus significados e não apenas nos seus ritmos físicos, como o de andar e o de cheirar.

Do ponto de vista social que, na consideração de moda de mulher, como de moda em geral, mais se impõe a uma consideração que vá além de gostos pessoais por estilos de trajo, calçado, penteado etc. é a pressão, sobre esses gostos pessoais, de um consenso coletivo. Podem ocorrer combinações desses gostos pessoais com esses consensos coletivos. Mas, também, vêm ocorrendo divergências de gostos pessoais ou de grupos de consensos, como que totais, que, assim combinados, se constituam em como que heresias ou divergências, às vezes influentes, ou triufantes, sobre as como que ortodoxas. Mas de tais ocorrências ou recorrências pode-se dizer que são raras, contrariando o que, no conceito de moda, é sua base de superações de gostos pessoais ou individuais ou de grupos ou subgrupos por consensos ou por preferências coletivas que se firmem como imposições do geral sobre o particular ou o individual.

Sociólogos e outros cientistas sociais têm considerado o assunto, e de um deles, Edward Sapir, no seu pronunciamento sobre o assunto na clássica *Encyclopedia of the social sciences*, autorizada obra coletiva orientada por um sábio dentre os maiores que têm havido no vasto setor das Ciências do Homem – e, é claro, da Mulher, Edwin R. A. Seligman (Nova York, 1935), diz que as exigências da moda – ou das modas – constituem desafio a gostos pessoais ou individuais, provocando a necessidade de reconciliações entre tais exigências e esses gostos. Mas Sapir é o primeiro a admitir que, para a gente média – no caso da mulher, acrescente-se que para a mulher média – a aceitação das exigências tende a fazer-se, diz ele, que "*with little demur*". Portanto, sem precisar haver reconciliação de uma imposição geral com uma preferência individual. A preferência individual tenderia a capitular.

Essas capitulações corresponderiam ao fato objetivo de importar, para a mulher – como para o homem –, em estar "fora da moda" na sua aparência – trajo, penteado, calçado etc. – em condenação social à sua posição na sociedade ou na cultura de que participe. Pois estar "fora da moda" é, para uma mulher ou um homem moderno, e vem sendo para a mulher e para o homem, através de vários tempos sociais, uma situação herética semelhante à da pessoa desgarrada de atitudes e de comportamentos predominantes ou representativos de pensares e sentires consagrados como ortodoxos em ética, religião, política, economia e noutros setores caracteristicamente socioculturais.

É certo que umas poucas mulheres e outros tantos homens têm respondido a desafios de consensos coletivos, quanto a modas, vestindo-se, penteando-se, calçando-se, adornando-se, conforme seus gostos pessoais ou individuais, alguns deles logo acusados de serem antes masculinos – no caso de mulheres – que femininos e vice-versa. Pois um dos característicos das modas de mulher é representarem feminilidade, embora, por vezes, com interpretações diferentes do que seja feminino em oposição a masculino. E, é claro, vice-versa.

Que é ser dissidente, em moda?

Sendo a dissidente pessoa de personalidade forte, tem conseguido fazer-se respeitar por seus modos de, nesses particulares de aparência, contrariar o consenso do que seja próprio, como exterioridade de trajo ou de outros aspectos dessa aparência, de feminilidade como graça, delicadeza, atração sexual.

Entretanto, nos últimos decênios, vêm se impondo, em européias ou norte-americanas, modas de mulher, partidas de Londres e de Nova York em competição com Paris e Roma, toques de masculinização de penteado, trajo, calçado, conciliados com predominâncias feminis em conjuntos de aparências orientados por modas. Foi o caso, já há mais de meio século, da moda de mulher jovem chamada *flapper*, criada por Nova York e que repercutiu na Europa, depois de ter suscitado adesões entusiásticas nos Estados Unidos.

Observe-se dessa moda de mulher, com toques de masculinização no conjunto feminino, ter ocorrido, em parte, pelo impacto, sobre o sentimento tanto estadunidense como europeu, da Primeira Guerra Mundial, com a glorificação de heróis masculinos como combatentes. Acontecimentos dessa espécie tendem, ou vêm tendendo, a influir sobre modas de mulher no sentido dos já referidos toques de masculinização, influentes sobre as próprias modas – e também modos – de andar da mulher, em contraste com o que as modas ou modos ou ritmos de andar foram os dominantes em épocas anteriores. Ritmos de andar em harmonia com característicos de modas de saias: mais curtas que as antigas. É evidente que as famosas saias-balão, de mulheres elegantes dos séculos XVIII e XIX, exigiam dessas elegantes um ritmo de andar que tendia a apuros de delicadeza, de graça, de donaire, então associados de modo consagrador ao tipo, à figura, à personalidade da mulher, em aguda diferenciação da personalidade máscula. Com tendências, no século atual, para a redução dessa diferenciação entre as duas personalidades, a feminina e a masculina, tais tendências vêm se projetando sobre as modas de mulher em correspondência com uma crescente nova concepção de feminilidade.

Nova concepção de feminilidade

Essa nova concepção de feminilidade, de considerável repercussão sobre modas de mulher e por vezes num sentido que tem chegado a ser, em certos particulares, unissexual, não vem sendo apenas estética, porém também ética. Isto é, vem correspondendo a toda uma nova ética de relações entre sexos e, mais do que isso, a uma nova moralidade relativa a comportamentos sexuais tanto de um sexo como do outro e a tendências para admitir-se, em sociedades ocidentais cristãs, católicas ou protestantes, maior independência da mulher. Tendências que vêm importando em crises, algumas profundas, na organização moral dessas sociedades, com menor controle das relações entre os sexos por cleros cristãos crescentemente desvairados em suas concepções, ditas progressistas, do que sejam suas responsabilidades em particulares tão importantes. Daí, em grande parte, desvarios em modas de mulher, com acentuadas libertinagens, além de compreensíveis liberdades, de trajos nos quais vêm se admitindo – em suas modas ou vogas ou excessos – provocações de caráter sexual que vêm tendendo a extremos.

Às compreensíveis maiores liberdades de trajo, em modas tanto masculinas como femininas, ligam-se as adaptações que vêm ocorrendo, nessas modas, a situações e climas tropicais. Adaptações necessárias e que implicam haver já, no Brasil, uma consciência brasileira de que à mulher brasileira cabe seguir modas adaptadas a situações predominantemente tropicais, em vez de seguir passivamente e, por vezes, grotescamente, modas de todo europeias ou norte-americanas de trajo, de calçado, de penteado, de adorno, de perfume, de andar, de mulher.

Ao lado de modas, tem havido, e pode haver, erupção de voga passageira, por vezes, caprichos, da parte de grupos ou subgrupos que, não parecendo moda, deixa de ter a duração necessária para a caracterização de uma verdadeira moda. Assim, sucedeu, na própria Paris, com a saia-calça de mulher de uma das primeiras décadas do século XX. Não vingou. Mas não deixou de ser uma antecipação do uso elegante de calça por mulher, tão dos dias atuais, já como moda, dado o fato de sua duração vir caracterizando esse uso como moda triunfante. Triunfante, por ter vencido, através de sua adoção por número considerável de mulheres, o preconceito de não corresponder ao conceito de feminilidade como essencial a modas de mulher. O que sucederia com penteados, chapéus e até sapatos de mulher um tanto no estilo, ou nos estilos, de penteados, sapatos e chapéus masculinos, sem os toques masculinos desses usos terem significado, ou virem significando, masculinização da mulher, nesses setores, que destruísse a feminilidade, embora a reduzisse.

Adaptações dessa espécie vêm correspondendo a novas adaptações da mulher a papéis sociais outrora exclusivamente masculinos, sem perda do essencial de sua feminilidade. O equilíbrio socialmente desejável, certo, como parece, que nem as mulheres mais sensatas, nem os estudiosos mais competentemente sociológicos ou antropológicos ou jurídicos das relações entre os sexos, nem, tampouco, os criadores de modas para a mulher tendem a entusiasmar-se por soluções ou ajustamentos ou reajustamentos dessas relações que importem em simplistas e arbitrárias masculinizações da figura ou do tipo ou do comportamento feminino, como se tal masculinização pudesse de fato significar a consagração de uma igualdade de direitos.

As modificações nos estilos de trajo, de sapato, de penteado, de adorno, tanto quanto de andar, de sorrir, de beijar e de comportamento da moderna mulher ocidental – ou da mulher moderna, em geral – é claro que tendem a considerar mudanças nas formas gerais de vivência e de convivência que se vêm exprimindo no Ocidente, a cuja civilização o Brasil pertence, numa modernização extensiva ou abrangente. A mulher moderna, tanto quanto o homem moderno, tem que conviver com formas modernizadas de relações do viver doméstico ou privado com o público, da casa com a rua, da família com a comunidade. Essas relações, diferentes das que predominaram no Ocidente, não só há um século como há meio século, vêm significando novos ritmos de vida, novas noções de tempo, novos meios de comunicação, de informação, de transporte. Todas essas modernizações vêm exigindo do trajo, do calçado e do próprio penteado e do próprio adorno da mulher adaptações a esses ritmos de andar, a essas noções de tempo, a essas comunicações, todas tendentes a acelerações, a velocidades, a agilizações. Daí saias, sapatos, adornos de mulher de hoje já não poderem ser o que foram para sua bisavó, sua avó e mesmo sua mãe. Quem diz moda de mulher não diz – como há quem suponha – invenções arbitrárias e até caprichosas de novidades, por criadores absolutos de novos estilos de vestido, de calçado, de adorno.

Invenções ocorrem. Mas muito afetadas pelo que pode ser apresentado como condicionamentos, em consequência de modificações ou de modernizações gerais de ritmos de vida e de novas relações gerais entre seres humanos, conforme sexos, gerações, condições socioeconômicas. Modificações e modernizações técnicas, econômicas, sociais, culturais que vêm exigindo vestidos, sapatos, penteados, adornos de mulher e de homem adaptados a essas novas condições gerais. Que vêm exigindo e que continuam a exigir. Daí os criadores de modas, as modistas, os figurinistas, em vez de inventores, serem artistas que precisam adotar ou apresentar estilos de diferentes artigos ou objetos de uso feminino ou masculino, considerando condicionamentos da espécie aqui sugerida. Atendendo a tais condicionamentos. Sendo criativos dentro desses condicionamentos.

Antropologia, sociologia e modas

O que, sendo exato, é uma demonstração de ser a moda de mulher – ou de homem, de adulto ou de criança, mas especificamente de mulher – expressão de um fenômeno sociológico abrangente através das diferenciações que estiliza. Até há pouco, pensou-se, no Brasil e noutras partes do Ocidente, serem Sociologia e Antropologia ciências de generalizações abstratas. Hoje, em parte, graças a obras de autores brasileiros, influentes até sobre outros países, além do Brasil, já se pensa dessas duas ciências noutros termos: como ciências menos abstratas do que concretas. Mais: como ciências ligadas a cotidianos de vivência e de convivência humanas. Entre esses cotidianos, os modos – vários condicionados por modas e não apenas condicionantes delas – de seres humanos comerem, beberem, vestirem-se, pentearem-se, divertirem-se, amarem, criarem os filhos, cuidarem dos idosos.

Cotidianos, todos esses e os demais, afetados por modas, influenciados por modas, coloridos por modas. Modas que, nessas suas influências sobre seres humanos, podem ir além de usos ou modos, ao mesmo tempo, pessoais e sociais de homens, mulheres e crianças regularem suas vivências. Podem tornar-se modas de pensar, de sentir, de crer, de imaginar, e, assim subjetivas, influírem sobre as demais modas: sobre maneiras pessoais e gerais de indivíduos e grupos seguirem modas concretas. É assim que certas modas de trajo, de calçado, de penteado de mulher, de homem, de criança, podem ser seguidas com entusiasmo por umas mulheres e com severas restrições, e até quase repúdio, por outras, de acordo com diferentes ideias, da parte delas, do que seja decoroso, moral, religioso, digno, elegante, artístico, funcional.

O professor Edward Sapir, em pronunciamento de sociólogo, sobre modas, não considera este aspecto significativo – atitudes – nas reações de pessoas ou grupos a modas em vigor. É um aspecto considerado aqui, em divergência de Sapir, talvez pioneiramente. Divergência considerável.

Sapir insiste na importância de conflitos entre modas inovadoras e símbolos de prestígio social estabelecidos ou consagrados. Admitindo que tais símbolos possam repudiar certas modas ou excessos nas maneiras de serem adotadas, deve-se, por outro lado, admitir que, entre os elementos mais sofisticados e mais bem situados socioeconomicamente de um grupo social, haja ondas de insatisfação com rotinas de usos de trajo, sapato, penteado de mulher que favoreçam o aparecimento de inovações nesses setores. Para Sapir haveria, da parte de elementos desses setores, um constante desejo de acrescentarem novas atrações, quer a seus *eus*, quer a pessoas de sua maior estima. Em tais casos, seriam mulheres bem situadas, socioeconomicamente, as mais desejosas de acrescentarem atrativos às suas pessoas, através de novas modas capazes de as favorecerem com tais acréscimos. Mas também haveria pais, maridos, amantes desejosos de tais acréscimos para mulheres de suas particulares estimas. E tais desejos constituiriam permanentes estímulos ao aparecimento de novas modas embelezadoras de mulheres.

O que, ocorrendo, como parece ocorrer, resultaria num excesso que Sapir registra: o de mulheres que, encantadas com modas que embelezem suas pessoas, extremem-se na sua adoção. As mulheres mais inclinadas a tal excesso seriam, segundo Sapir, as menos jovens, para as quais modas sempre novas surgiriam como suas aliadas, em empenhos contra o envelhecimento.

Admita-se de várias novidades no setor de modas de mulher que tendam a corresponder a esse desejo da parte de senhoras menos jovens: o de as rejuvenescerem. O termo "senhoras" é usado, por parecer serem mulheres das mais bem situadas socioeconomicamente, as mais empenhadas em prolongarem, através de suas constantes atualizações de aparências através de novas modas, as mais capazes de gastarem na satisfação desse empenho. E a verdade é que há modas novas que concorrem para o rejuvenescimento de aparências, favorecido notavelmente por cosméticos, tinturas e cirurgias plásticas.

E o envelhecimento da mulher?

Mas lembre-se, também, do envelhecimento que, natural como é, na mulher como no homem, não é de efeito sempre desprestigiador de positivos da feminilidade e da varonilidade. Sabe-se de não poucas mulheres que seus encantos de feminilidade têm aumentado com a idade. Ou aumentam com o tempo. Daí, mulheres que já no outono suas belezas cheguem ao esplendor. Foi o caso da brasileira dona Flora Cavalcanti de Oliveira Lima, conhecida e admirada no estrangeiro, esposa do grande Oliveira Lima, como, aliás, no caso de beleza masculina, o exemplo do também grande Joaquim Nabuco. O tempo nem sempre é um inimigo de esplendores de porte humano, a serem combatidos com cosméticos, tinturas e atualmente com extremos, por vezes, triunfantes de cirurgias plásticas.

A relação entre resistência ao tempo, de encantos de porte de mulheres, como de homens, é problema a que não podem ser estranhos modistas, cabeleireiros, massagistas, e outros especialistas em artes e técnicas não só de conservação desses encantos de porte como de adaptação de modas a mudanças de tempo, quando inevitáveis. Outrora foi avassaladora a tendência para capitulações tais diante dessas mudanças que se tornaram fatais trajos de mulher idosa, nos quais essa capitulação era de todo estabelecida ou consagrada. Daí a chamada, em certa época, capota de velha. Isto é, a mulher idosa se resignava a só aparecer revestida de uma capota, uso a que era como que condenada, a fim de não parecer idosa a pretender ser ainda jovem.

A tendência noutro sentido vem se acentuando e acompanhando duas ocorrências características de triunfos civilizadamente humanos neste particular: o aumento da média de vida – um fato biossocial – um, e de máxima importância; outro, o aperfeiçoamento de defesas artificiais da mulher contra desgastes de sua aparência pelo tempo. E os dois como que juntando-se para estabelecerem novos padrões do que seja o fator idade como característico do porte de mulher, adaptável a inovações predominantemente juvenilizantes, em estilos de trajo, de penteado, de sapato. Sapir não os considera como merecem.

Modas de mulher e idades

Pode-se dizer da situação atual, no Ocidente, da moda de mulher, em relação a suas idades, que representa triunfos quase revolucionários na consideração do que tais idades exprimem, modernamente, em contraste com o que exprimiram no século passado. Um exemplo, o da mulher balzaquiana. A célebre mulher de 30 anos da concepção de Balzac como já não sendo uma mulher caracteristicamente jovem, mas o começo de uma mulher, se não já de meia-idade, de juventude menos jovem.

Pelos padrões atuais de avaliação de idade de mulher, condicionados por sensacionais aumentos de média de vida, a "mulher de trinta anos" – a balzaquiana – é uma jovem, podendo competir com a de 20. Semelhante avaliação se prolonga em avaliações de idades de mulher além da de 30 anos, fazendo que só após os 60 a mulher deixe de poder usar plenamente modas de mulher de meia-idade. Isto, de modo geral, admitindo-se que várias, após os 60, por meios modernamente científicos de prolongamento, em mulheres, de aparências jovens, possam vestir-se e calçar-se como se continuassem de meia-idade e, até, de 20 ou 30 anos. O que não vem evitando que outras, na falta de uma necessária autocrítica, vistam-se, após os 60 anos, como se fossem adolescentes, quase resvalando em ridículos. O que leva o analista do assunto à consideração deste aspecto da relação entre moda de mulher e idade: o sexual.

A moda de mulher apresenta-se quase inseparável do que nela é presença de sexo feminino. E do que, na época moderna, seja atitude predominante com relação a sexo. Uma predominância que, na sua projeção sobre moda de mulher, sendo principalmente estética, não pode deixar de atender a considerações éticas. E num e noutro caso, ao problema de, nessas projeções, atender-se a impactos sobre elas, de duas forças antagônicas: unissexo e bissexo. A tendência para modas de mulher em que se admitam trajos outrora masculinos – como calças – e a tendência para, nas mesmas modas, acentuar-se a feminilidade. Mais: a tendência para acentuação de pendores dionisíacos e a tendência para resguardarem-se dignidades apolíneas. Relacionamentos de moda com idade que não são exclusivamente femininos: são também de homens modernos.

Dionisíaco & apolíneo em modas

Sabe-se que os dois característicos – dionisíaco e apolíneo – são importantes na Antropologia moderna, quer na caracterização de indivíduos ou, antes, de pessoas, quer de grupos humanos. Quer na caracterização desses grupos, quer de suas culturas.

O dionisíaco significando exuberância, liberdade e, até, licença de expressão em comportamentos, em artes, em modos de sorrir, de rezar, de andar, de dançar, de cantar, de amar. Exuberâncias em rezar como expressões características de sentimentos populares em torno da doença dramática de Tancredo Neves, constituíram, para alguns observadores, excessos lamentáveis e, para outros, manifestações espontaneamente livres de decoros convencionais. A expressão apolínea, significando dignidade, discrição, equilíbrio, em todas as formas de expressão humana ou cultural, deveria, para alguns censores, constituir o modelo ideal de pesar. O feitio romântico de comportamento, de arte, de atitude tenderia a ser dionisíaco. O clássico, a ser apolíneo. E – é claro – em não poucos casos, os dois feitios, em vez de puros ou absolutos, apresentarem-se mistos.

Em modas de mulher, vêm variando as predominâncias desses impactos – o dionisíaco, o apolíneo, o misto – sobre elas. Variando o impacto romântico em contraste com o clássico. O inovador em contraste com o conservador e até com o ressurgente. Por influência, talvez britânica, as modas de vestir dos homens modernos vêm tendendo a ser apolíneas.

Às modas de mulher não têm faltado ressurgências, até, de arcaísmos. De repente torna-se moda voltar a usos do tempo de avós. Uma espécie de paradoxo quando, por moda, se subentende quase sempre inovação. Essa inovação não vem sendo um absoluto, dados os não de todo raros exemplos de ressurgências.

Pode-se sugerir que a excessos, em modas, de pendores apolíneos – como foram os do trajo de mulher, junto com o do homem elegante, da época vitoriana – têm sucedido pendores dionisíacos, como o da – na época, um escândalo – "jupe culotte" aparecida na França. Mas também o contrário: corretivos apolíneos a considerados excessos dionisíacos. E também corretivos de diferenciação sexual a pendores uniformizadores ou unissexuais, com abusos de masculinização em prejuízo de feminilidades: estas, por vezes, exprimindo – outro aspecto de modas de mulher – o chamado "sex appeal".

Sugestões, estas, que indicam o assunto complexo – antropológica, psicológica, sociológica, estética, eticamente complexo – que é o, para alguns, assunto frívolo: moda de mulher. Frívolo coisa nenhuma: em vários dos seus aspectos, gravemente complexo. Compreende-se que o sociólogo alemão Simmel o tenha considerado objeto de estudo germanicamente solene. E que o, por algum tempo, famoso Herbert Marcuse, no seu *Eros and civilization: a philosophical inquiry into Freud* (Nova York, 1963), ao considerar o tema de sublimação de impulsos eróticos, fale numa, para ele, importante projeção moderna de "sexiness", não só em política, em negócios, em formas de propaganda ou de reclame, como num "etc." que inclui, pode-se dizer que de modo muito significativo, moda, em geral, e moda de mulher, em particular. Infelizmente Marcuse não considera, como devia ter considerado, esse "etc.": sublimação de impulsos eróticos em modas, principalmente, de mulher.

A ênfase em sublimação seria a perspectiva verdadeiramente sociológica ou antropológica – em vez de só, sexualmente, freudiana – de tratar-se do assunto. Pois a moda de mulher, acusando projeção, sobre ela, dessa sublimação de sexo, está contribuindo, nas suas expressões mais caracteristicamente modernas, para uma verdadeira estética da feminilidade. E – paradoxo – para uma acentuação – contrária a degradações – das formas e dos característicos femininos, através de vestidos, penteados, adornos, sapatos – lembre-se a expressão "sapatões" – que, destacando encantos de feminilidade, não os tornam exibições ou anúncios sexualmente femininos. Não sendo repressivos, não são exibicionistas, a não ser quando usados por exibicionistas. Mas os exibicionistas não podem ser considerados os verdadeiros criadores de modas de mulher – ou de homem –, embora haja, da parte de alguns deles, como da parte de outros, ânimos empenhados em *épater*.

A verdade é que as modas radicais raramente têm sido triunfantes de todo sobre tradições ou ânimos conservadores da parte de públicos para os quais o que é feminino tende a ser sempre constante e, portanto, conservador. Exagero de interpretação.

Exibição de pernas e de seios

A moda de a mulher deixar ver as pernas ou a de deixar entrever seios provocantes encontrou resistências da parte não só de moralistas, porém de homens simplesmente ou sensatos, ou ciumentos. Há mulheres que, ao seguirem essas audácias, tendem a segui-las com exageros. Imoderadamente. O que tem comprometido modas saudáveis. Moderações só de caráter ético ou moral têm triunfado sobre excessos de inovações tidos por demasiadamente afoitos. Meios-termos têm, mais de uma vez, triunfado sobre um e outro extremo: o exibicionista e o moralista. O libertário e o puritano. Nos protestos a excessos libertários tem, por vezes, atuado a defesa da chamada "mulher de família" contra o risco de poder ser confundida, pela ostentação de decote afoito e de outros extremos, com a chamada "mulher da vida fácil", na verdade inclinada a exibicionismos de partes atraentes de sua figura feminina.

Quando Sapir – um sábio – salienta a íntima relação entre formas e símbolos, através do que vêm sendo modas, em geral – especialmente no Ocidente – toca no fato de predominâncias, nessas modas, de formas, cores, tecidos, posturas virem sendo condicionadas por símbolos em vigor em conjuntos sociais e culturais. As modas – acentue-se sempre – não vêm sendo criações arbitrárias. Tampouco vêm se restringindo a ser expressões ou monopólios de uma só classe: a socioeconomicamente dominante. Pode-se mesmo sugerir, das modas de mulher, que elas vêm tendendo a desmentir o absoluto da chamada luta entre classes, tão cara ao marxismo ortodoxo.

Com a possibilidade de produção em massa de artigos de uso feminino – tecidos, sapatos, adornos –, vem se registrando, no Ocidente, caracterizado, em suas modernizações, por civilizações industrializadas, a facilidade da adoção de modas de mulher originadas de classes bem situadas socioeconomicamente por mulheres de outras classes: das de rendas mais baixas. A esse propósito, Sapir salienta o fato de a posse de dinheiro vir sendo crescentemente interpretada como um acidente, com essa posse podendo suceder a quase qualquer membro de uma sociedade ou de uma cultura, e não sendo monopólio de uma classe única. Mas sucede, também, que objetos de moda feminina mais caros, modernas indústrias podem os vir fabricando e os tornando acessíveis – se não do mesmo material, da mesma aparência – às pessoas de baixa renda, de modo crescentemente generalizado. Daí, atuais difusões de modas de mulher através de seus transbordamentos de classe média – média não só às outras classes médias que compõem sociedades modernas, como a gentes proletárias em processo de passarem dessa condição à de membros de classes médias iniciais.

Sabe-se – é evidente – que a moda feminina vem tendendo, por vezes, a variar, mais que a masculina. Essa variação, porém, não é universal. É característica dessas modas mais no Ocidente – ou nas civilizações ou culturas ocidentais – que nas não-ocidentais. Essa variação de modas de mulher em culturas ocidentais, há quem as atribua, nessas culturas, à mulher se sentir obrigada a atrair constantemente atenções e admirações masculinas. Não só apenas atenções, de modo geral, dos homens, como dos próprios maridos.

Trajo de mulher e prosperidade do marido

Mesmo porque, em sociedades chamadas burguesas, o modo de as mulheres casadas se apresentarem em público constitui um dos meios dos seus maridos se afirmarem prósperos – aqui vai algum marxismo – ou socioeconomicamente bem situados. Sendo assim, é preciso que os vestidos de esposas ou de filhas variem, de menos a mais exuberantemente caros, e adornados como expressão, quer da constância de *status* alto dos maridos e pais, quer como expressão de aumento de prosperidade ou de ascensões socioeconômicas ou políticas ou na ocupação de cargos ilustres dos mesmos maridos ou pais. Ou, em alguns, de amantes de homens que se sintam comprometidos, por motivos de prestígio social, a se afirmarem através de vestidos, adornos, sapatos ostentados por suas – no caso – amantes. Essas precisam de ostentar não só suas belezas de rosto e de formas de corpo, porém penteados requintadamente artísticos, faces bem retocadas por outras artes, adornos que acentuem encantos naturais de bustos, de braços, de pernas, de pés. Neste particular, sociologicamente importante, as modas de mulher, em sociedades burguesas, vêm desempenhando papel valioso.

As joias e as pedras preciosas vêm sendo parte importante da afirmação de *status* de homens importantes através menos dos seus próprios trajos, adornos e sapatos, que dos vestidos, dos penteados, dos sapatos e, especificamente, de joias e pedras preciosas que deem esplendor a modas de mulher. Também aqui é certo terem indústrias modernas de imitação de artigos, quando autênticos, caros, facilitando a mulheres, esposas ou filhas de homens de posses modestas competirem, em aparência, através de joias imitadas das de alto valor, com efeitos – sobretudo as mulheres sendo belas – quase iguais, como adornos, aos das joias verdadeiras. E o que é certo de joias vem sendo certo de tecidos, com as sedas artificiais, por exemplo, competindo vantajosamente com as naturais.

Pode-se concordar com observadores do assunto quanto a este aspecto econômico de as modas de mulheres virem variando, que, aliás, destrói o mito dessa variação resultar do arbítrio dos profissionais que as desenham: os *designers*. Esse arbítrio é insignificante. O *designer* obedece, em grande parte, a interesses econômicos ligados ao uso de materiais de que se fazem vestidos, adornos, sapatos: ao que, nesses materiais, se apresente de mais rendoso através da sua utilização segundo vogas que os tornem procurados nas confecções.

O que não quer dizer que os *designers* sejam elementos passivos com relação ao êxito dessas vogas. Eles concorrem para tais êxitos, desde que as vogas, além de utilizarem materiais economicamente vantajosos, precisam sensibilizar o público feminino ou o público masculino comprador dos artigos que sejam lançados como o que os franceses da *belle époque* chamavam o *dernier cri*; o *dernier cri* em vestidos, o *dernier cri* em sapatos, o *dernier cri* em penteados, o *dernier cri* em adornos. Várias expressões de *dernier cri* que competia – e compete – ao *designer* o mais possível juntá-las em conjuntos ou totais de *dernier cri*, sem que se possa desprezar o *dernier cri* em cores ou odores. Pois também há *dernier cri* de perfumes de mulheres.

De modo que há um aspecto psicológico ao lado do econômico e é possível admitir-se que, por vezes, superior ao econômico, por trás do êxito ou do sucesso de novos tipos de artigos de moda de mulher. Os fatores psicológicos condicionam, em grande parte, tais sucessos.

Moda e complexos socioculturais

Daí as modas, em geral, as modas de mulher, em particular, terem que ser situadas em complexos psicoculturais ou psicossociais que favorecem êxitos, assim como podem causar insucessos. O que não significa que o *ego* pessoal não atue dentro desse complexo só aparentemente de todo impessoal. Uma moda de mulher, para ter êxito, precisa de sensibilizar não só um gosto por formas, generalizado na sociedade a que se dirige, como os *egos* que constituem esse todo coletivo.

O reparo de que o *ego* se deixa condicionar por usos, costumes tradições, quanto ao que, para homens, crianças, mulheres, sejam os seus modos de se vestirem, é validamente sociológico. Mas à moda cabe dizer que formas e cores devem ser as seguidas nesses usos. Ou como se ajustarem a tradições ou a elas, modas, se ajustarem, tradições.

Pode-se dizer da mulher que tende a ser, quanto a modas para seus vestidos, seus sapatos, seus penteados, um tanto maria-vai-com-as-outras. Portanto, a corresponder ao que a moda tem de uniformizante. Mas é da argúcia feminina a iniciativa de reagir contra essa uniformização absoluta, de acordo com característicos pessoais que não se ajustem a imposições de uma moda disso ou daquilo. Nesse particular, é preciso reconhecer-se, na brasileira morena, o direito de repudiar modas norte-europeias destinadas a mulheres louras e alvas. Isto é, repelir tais modas ou adaptá-las à sua morenidade e ao seu tipo antropológico do mesmo modo que, ecologicamente, ao clima brasileiro: um clima tropical. A essa altura, é oportuno acentuar-se que, durante o século XIX, a importação, pela burguesia brasileira, de bonecas francesas, louras e róseas, para as meninas, concorreu para criar nessas meninas uma associação de ideia de beleza feminina com esse tipo antropológico de mulher. Daí, o recurso, da parte de mulheres, a cabelos oxigenados ou pintados de louro e a *rouges* que amortecessem o moreno pálido das faces, para que parecessem róseos europeus.

Aqui entra a morenidade brasileira

A neutralização desse albinismo verificou-se, em parte, desde o próprio fim do século XIX, através de uma romantização, partida de poetas sensíveis à predominância, no Brasil, de belezas femininas morenas, desses tipos de mulher. Tal romantização representou uma valorização do natural contra a imposição ao Brasil de um modelo em parte antibrasileiro. Nem por isso as modas de mulher deixaram de sofrer, no Brasil do Império e da Primeira República, considerável impacto norte-europeizante ou albinizante.

A triunfante reação melanizante é recente e vem tendo, nos nossos dias, na glorificação brasileira da beleza de Sônia Braga, o seu ponto culminante, sem que essa glorificação de uma beleza morena venha significando o desapreço por brasileiras louras, tão belas como Sônia Braga: o caso de Vera Fischer. Ambivalência característica de um Brasil crescentemente metarracial no seu pendor para sobrepor considerações de origens e situações especificamente raciais de brasileiros e de brasileiras seus característicos socioantropológicos, seus modos já nacionalmente brasileiros e tendentes a metarraciais, de sorrir, de andar, de conviver. E, com esses modos, as preferências femininas por modas que se ajustem a formas e cores de mulheres bronzeadas pelo sol das Copacabanas, à revelia de modas puramente europeias ou puramente ianques. Ou puramente albinoides.

A essa perspectiva antropologicamente brasileira – na verdade, metarracial – está se juntando, em modas brasileiras de mulher, outra perspectiva expressiva de uma independência nacional de cultura, nesse particular: um maior uso de material ecologicamente próprio do Brasil na confecção de artigos de moda feminina. Já se anuncia – um exemplo – "a consagração do algodão, em suas múltiplas texturas, como o tecido das nossas coleções", informa em jornal brasileiro de 2 de novembro de 1982 sua redatora de *Diário Feminino*. A qual justifica essa consagração por novas modas do brasileiríssimo algodão como "tendo suas raízes não apenas nos modismos dos estilistas mas, na forma de vida, na sua valorização de tudo o que vem da natureza, tendência cada vez mais forte no mundo ocidental. Confortável, arejado, prático, fácil de passar e lavar, o algodão aparece como o tecido ideal para climas como o nosso". Adianta: "Algodão que vai dos estampados miúdos aos encorpados cetins". E mais: "Que se usa a toda hora e que, por isso mesmo, aparece com perfeição nos modelos de dia: as saias de múltiplos babados, as blusas femininas com babados e rouches fazendo às vezes de golas e também em calças bem estruturadas, versáteis, usadas com perfeição tanto de dia como à noite". Ao lado do algodão, estariam as cambraias, como outro tecido ideal para novas blusas de um tipo considerado ainda romântico, junto com macacões femininos macios e muito franzidos.

Junto a esses muito brasileiros algodões e a essas cambraias, as modas de mulher, a surgirem agora no Brasil, mostram-se, até em macacões franzidos, como que insurgentemente femininos. Modas brasileiras e ecológicas – de acordo com o trópico – e femininas: o que faz que alguns as considerem românticas. As revistas femininas, ao ilustrá-las, dão destaque ao que nelas parece ser mais cor, à maneira das cores do pintor brasileiro Cícero Dias, do que nuance do gosto do poeta francês do século passado. É como se dissessem "*pas de nuance, rien que la couleur*". O que parece corresponder à crescente identificação, que está se verificando, do brasileiro, quer com a tropicalidade, característica de grande parte do espaço nacional, quer com a morenidade que caracterizam, cada dia mais, sua natureza e sua metarracialidade. Condições que tendem a projetar-se, mais e mais, sobre os gostos de mulheres brasileiras, de modo incisivo, e de homens, de modo acompanhante, por modas de vestidos, de trajos, de penteados e de sapatos que correspondam a esses condicionamentos. É evidente que os *designers* brasileiros começam a mostrar-se sensíveis a tais sugestões. E que de sua criatividade, assim orientada, há muito que esperar, tanto mais que não lhes estão faltando revistas, já primorosas em sua arte gráfica, para divulgar suas criações como elas merecem ser divulgadas.

Em uma excelente *Sociology* (Boston etc., 1940) que se tornou clássica, dois sociólogos eminentes, William F. Ogburn e Meyer F. Nimkoff, abordaram pioneiramente o assunto "modas", incluindo-as entre *folkways* que, segundo eles, seriam uma espécie de oposto social ou sociocultural de "costumes": estes, formas de comportamento "bem estabelecidas e difíceis de serem alteradas". *Folkways*, em geral, modas, em particular, se caracterizariam pelo fácil de suas mudanças: do seu *come and go.*

Os costumes, segundo esses e outros sociólogos, formariam, em sociedades e culturas, uns como bolos solidificados pelo tempo social. Essa solidificação através de gerações, fazendo que indivíduos tornados socialmente pessoas com eles se conformassem a ponto de dificilmente se desprenderem deles. Será essa acomodação um fenômeno eminentemente psicossociocultural.

Realizando-se esse conformismo, de modo quase absoluto, em sociedades e culturas das chamadas primitivas, o mesmo não se verificaria, desse modo quase absoluto, em sociedades e culturas desenvolvidas. Nas sociedades e culturas desse tipo haveria maior tendência para os costumes, no seu poder sobre indivíduos-pessoas, sofrerem uma espécie de competição de modas transitórias, porém modificadoras, pelo fato de serem sucessivamente novas e transitórias, de uniformidades de comportamentos socioculturais. Exemplo: a moda de vestidos desta ou daquela cor para mulheres. Ou dessa ou daquela cor para trajos masculinos. Sendo moda, as mulheres e os homens mais elegantes de uma sociedade tendem a usá-los, mesmo à revelia de costumes reguladores da matéria: cor de vestidos femininos. Mas sem que esses costumes deixem de reagir a imposições de modas. É o que, sociologicamente, se vem constatando.

Observe-se, porém, sob igual critério objetivamente sociológico, das sociedades e culturas desenvolvidas, nas quais os costumes bem estabelecidos sofrem impactos de modas transitórias porém sucessivas, que essas sociedades e essas culturas são constituídas por grupos nem sempre solidários. Ao contrário: diferenciados nos seus ânimos e nos seus gostos. Daí haver, quase sempre, neles, urbanitas e ruralitas. Gentes mais religiosas e menos religiosas. Gentes mais esportivas e menos esportivas. Além de – nas sociedades capitalistas e mesmo nas totalitárias – gentes mais ricas e menos ricas. É assim que, havendo, em tais sociedades e em tais culturas, usos comuns a todos os seus grupos, em vários aspectos de seus comportamentos, seguem normas diversas e até antagônicas, conforme grupos. O que predispõem uns a adotarem entusiasticamente todas que surjam quanto – um exemplo – a adornos de mulher, saias, decotes – e outros que as repudiem, dentro de suas éticas particulares ou de grupos. E se é certo que em sociedades e cultura do tipo desenvolvido, todos comam utilizando-se de facas e garfos, e três vezes por dia, é também certo que nem todos seguem os mesmos ritos sociais de relações de umas pessoas com outras, mas ritos diferentes, conforme suas situações socioeconômicas, suas religiões, os bairros onde residem, suas profissões e as preferências esportivas que seguem. Tais diferenças, entre grupos componentes de uma sociedade ou participantes de uma cultura, fazem com que tais conjuntos socioculturais tendam a recolher, de modos diversos, novidades apresentadas por esta ou aquela moda relativa a isto ou àquilo. Inclusive modas que modifiquem aparências, trajos, comportamentos de mulheres. Daí nessas sociedades e culturas desenvolvidas haver obstáculos a uniformidades na adoção de novidades implícitas em modas dessa espécie.

Diferenças em ritmos de modificações sociais

Daí, diferentes ritmos em modificações de sociedades e de culturas que afetem costumes: umas estabilidades tradicionais. Mas esses diferentes ritmos em tais modificações não vêm importando, considerados nesses conjuntos, na conservação inalterável de costumes em face de inovações. De inovações tecnológicas. De mudanças econômicas. De outras mudanças em perspectivas de vivência e de convivência.

À margem dessas modificações, mudanças no vestir, no calçar, nas aparências dos componentes de sociedades e de culturas desenvolvidas, como quase todas as do Ocidente moderno e não poucas de não-Ocidentes contagiadas por surtos de modernização irradiados de Ocidentes. Essas mudanças, nesses particulares nada significantes, vêm importando – este aspecto sociológico ou socioantropológico a ser destacado – em impactos maiores de modas sobre costumes. Certo, uma nova moda de trajo ou de sapato ou de penteado de mulher ou de homem, não tende a representar – insista-se neste ponto – um arbítrio ou um capricho ou uma fantasia de um artista ou *designer*. Ela é parte de um conjunto de modificações menos ostensivas de costumes dominantes numa sociedade ou numa cultura. E nada de subestimar, nessas sociedades e culturas desenvolvidas ou em desenvolvimento, a sobrevivência de resíduos de costumes resistentes a modificações. Não têm sido raros surtos dessas resistências no sentido, vários deles, de superação de modas contrárias, no seu modo de serem sofisticadas, a certo primitivismo a que homens e mulheres, adultos, e não somente crianças, tendem a ser insistentemente fiéis. Exemplo: andarem urbanitas civilizados e até requintados, o mais possível, descalços ou de alpercatas. O mais possível, os homens, sem gravata e, tempo de calor, sem paletó e – resistência triunfante – sem chapéu. As mulheres, o mais possível desembaraçadas de excessos moralizantes de vestes e de sapatos despoticamente inimigos de pernas e de pés livres. São gostos que vêm representando protestos modernos contra tiranias moralizantes, de sabor arcaicamente vitoriano, no trajo dignamente burguês e supostamente de todo cristão, de senhoras e, até, de senhoritas. Talvez a primeira grande reação primitivista nesse sentido possa ser considerada a vitória do corpo ao natural, da mulher, sobre o espartilho, seguida, anos depois, por outra vitória significativa: a atenuação no uso do salto excessivamente alto de sapato de mulher e da meia que resguardava de olhares fesceninos as pernas de mulheres.

Defesas da natureza contra excessos artificializantes

Várias as modas de mulher que vêm representando vitórias de um apreço, em termos higiênicos, anatômicos, naturais e, culturalmente, primitivos, das formas e dos à-vontades do corpo feminino contra imposições de modas artificializantes desse mesmo corpo. Assinale-se, a esse propósito, a revolução no trajo feminino de banho de mar – ou de piscina – que de um extremo anti-higiênico e antiestético de moralismo vem passando a quase outro extremo. Mas que, no Brasil, se apresenta – esse outro extremo – aliado de um brasileirismo social e culturalmente importantíssimo pelo que representa de consagração de uma, cada dia mais, expressão de um orgulho nacional: o orgulho da morenidade característica da pigmentação tropical de grande parte das mulheres brasileiras. O bronzear da pele, tendo se tornado, entre brasileiras de todos os grupos sociais que compõem a população feminina do Brasil, um quase rito religiosamente estético, vem agindo, quer como superação de importâncias outrora atribuídas a origens e situações sociais, quer como revelação, no caso de mulheres miscigenadas, dos positivos, ao contrário de supostos negativos, da triunfante miscigenação brasileira. Miscigenação a que se mostram sensíveis *designers* de vestidos, penteados e adornos femininos e revistas de modas nas quais se apresentam vestidos não só embelezadores de tipos femininos caucásicos ou europeus, porém não-caucásicos e não-europeus. Metarraciais, diriam antropólogos solidários com a tese de vir o Brasil constituindo-se numa metarraça: neologismo gilbertiano. O que sendo, como tudo indica ser, exato, apresenta-se como base para um novo papel da arte brasileira ou de artes brasileiras: o de conciliação de criações, nessas artes, de arrojos modernos com sua harmonização com tipos miscigenados de beleza feminina. Tanto em vestidos e sapatos como em penteados e adornos em que joias e pedras preciosas sejam tão tropicalmente brasileiras como as mulheres, em grande parte – mas não exclusivamente morenas – que as ostentem.

Um característico das mais recentes modas de mulher vem sendo suas harmonizações com estas duas outras modernizações de comportamentos socioculturais: o saudável (implicando maior apreço pelo corpo humano e por sua higienização) e este outro apreço: pela personalidade da mulher. A tendência das atuais modas de mulher pode, em vários casos, pecar pela idealização de tipos como que uniformes da figura esteticamente feminina, havendo até quem fale em total universalização dessas uniformidades como sendo uma desejável cientifização das modas femininas. O perigo, aqui, do cientificismo, é o de se pretender, dos *designers*, que, em vez de artistas criativos, sejam tecnocratas com os centros de irradiação de modas femininas transformados numa espécie de laboratórios nos quais dominasse este critério: o da universalização, junto com a cientifização, das criações destinadas a vestir, calçar, pentear as mulheres do mundo inteiro. Universalização, assim total, e cientifização, assim tecnocrática, que não parecem desejáveis do ponto de vista daquela antropologia social e daquela sociologia atentas ao que, em mulheres como em homens, permanece de regional, ecológica e culturalmente diverso através de expressões, neles e nelas, de personalidades diversificadas.

Os sociólogos Ogburn e Nimkoff, na *Sociology* já citada – um clássico na matéria –, salientam como os produtos materiais de culturas, atuantes sobre desenvolvimentos social e pessoalmente humanos, vêm afetando, nesse desenvolvimento, expressões de personalidade entre homens e mulheres. Destacam, desses produtos materiais de culturas, com efeitos que poderíamos considerar – reparo e vocábulos brasileiros – transmateriais, o relógio: criador, entre ocidentais, do hábito de pontualidade. Hábito, ao mesmo tempo que pessoal, sociocultural. Toda uma revolução no senso civilizado de tempo.

Relógio e moda de mulher

E essa revolução ligada a um objeto com tendências a tirânico: o relógio. O relógio, quer de parede ou de interior de casa ou de escritório ou de fábrica, quer o pequeno, e muito atuante, de bolso.

Deste se saliente, em comentário que avança sugestões dos dois referidos sociólogos, ter se tornado joia de mulher. Ornamento e, ao mesmo tempo, complemento da personalidade da mulher moderna – moderna no sentido lato da expressão –, pois a tornou mais solidária com o curso dos acontecimentos. O que aconteceu com outros objetos aparentemente só ornamentais de uso feminino, como a bolsa com espelhinho, sais e outras pequenas utilidades. Ou a sombrinha. Ou o próprio chapéu com enfeites de imitações de flores e de frutas, porém protetores de penteados e defesas contra o sol.

Quanto a modas de mulher que venham importando em maior higienização de sua pessoa, lembre-se da mulher brasileira vir sendo beneficiada, desde remotos dias, por moda nada europeia e sim castiçamente ameríndia: a do banho diário. A do banho de rio ou banho, em casa, de gamela e de cuia, tão de bisavós dos dias patriarcais, de brasileiras de hoje. Banho que – ao contrário do que muitos supõem – só generalizou-se, como uso higiênico, entre gentes britânicas em época relativamente recente.

É assim que, em *Six centuries of work and wages* (Nova York, 1884), J. E. Thorold Rogers antecipou-se em lembrar que os testemunhos de cronistas da vida inglesa nos séculos XVI e XVII são unânimes em registrar a falta de asseio entre esses europeus que, entretanto, no século XIX se tornariam modelos europeus de higiene, tanto pessoal como social. Mas, no pessoal, precedidos por brasileiros desde os tempos coloniais: desde seus dias de pré-brasileiros. Homens e mulheres, desde esses velhos dias, adotaram dos indígenas a moda dos banhos diários de rio. Sabe-se de, até nas cidades mais civilizadas do Brasil colonial, como o Recife, ter se seguido essa moda, assimilada por civilizados, de gente primitiva, construindo-se banheiros de palha, onde as mulheres se despiam, para tomarem seus banhos de todo nuas, perto das mansões patriarcais. Aliás, supõe-se ter sido adotada, por tais civilizados, outra moda indígena: a de homens, mesmo fidalgos, andarem de pés descalços. O que parece não ter acontecido com as fidalgas cujos pés, vem dizendo a tradição oral, terem sido cuidadosamente atendidos por suas mucamas. Mas, dessas mucamas, há evidência de as sinhás de casas-grandes terem adotado, quando na intimidade de seus aposentos, a, pode-se dizer, moda de se deixarem ficar de cabeções soltos e frescos e pés nus, num completo à-vontade.

Ogburn e Nimkoff abordaram, na sua excelente *Sociology*, tornada clássica, os ritos que, em sociedades patriarcais como foi, tanto quanto no Brasil escravocrata, a do sul dos Estados Unidos e um pouco a da Nova Inglaterra, regularam as relações entre os sexos, o dominante e o dominado. Segundo essa ordenação, parece ter sido, por algum tempo, a virtude mais esperada da mulher a da obediência a pai ou marido. O que, segundo aqueles sociólogos, se explica, pela absoluta dependência, em parte, talvez biológica, da mulher, do homem.

Mulher ornamental?

Mas a essa mulher passiva, ante o marido, tocava a distinção de ser uma espécie de objeto quase religiosamente ornamental dentro da cultura de que fazia parte, especialmente como esposa e como mãe. E esse objeto religiosamente ornamental inspirador de toda uma série de modas de vestir, de calçar, de pentear, que, concorrendo para o embelezamento de suas pessoas aos olhos de pais, maridos, filhos, passaram a constituir testemunho do apreço dos homens, seus senhores, por suas graças físicas que deviam merecer o máximo de aperfeiçoamentos, através de artifícios que enfatizassem artisticamente os encantos naturais de condições especificamente femininas. Daí, em civilizações patriarcais, as modas de embelezamento das mulheres terem chegado a requintes artísticos que constam das histórias das modas femininas sob aspectos, no Brasil, de consagrações, além de éticas, estéticas, de sinhazinhas nada insignificantes em suas expressões consagradoras de feminilidades.

Diga-se da arte brasileira da joia – ouro, prata, diamante – que enriqueceu-se notavelmente sob o impacto e a inspiração desse culto do homem à mulher ornamental. Mais um exemplo de que a negativos sociais, como a subordinação da mulher ao homem em sociedades patriarcais, podem corresponder paradoxalmente positivos. A mulher, no criativo Brasil patriarcal, foi, evidentemente, uma vítima do quase absoluto domínio sobre ela, da vontade, a princípio do pai, em seguida do esposo: sobre ela e sobre os filhos. Mas, em compensação, foi, principalmente quando sinhá ou sinhazinha, mimada, cortejada, valorizada esteticamente, pelo seu dominador, daí resultando modas de mulher, da era patriarcal, que concorreram para valorizar a cultura brasileira em setores estéticos nada desprezíveis, como os que se afirmaram em artes muito brasileiras como a das joias, a das rendas, a dos leques, ligadas a valorizações das figuras femininas. Isso no que essas ligações tiveram de culturalmente favoráveis a projeções estéticas.

Não seja esquecido o fato de que, no setor culturalmente transmaterial, modas de embelezamento da figura da mulher foram acompanhadas, no hoje de todo arcaico Brasil patriarcal, de louvores literários, da parte de poetas e de literatos, aos embelezamentos dessas figuras, que constam da história intelectual do Brasil. Há versos de Castro Alves que exaltam, em figuras de mulher brasileira, belezas de sinhazinhas e não simplesmente de mulheres. O mesmo se diga de retratos de mulher da época patriarcal, traçados não só por José de Alencar como pelo próprio Machado de Assis.

Quando os sociólogos ou antropólogos sociais observam, dos membros de uma sociedade ou dos participantes de uma cultura, que não são de todo iguais uns aos outros, reconhecendo que, nesses conjuntos, há diferenças tanto de situações socioeconômicas como de credos religiosos, tocam num ponto que interessa aos que consideram o relacionamento mulher-moda. É que, numa sociedade, ou dentro de uma cultura, as modas de mulher, ou para mulheres, não vêm sendo inspiradas por um tipo exclusivo de mulher: o senhoril ou o dominante como expressão, em sociedades recentes da alta burguesia.

Os tipos não-senhoris de mulher têm sido inspirações nada insignificantes de modas de mulher. Lembrem-se, com relação ao Brasil, inspirações saídas de mulheres chamadas do povo: de suas rendas mais populares, de suas sandálias, de seus tamancos, de seus adornos. Alguns desses adornos, de origem indígena ou africana.

Sinhás e mucamas brasileiras

Em tempos patriarcais, houve uma como reciprocidade de influências, entre ornamentos característicos de sinhás ou de sinhazinhas e ornamentos – mais ostensivos – de mucama. A essa reciprocidade de influências, no setor de modas tradicionalmente brasileiras de mulher, pode-se acrescentar uma outra: a de adornos de Nossa Senhora e de santas, mulheres, que, de adornos de altar, passaram a ser adaptados a mulheres comuns, ou que, de mulheres comuns, foram transferidos ao *status* de adorno de santas. Intercurso de influências e de desígnios talvez só possível em sociedades das abrangências socioculturais da brasileira: miscigenada tanto nos seus sangues como nos seus componentes socioculturais.

Essa abrangência explica serem quase insignificantes as diferenças – que, entretanto, existem – nas falas do brasileiro, quer as de região para região, quer as de classe para classe, quer as de predominância de origem étnica, de uma para outras, quer, ainda, as de geração jovem para gerações idosas. O que nos leva a considerar vogas ou modas de linguajar dentro da cultura brasileira.

É moda falar errado?

Será, atualmente, moda entre jovens brasileiras falar tão propositalmente errado, ou diferente do linguajar dominante, como parte considerável de jovens do sexo masculino? É assunto para pesquisa sociolinguística. Como é assunto para pesquisa dessa espécie este particular: até que ponto jovens do sexo feminino estão seguindo, como se seguissem modas, os do sexo masculino, no uso ou no abuso de termos pornográficos? São modas, essas de linguajar ou de linguagem, que não deixam de caracterizar tempos ou situações sociais. Esses tempos e essas situações não se definem somente por mudanças ostensivamente materiais que se exprimam em exageros licenciosos de modas femininas de vestir, mas neste outro setor: o sociolinguístico. Evidentemente, o que está se verificando, no Brasil, nesse setor, reflete o considerável declínio de ensinos e de estudos, dos secundários aos universitários, no País. Impossível que esse declínio não se projetasse em tendências globalmente desprestigiadoras de uma cultura nacionalmente brasileira na qual algumas das próprias modas de mulher exprimissem mais negativos do que positivos nas suas expressões, quer estéticas, quer éticas. Não que esses positivos precisassem de acusar primores de alfabetização para serem positivos. De modo algum. Algumas das assimilações, por essas modas, de já referidas sugestões populares, analfabéticas e até plebeias, podem ser consideradas positivas pelo que nelas é ecológico ou telúrico. Mas é preciso não confundir modas de mulher com essa espécie de assimilações válidas de usos rasgadamente populares, com acanalhamentos ou acafajestamentos. Esta a distinção a fazer-se quanto a modas de mulher que signifiquem assimilações de usos saídos de camadas socioeconomicamente inferiores de uma população nacional. Como noutras artes – a de cerâmica, uma delas, a música, outra, a culinária, ainda outra – através das quais se exprimiram, ou das quais resultaram, modas de mulher, suas origens socioeconomicamente inferiores podem, em não poucos casos, ter significado vitalizações dessas modas. Vitalizações como as de primitivismos assimilados por Gauguins e por Picassos nos seus modos vigorosamente renovados – tornados modas – de pintar. E pelos Villa-Lobos nos seus modos de compor músicas nacionalmente expressivas.

O êxito de assimilações de primitivismos, por um lado, e plebeísmos, por outro lado, por culturas nacionais em diferentes setores de arte – inclusive na arte das modas de mulher – tende a depender, em parte, de personalidades criativas engajadas nos processos assimiladores. Aos citados Gauguin, Picasso e Villa-Lobos – grandes personalidades criativas e, ao mesmo tempo, em suas criações, assimiladores de primitivismos ou de plebeísmos – podem ser acrescentados outros. Mário de Andrade, em *Macunaíma*, foi o que realizou. Guimarães Rosa, de modo deliberado, e José Lins do Rego, Jorge Amado e Rachel de Queiroz de modo oblíquo, foram outros tantos assimiladores de plebeísmos ou populismos a criações literárias de caráter erudito.

Tais assimilações – de consideradas inferioridades, por superioridades – têm enriquecido artes eruditas em culturas nacionais como a brasileira. As modas de mulher, como expressões de uma especialização artística, não podiam escapar a esse processo de enriquecimento cultural global. Vários os usos, por mulheres primitivas, camponesas ou exoticamente orientais, de panos de cobrir cabeça, de mantilhas, de turbantes, de penteados, de adornos, que os *designers* de modas ocidentais de mulher têm assimilado dessas fontes, dando-lhes, por vezes, expressões sofisticadas e outras vezes mantendo, nas ocidentalizações, sabores primitivos, exóticos ou populares de ingenuidade e de simplicidade. Sabores, alguns deles, líricos ou poéticos.

Sofisticações e primitivismos

A verdade é que podem ser consideradas as modas de mulher que são puras invenções ou puras novidades. Várias as ressurgências de bons arcaísmos. Não poucas as adaptações a usos civilizados de usos exóticos. E, como já foi sugerido, não poucas as inspiradas por usos tradicionais de vestido, de adorno, de penteado de mulher do campo ou do povo ou de quase segregadas minorias étnico-culturais, como algumas das afro-negras ou ameríndias coexistentes, no Brasil, com populações de culturas superiormente dominantes. Dessa convivência de contrários culturais vêm resultando combinações, no Brasil, de modas já sofisticadamente europeias ou não-europeias de mulher com primitivismos ou plebeísmos, não sendo raras as mulheres brasileiras que, seguindo, quanto a vestidos, modelos sofisticados, conservam-se de todo primitivas ou populares nos seus penteados ou nos seus adornos ou nas suas sandálias de couro cru.

A essa altura é preciso lembrar-se a sobrevivência de artigos de uso feminino, feitos em casa e através de artesanato, atualmente em crescente competição com produtos de indústrias sofisticadas, com os artigos trabalhados a mão sendo, por não raras mulheres, dentre as mais sofisticadas, preferidos, para seu uso, aos produtos mecânicos ou industriais ou progressistas: desde que não importem em arcaísmos. Em ligação com esse fato, já há começos de lançamentos de modas de mulher em cidades do Nordeste, onde é maior a presença regional de artigos de uso feminino trabalhados por mulheres da região, algumas delas primorosas na costura de blusas ou panos com rendas das chamadas da terra e trabalhos de rendeiras regionalíssimos.

Trata-se, assim, no setor da confecção de artigos de modas de mulher, de competição entre três fontes de produção desses artigos. Uma, a importação do estrangeiro dos aí concebidos, fabricados e exportados para o Brasil e para outros países, vários deles à revelia do que sejam nas ecologias, antropologias e nos costumes desses países, diferenças de ecologias, de antropologias e de costumes especificamente europeus. Outra, as de fabrico sofisticadamente mecânico, tecnológico, industrial no Brasil e nem sempre atento, esse fabrico, a situações diferentemente regionais da população feminina do Brasil. Ainda outra fonte, a de confecção de não poucos artigos de uso feminino, suscetíveis de corresponderem a impactos publicitários sobre modas de mulher em que, quer o material de que são feitos tais artigos, quer as mãos de artistas que os produzem, de modo quase sempre primoroso, são regional, castiça, ecologicamente brasileiros.

Não se diga que qualquer dessas fontes deve tornar-se única. A mulher brasileira, seguidora de modas de vestir, de calçar, de pentear, que decida, para conjuntos ou para este ou aquele artigo em particular, o que preferir para seu uso. Outro ponto em que a decisão inclui particularização pessoal. Mas é evidente que à mulher brasileira interessam, cada dia mais, artigos para seu uso pesssoal que, correspondendo ao clima, à ecologia, a ambientes brasileiros, correspondam também a padrões de qualidade artística.

A mulher brasileira, inventora de modas?

Não será o atual, o momento exato de o Brasil produzir, no setor de criação de modas de mulher, o equivalente, como *designer* geral, do que foi em aeronáutica Santos Dumont e em música Villa-Lobos e do que está sendo Oscar Niemeyer, em arquitetura? É provável que sim. O Brasil já começa a estar em situação, neste particular, não só de abrasileirar o que continua a receber de criações de grandes *designers* estrangeiros como de, reciprocamente, exportar *designs* de artistas brasileiros que sejam criações ideais não só para o próprio Brasil como para os países em situações euro-tropicais, em geral, hispano-tropicais, em particular, semelhantes à do Brasil.

Não se trata de pleitear-se hegemonia política para o Brasil como líder desse grupo transnacional em crescente ascensão no mundo moderno: hispano ou ibero-tropical. Mas é evidente que, em vários setores de criatividade artística, o Brasil vem começando a conciliar essa criatividade com sua crescente capacidade tecnológica para industrializar e exportar produtos industrializados da sua criatividade artística. Sua música criativamente hispano ou ibero-tropical é susceptível de ser exportada em discos mecanicamente ou tecnologicamente bem realizados.

O mesmo parece ser certo de vários dos seus refrigerantes e compotas de frutas tropicalmente brasileiras. De suas pedras semipreciosas. De suas castanhas-de-caju: as mães das que a União Indiana antecipou-se em industrializar e exportar, com as do Brasil continuando a ser, potentemente, as mães. Ponto a ser enfatizado por uma propaganda ou uma informática que sublinhe, na Europa e nos Estados Unidos, essa superioridade do produto do trópico brasileiro que pode constituir-se num surto de seu triunfo nesses mercados consumidores. Mas não nos afastemos do assunto mulher e moda ou moda e mulher. E essa mulher a brasileira.

Uma mulher brasileira capaz de, ela própria, pelo seu corpo admiravelmente equilibrador de contrastes, ser a mulher-modelo de modas de mulher, de vestir, de calçar e de pentear, susceptíveis de serem seguidas por mulheres de países afins do Brasil na sua ecologia e na sua formação sociocultural. Não se trata de fantasia. O que é preciso é haver, da parte do Brasil de hoje, uma diplomacia cultural que supere burocratismos e ideologismos em vigor num Itamaraty em que as belas tradições nem sempre têm sido continuadas ou desenvolvidas. Lembre-se do Barão do Rio Branco, que se antecipou em juntar diplomacia cultural a diplomacia política, servida – esta última – por uma maneira pioneiramente científica outro seu aspecto cultural – de ser geográfica e, além de geográfica, documental. Mas que faz, ou vem fazendo, o Itamaraty de hoje ou de anos recentes, que nem sequer move uma palha para defender a língua portuguesa numa Angola, pelo laço dessa língua, tão inclinada a desenvolver relações especialmente fraternas, no setor da cultura, com o Brasil? Que parte da África de formação portuguesa, mais inclinada a seguir, através de suas lindas mulheres, quer brancas, quer de cor, modas de mulher criadas pelo Brasil: modas brasileiras de vestir, de calçar, de pentear?

Modas brasileiras e possíveis expansões

Não é possível que o Brasil cultural se resigne a que lhe fechem Angolas e outras partes africanas marcadas pela presença da língua portuguesa, ao convívio com o Brasil: à música brasileira, por angolanos tão admirada; ao cinema brasileiro, valorizado pela beleza e pela arte de Sônia Braga; ao teatro brasileiro, marcado pela criatividade de Nelson Rodrigues e de Ariano Suassuna; à literatura brasileira; à culinária brasileira; à doçaria brasileira; à reliogiosidade brasileira. As modas brasileiras de mulher poderiam ser, na Angola, as pioneiras de uma reaproximação cultural dos brasileiros com angolanos, que está tardando, em parte, pelas deficiências de uma diplomacia cultural de um Itamaraty que, em Brasília, instalado no mais belo dos palácios aí criados por Oscar Niemeyer, vem se afastando dos exemplos e das inspirações do Itamaraty do Rio de Janeiro, sempre fiel a Rio Branco.

Imagino o Barão do Rio Branco ante a sugestão de as modas brasileiras de mulher tornarem-se, tanto quanto o saber de Rui Barbosa em Haia e a inteligência de Joaquim Nabuco, em Washington, empenhos da diplomacia cultural do Itamaraty. Ele talvez não hesitasse em convocar, a favor desse empenho, Sônia Braga e Vera Fischer, como o favor de outros empenhos culturais convocou Euclides da Cunha e Graça Aranha.

A diplomacia cultural não é luxo. É uma forma de atuação diplomática crescentemente essencial, quer a nações antigas, quer a nações ainda novas.

Como não é despropósito que a essa espécie de diplomacia toque articular-se com *designers*, modistas, cabeleireiros, perfumistas brasileiros, para a valorização e difusão das modas de mulher que o Brasil vem criando, aperfeiçoando, tornando-a tão valiosa para não-brasileiros, com pedras não só preciosas como semipreciosas do Brasil. Pois são modas, as que o Brasil vem começando a criar, não só para mulheres brasileiras como euro-tropicais, em geral, e ibero-tropicais, em particular, carismáticas. Atraem, seduzem, encantam quase como se as animasse alguma coisa de mágico. Carismáticas, repita-se.

Raymond Fosdick, citado por Ogburn e Nimkoff, abordando, em livro, o problema de transplante ou difusão ou transmissão de traços de culturas, de um país para outro, pergunta se é possível ao Oriente deter sua ocidentalização. Uma ocidentalização que vem incluindo, como é notório, substituições de trajos orientais – inclusive de mulher – por trajos ocidentais. Sabe-se haver, atualmente, empenhos da parte de elementos orientais em deterem a ocidentalização de suas culturas. Mas é também sabido que as modas ocidentais de mulher, de vestir, de calçar, de pentear, vêm alcançando, entre populações orientais, uma penetração que parece resultar do que ousamos chamar de carisma dessas modas: um desses carismas, o de modas brasileiras de mulher. Um carisma avassalador pelo fato de essas modas ocidentais constituírem parte de um conjunto de invasão cultural representado por técnicas, máquinas, objetos modificadores de formas de vida num sentido de sua maior higienização, maior facilidade de transporte e de comunicação, maiores confortos físicos.

No caso do carisma que possa ser atribuído a modas brasileiras de mulher, com relação à receptividade dos seus modelos, quando adaptados a ecologias ibero-tropicais, por populações dessa espécie – a ibero-tropical – essa especial receptividade se basearia no fato de o Brasil ter se antecipado, sob alguns aspectos, em desenvolver a simbiose ibero-tropical. Uma antecipação que se realizou menos como arrojos pioneiros da parte de *designers* brasileiros do que do fato de terem eles criado adaptações de inspirações civilizantemente europeias a ecologias tropicais, ao começar a se verificarem entre brasileiros começos de uma identificação de sua parte com sua situação ou sua ecologia tropical. Sem renunciarem sua herança de cultura europeia, os brasileiros inclinaram-se, a certa altura, a assumirem sua situação ou sua ecologia tropical. Daí começou, no Brasil, em data nada remota, uma valorização, pelos brasileiros, de suas frutas e de seus vegetais, de seus alimentos, de seus doces e de seus queijos, em face dos alimentos, doces, queijos, frutas importadas da Europa. Uma valorização, também, de suas tradições de modos tradicionais de residirem e de mobilizarem suas residências: valorização que importou em deixar de ser moda copiarem os elegantes e ricos estilos normandos ou suíços de casas. E a essas valorizações de sentido ecológico juntou-se a da substituição de arremedos de trajos e chapéus ortodoxamente europeus por crescentes à-vontades brasileiros nos estilos de homens, mulheres, crianças se vestirem e se calçarem. As cabeças descobertas dos homens. Os homens, em grande parte do tempo, nos seus trabalhos e nos seus lazeres, sem paletós. O começo do uso de sandálias e de sapatos esportivos. Os livres trajos de banhos. E novos tipos de modas de vestidos, calçados e penteados de mulher: vários deles, crescentemente euro-tropicais ou ibero-tropicais. Uma libertação, para não poucas mulheres brasileiras de classes médias, do jugo de modas europeias impróprias para climas predominantemente quentes. Impróprias para ecologias tropicais ou quase-tropicais.

Deu-se, então, nesse setor, uma antecipação brasileira de mentalidade ou consciência ecológica que permitiu ao Brasil desenvolver modas para mulheres que, sem romper com modelos europeus, adaptou-os a ecologias tropicais e quase-tropicais. Sob essa consciência ecológica, começaram a desenvolver-se, no Brasil de hoje, modas de mulher capazes ou possíveis de ser transferidas – acentue-se – para uso de populações femininas de outros países ibero-tropicais. A começar pelos situados na própria América ibero-tropical.

Sugere-se, no livro de autor brasileiro *O brasileiro entre outros hispanos* – referido no início destas considerações –, que empresários de São Paulo – essa importância atribuída ao setor empresarial de São Paulo não significa desconhecer-se ser o Rio de Janeiro o centro ou foco de irradiação de modas brasileiras de mulher – ponham-se à frente de algumas dessas possíveis transferências. É preciso que, no futuro, essas possíveis transferências – se vingarem – incluam assimilações, por *designers* brasileiros, de sugestões ou inspirações que lhes venham dessa América ibero-tropical, tão afim do Brasil nas suas tendências para juntarem a heranças euro-ibéricas, adaptações dessas heranças a ecologias tropicais e quase-tropicais. Seria um enriquecimento do conjunto, que venha a desenvolver-se, ibero-tropical, de modas de mulher. Que venha a desenvolver-se de ponto de partida brasileiro. De antecipação brasileira, portanto.

Estamos numa época assinalada por várias transferências de caráter cultural de umas áreas a outras. Mas quase todas de técnicas ou de *know-how* tecnológico.

As modas de mulher não podem ser caracterizadas como *know-how* dessa espécie. Mas não deixam de ser uma expressão de *know-how* nacional, susceptível de aplicação ou adoção transnacional, dentro de uma área marcada por predominâncias socioculturais que aproximam as populações nacionais dessa área umas das outras, em termos de sensibilidade a valores culturais e, por conseguinte, de receptividade a esses valores que, de outra origem nacional, correspondam, por serem transnacionalmente da mesma espécie, a semelhanças de experiências e a formas de vivência e de convivência comuns. Ou de tal modo semelhantes que são quase iguais a experiências especificamente nacionais de cada componente desse conjunto transnacional de cultura: o ibero-tropical. Conjunto transnacional de cultura situado em ecologias idênticas – as tropicais – e por elas semelhantemente condicionadas.

Ecologia e modas

Já não há sociólogo ou antropólogo social que duvide de serem as culturas nacionais – ou transnacionais do mesmo tipo – ecologicamente condicionadas. Ecológica, sociológica e antropologicamente condicionadas. Condicionadas também por suas formações históricas.

Acontece com as atuais culturas ibero-tropicais virem sendo marcadas por semelhanças – no essencial – desses condicionamentos a elas mais ou menos comuns. Suas reações aos condicionamentos têm variado. Vêm sendo diferentes. Há inegáveis desentendimentos, incompreensões e antagonismos entre elas. Mas sob eles encontram-se coincidências derivadas das semelhanças de condicionamentos.

Na obra notável que é *Patterns of culture* (Boston, 1935), Ruth Benedict – mulher de superior inteligência, como antropóloga, de quem o autor teve a honra de ser condiscípulo na Universidade de Columbia, ambos discípulos do grande Boas – sugere caracterizar culturas humanas tribais por suas predominâncias de caráter psicossocial: apolíneas e dionisíacas. Das culturas nacionais ibero-tropicais – constelação a que pertence o Brasil – talvez se possa dizer que são mistas de dionisíacas e apolíneas. Pelo que, de suas modas de mulher, é de esperar que sejam projeções desses mistos culturais, com diferentes predominâncias de um ou outro componente dos mistos conforme maiores impactos, sobre eles, de influência luso-ibérica, indo-americana ou afro-negra. Os três impactos, quase sempre, presentes. E sempre presentes em gostos por cores e por formas de vestidos e adornos de mulher.

Poderá dizer-se do atual quase culto estético do amorenamento da mulher pelo sol tropical, que caracteriza o Brasil, ser comum ao conjunto feminino ibero-tropical? A confirmação só poderá vir de pesquisas específicas em torno do assunto, que se realizem entre componentes desse conjunto.

No Brasil pode-se dizer que se verifica já um culto em ponto de culminância. Recente número – de 4 de novembro de 1982 – da revista carioca *Fatos & Fotos*, em que aos textos não faltam expressivas ilustrações, considera o assunto de modo que, sendo jornalístico, não deixa, entretanto, de ter sua pinta antropológica ou sociológica. E destaca desse amorenamento de jovens cariocas ao sol de Copacabanas ser parte do que, no texto, se denomina quase sociologicamente "cultura de descontração da nova geração das *filhas do sol...*". Essas *filhas do sol* estariam sabendo que, expondo-se ao sol para se bronzearem ou se amorenarem, com essa sua opção de se desbranquecerem também, "vêm contornos equilibrados, músculos trabalhados, sem ossos à mostra nem gordurinhas supérfluas, principalmente no bumbum. No corpo ágil, acima de tudo". E adiante: "peles brasileiras mais que bronzeadas, quase queimadas pelo sol violento". O autor do texto chega a considerar opção hoje tão de brasileiras jovens, "busca de tom dourado sensual...", advertindo contra exageros. Mas concluindo: "... quem segura a cabecinha de uma mulher que é dada ao culto do sol e que se orgulha de ostentar uma cor tão decantada internacionalmente?".

Consagração da morenidade

Essa consagração internacional da morenidade brasileira parece apresentar conotações que vão além de sua associação com um culto do sol da parte de brasileiras brancas e louras. Das próprias Veras Fischer. Pois tende a reconhecer o encanto estético daquela outra morenidade, crescentemente brasileira, que resulta de uma também crescente miscigenação. É uma irradiação, há pouco confirmada por fato significativo, registrado pela excelente revista *Exame* (São Paulo) em número de 10 de julho de 1985: o da Black Tie, brasileira, uma rede com oito lojas de trajos a rigor e confecção de vestidos de noiva, ter remetido o primeiro lote de vestidos de noiva para a Arábia Saudita, rendendo tal remessa, ao Brasil, 1,2 bilhão de cruzeiros. No caso, o exportador brasileiro não se esqueceu de detalhe expressivo: o de cada vestido ser acompanhado de véu para esconder o rosto da noiva.

Segundo o autor depreendeu de conversas com Roberto Rossellini, quando, em companhia do pintor Emiliano Di Cavalcanti, visitou-o em Apipucos, um dos empenhos do grande italiano, ao desejar empreender um filme épico, partindo do livro *Casa-grande & senzala*, seria, nesse filme, revelar belezas de cor e de forma de mulheres brasileiras miscigenadas. Pena que para tal projeto do grande cineasta tenha faltado apoio brasileiro.

É o apoio que precisa prestigiar a irradiação daquelas modas brasileiras de mulher, em parte associadas ao fenômeno estético observado tanto por Rossellini como por Arnold Toynbee: o de aspectos positivos e criativos – além de eugênicos e higiênicos, estéticos – de uma miscigenação que já ninguém ignora ser um processo de afirmação da gente brasileira, como expressão de novos e saudáveis tipos de homem e, sobretudo, no aspecto estético, de mulher.

É fenômeno, ou processo inseparável de novos tipos de modas femininas, tendentes a se harmonizarem com essas emergências de novas expressões de figuras de mulher brasileira de formas ágeis e tons de morenidade fluida que vão do moreno claro ao escuro. Ao quase roxo, de tão esteticamente escuro.

Triunfante a miscigenação brasileira

À medida que, em parte, sob a influência de pronunciamentos como o do mestre de mestres que é por muitos considerado o há pouco falecido Arnold Toynbee, a miscigenação brasileira – também reconhecida como exemplar, pelo brilhante intelectual e homem público afro-negro Leopold Senghor – se sobrepõe, pelos seus efeitos positivos, a opiniões pseudocientíficas a seu respeito, tende a aumentar o prestígio, em termos internacionais, de modas de mulher brasileira que se desenvolvam à base, em grande parte, desses efeitos positivos projetados sobre figuras e característicos de mulheres brasileiras, em não pequeno número morenas, quer por bronzeamento por sol tropical, quer como efeito de miscigenação em vários graus.

Recente e perspicaz comentário, na sua seção de modas do *Jornal do Commercio*, do Recife – 5 de novembro de 1982 –, a excelente cronista Lea abordou o assunto "O tipo e a moda", observando haver "um tipo clássico de moda de mulher" que seria caracterizado mais por uma preferência por fórmulas antes "eternas" que "tendentes a modernas". O que nos leva a perguntar: as modas brasileiras de mulher, que estariam se desenvolvendo à base de circunstâncias peculiares ao Brasil, seriam negações de tipo clássico de modas de mulher? Ou conciliações de um extremo com outro?

Pode-se sugerir das modas de mulher que o essencial, nelas, como o essencial noutras artes, deriva-se de sua autenticidade. Inclusive no trato de matéria que, sendo nova, pede para ser considerada conforme a dupla maneira sugerida pelo gênio, não só poético como crítico, de T. S. Eliot: seguindo-se sugestões vindas do passado – clássicas, portanto – mas de maneira ou sob perspectiva nova, e lidando-se com o que, em vez de ser só passado, é presente. Presente e – acrescente-se a Eliot – futuro. Ou mais: segundo concepção brasileiramente tríbia de tempo, conforme a qual o clássico viria até o presente e se projetaria sobre o futuro, constituindo um tempo multiplamente único.

Aplicada essa concepção a modas de mulher e de homem, quase sempre euro-tropicais, que o Brasil estaria apto a desenvolver e a irradiar – sobretudo a irradiar sobre espaços ecológica e social ou culturalmente afins dos brasileiros – o elemento novo, inovador e, como tal, romântico, característico dessas modas, não importaria em repúdio a apreço pelo que há de irredutível e valiosamente clássico nessa arte: a de modas de mulher e de homem. A mulher brasileira é mulher: tão mulher como as, historicamente, mais inspiradoras de modas que se tornaram clássicas, por terem sido autênticas na interpretação de tipos de mulher dominantes em específicos tempos e espaços sociais. O mesmo se diga do homem.

As modas brasileiras de mulher e de homem correspondem a um espaço e a um tempo nos quais, pela primeira vez, emerge, de modo criativo, um tipo de civilização com característicos euro-tropicais e através da talvez mais ampla miscigenação que já ocorreu na história humana. São respostas – no sentido toynbiano – a desafio insólito.

Formas de corpo de mulher e bronzeamento

É recente o empenho de um tipo de mulher, principalmente anglo-americana, em busca de afirmação, pelas suas formas de corpo, ligadas, em muitos casos, a cores ou pigmentos, de novo e maior poder de atração que o ariano, pois passou a incluir, um tanto contraditoriamente, seu bronzeamento ou sua tropicalização. Daí o emprego de "melanin", sem que a afirmação de vontade feminina de poder renuncie, como parte dessa afirmação, o bronzeamento.

Antropologicamente, a chamada "*the classic long and lean figure*", talvez por sugerir uma capitulação do sexo feminino a um unissexo, parece estar sendo superada por formas femininas sugestivas de uma *strenght*, de modo algum masculinoide; e sim femininoide. Inclusive pelo andar.

Em recente contacto com Nova York, o autor observou um novo tipo de andar feminino que inclui um ruído expressivamente afirmativo. Portanto, um sapato femininamente correspondente a esse andar afirmativo, com as pernas femininas, por sua vez, exigindo da mulher nova, à maneira anglo-americana, que use vestidos favoráveis à exibição de pernas belas e afirmativas. Os estilistas de modas a serviço desse novo tipo de mulher moderna insistem em criar – o autor ouviu de um deles – "*surprising body-revealing clothes*". Quanto a cores de vestes femininas, a atual tendência parece estar antes num certo impressionismo que num expressionismo que, logicamente, seria de esperar.

Mas quem pode esperar de modas femininas, sobretudo as que estejam atualmente revelando uma mulher ávida da afirmação de seu maior poder, como que nietzschiano, que sejam racionalmente lógicas? A revista *Bazaar*, de maio de 1985, assinala a projeção sobre atuais modas femininas, dessa avidez de afirmação de vontade de poder de uma nova mulher, salientando, ao lado dessa insurgência, uma ressurgência. Essa ressurgência, a que se exprime nos atuais Estados Unidos, por uma "*need of heroes*". Há na literatura, na arte, na cinematografia, uma valorização de tipos historicamente heroicos, como que compensadora, através da apresentação desses tipos como tendo atingido seus fins, do fato de faltar, a figuras presentes ou contemporâneas, próximas de auras heroicas, conclusões do que nelas são processos longe de conclusões. Daí a voga, até, moda, de biografias de personalidades marcantes, que foram, ou estão incisivamente sendo, além de suas promessas: realizando-se. O que – exemplos – aconteceu com Churchill e De Gaulle sem ter acontecido com F. D. Roosevelt. Sem ter acontecido – comente-se – com Simón Bolívar. No que o famoso libertador foi superado pelo brasileiro José Bonifácio de Andrada e Silva, mais efetivo criador que Bolívar, de uma grande nação americana, de que ele interpretou possibilidades nacionais e antecipou futuros sociais fora dos convencional e retoricamente bolivarianos. O que está faltando a Bonifácio? Uma biografia que verdadeiramente o dramatize em termos de quem antecipou, para seu povo, futuro diferente dos então considerados ideais por enfáticos retóricos liberalões. E de acordo com vocações brasileiras de combinação de um destino nacional grandiosamente uno, sem desapreço por variações construtivamente nacionais, capazes de confluir para essa unidade singularíssima. Diferentes das parasseparatistas como a representada pelo liberalismo ingênuo – porém bem mais brasileiro que o dos abstratos e superficiais bacharéis inconfidentes mineiros – de Frei Caneca. Pela própria e bela Revolução Pernambucana de 1817.

Desafios a modas no Brasil na sua mais viva atualidade

O assunto modas ou vogas, incluindo ressurgências intelectuais, políticas, místicas, econômicas, religiosas, apresenta-se, com relação ao Brasil, com tal riqueza de desafios de formas, ao pensador e, ao mesmo tempo, cientista social, empenhado em encontrar ou buscar ou sugerir imaginativamente respostas a tais provocações, que contribuições brasileiras, no sentido dessas buscas ou dessas tentativas de respostas, vêm se apresentando de todo oportunas. Ao Brasil não têm faltado modas, além das caracteristicamente femininas, gerais, quer de trajo, quer de comportamento e de ideologias, gerais ou com pretensões de totais, seguidas por reações ou retificações aos anseios que exprimiram. Se o trajo masculino tem variado menos, entre os brasileiros, que o feminino, o pensar feminino, orientado principalmente por homens, tem refletido, além de modas importadas com maior ou menor passividade, originalidades merecedoras de apreços retrospectivos.

A questão de apurar-se quem, no Brasil, vem sendo criativamente modernizante – uma voga – não pode depender de classificações em *ismos* apenas convencionais. Precisa ir além deles.

A modernização de formas de música como das de poesia, a dos estudos sociais como a dos estudos antropológicos, a do teatro como a das artes plásticas, vem se fazendo, no Brasil, desde seus decisivos começos, com um Villa-Lobos, com um Manuel Bandeira, com um Roquette Pinto, com um Ariano Suassuna, com um Nelson Rodrigues, nenhum dos quais convencionalmente etiquetável, como modernista *à la* Semana de Arte Moderna. Modernizantes sim. "Modernistas", entre aspas, não. O que não exclui, dos modernizantes, "modernistas" ostensivamente dessa etiqueta como Oswald e Mário de Andrade, como Cassiano Ricardo, como Cândido Portinari, como Oscar Niemeyer.

Modernização além de *ismos* modernistas

A modernização brasileira, em tais setores, vem sendo um processo à revelia do de modernismos como que sectários. Acima desses, está, de modo notável, a revolução na música de que Villa-Lobos foi o centro com um misto de brasileiro revolucionário na música e de um adepto dentre os maiores clássicos: Bach. O caso de Manuel Bandeira ao dar uma nova expressão literária à poesia em língua portuguesa sem deixar de ser o poeta regional e tradicional do seu mais que inovador "Evocação do Recife", escrito por sugestão de recifense empenhado na valorização, em termos os mais modernos, do que fosse região e do que estivesse a perecer como tradição válida. Ao lado dessa evocação, logo surgiram outras em literatura: a de Rachel de Queiroz, a de José Lins do Rego, a de Jorge Amado, a de Graciliano Ramos, a de Jorge de Lima.

E o mesmo se diga de Roquette-Pinto. Que é Rondônia, senão valorização socioantropológica de raízes brasileiras projetadas em futuros nacionais?

A renovação do teatro no Brasil

Quanto à renovação do teatro nacionalmente brasileiro, que é o grande surto inovador partido de Ariano Suassuna e de Nelson Rodrigues, senão arrojos de modernização de sugestões regionais e de sugestões tradicionais? O caso magnífico de *Macunaíma*, precedido, por um lado, pelas evocações magníficas dos Alcântara Machado, pai e filho, por outro lado, pelas iniciativas pioneiramente amazonófilas, do, por vezes injustamente esquecido, Vicente do Rego Monteiro.

Em novas e renovadoras interpretações da formação, de passados sociais, de começos projetados sobre futuros brasileiros, lembrem-se mais que anticonvencionais estudos nesse sentido, surgidos ao lado de surtos como que fraternos, de tão afins, em artes plásticas, muito mais descomprometidamente modernizantes do que fechadamente "modernistas", de Vicente do Rego Monteiro, de Tarsila do Amaral, de Cícero Dias, de Lula Cardoso Ayres, de Francisco Brennand, de Lucio Costa.

Nenhum desses criativos modernizantes, "modernista" entre aspas. Nenhum. O que – volte-se a admitir – não implica deixar-se de reconhecer em ostensivos "modernistas", expressões de criatividade modernizante acima dos seus modernismos.

O que é preciso é que haja repúdio a apologistas de "modernismos" que pretendam atribuir a esses, por vezes, apenas bem-intencionados e sinceros adeptos de mudanças em letras, em artes e em renovações de interpretações de tendências renovadoras de parte, até, de bons e nada desprezíveis anônimos, de bons e nada desprezíveis analfabetos, uma importância correspondente a uma criatividade que, da parte deles, tem estado longe de poder competir com a de modernizantes não-modernistas.

Foi do que magnificamente se apercebeu o admirável Blaise Cendrars. Convocado para ser, como europeu de alto prestígio intelectual, uma espécie de crítico solidário que consagrasse os modernistas da famosa Semana de 22, como os grandes renovadores de artes, letras e ciências do Homem no Brasil, Blaise Cendrars, desencantado com o que lhe pareceu de passivamente subeuropeu nos promotores desse movimento, descobriu haver no Recife – tão ignorado e desdenhado por líderes do Centro-Sul – um grupo pelos "modernistas" considerado – segundo ouviu desses "modernistas" – "cafajestes" e intitulados "regionalistas" e "tradicionalistas", que despertaram sua atenção. Decidiu verificar o que eram. O que estavam escrevendo. O que estavam produzindo. E sua conclusão foi a mais entusiástica a respeito deles.

Uma nova maneira de escrever-se a história do homem

Primeiro, porque estava criando um romance regionalmente brasileiro – José Lins do Rego, Rachel de Queiroz, Graciliano – comparável aos dos então novos e triunfantes romancistas norte-americanos. Segundo – setor, para Blaise Cendrars, importantíssimo – porque um desses brasileiros não do Centro-Sul estava desenvolvendo uma – para ele, Cendrars – "nova maneira (em qualquer parte do mundo) de escrever-se a História do Homem". Maneira que incluía, entre os objetos de valorização histórica – verificou Cendrars – até escravos, além de mulheres e de crianças, e culinária, entre as artes significativamente características de uma cultura nacional.

Pelo que o arguto crítico suíço transferiu sua admiração, dos, para ele, demasiadamente passivos "modernistas", da célebre Semana, com relação a modernismos surgidos na Europa, para esses brasileiros do Recife, que – evidente a sua conclusão – no seu modo de serem de sua região e de considerarem válidas, tradições regionais, sem serem "modernistas", estavam causando uma revolução cultural valorizadora do Brasil. Modernizadora de letras, de artes, de ciências do homem, que verdadeiramente interpretassem o Brasil. Que o revelassem. Que o libertassem de ser sub-brasileiro.

De modo que pode-se atribuir a Blaise Cendrars, entre outros – méritos, o de ter sabido distinguir de "modernismos", o que pode ser caracterizado como dinâmica modernizante, à revelia desse *ismo*. À revelia de *ismos*.

Mas não à revelia de antecipações nas quais, por vezes, surgiram, no Brasil do século XX, como que arrojos manifestados em sugestões porventura originárias em potencial, de um ainda inexistente século XXI, sobre o século XX normalmente vivido por brasileiros.

População brasileira e miscigenação

Quem considerar a atual população brasileira precisa de atender a efeitos, sobre ela, da miscigenação, por um lado, e da reciprocidade casa-grande-senzala, por outro lado. Miscigenada, grande parte da gente brasileira, a miscigenação como que se faz sentir, através de experimentos antropologicamente eugênicos e estéticos. Experimentos que pode-se dizer virem repudiando excessos de saliências de formas de corpo e evitando-se tanto os exageros africanoides de protuberâncias como os caucasoides, de deficiências.

E aqui é preciso que se volte à observação de Havelock Ellis quanto a uma das superioridades da mulher ibérica sobre as ortodoxamente europeias estar na assimilação, pela ibérica, de remota influência africana, de andar como se dançasse: através do que chama "*that awaying movement from side to side*" de formas bastante amplas – especifique-se – para permitirem essa ondulação como que – sugira-se – afrodisíaca, de andar.

A grande número de mulheres brasileiras, a miscigenação pode-se sugerir ter dado ritmos de andar e, portanto, de flexões de corpo, susceptíveis de serem considerados afrodisíacos. Atente-se nesses ritmos, em cariocas miscigenadas, em confronto com os de beldades argentinas que o observador tenha acabado de admirar. Os ritmos de andar da miscigenada brasileira chegam a ser musicais, na sua dependência de formas ondulantes. Para Havelock Ellis, o andar da mulher mais tipicamente ibérica, em contraste com o da ortodoxamente europeia – em grande número de casos, acrescente-se a Ellis, como que calvinistamente proibida, em sua maneira de ser femininamente elegante, de ter formas ostensivamente femininas –, teria alguma coisa de "*gracious quality of a feline body, whose whole body is alive*".

Mas o magistral Ellis não se limita a destacar na mulher ibérica – muito mais tendente, observe-se, a ser de formas exuberantes do que desprovida de saliências – o seu andar. Também sua maneira de sentar-se num lânguido repouso. Lânguido por não deixar de ser femininamente complementar de um andar que, ao sentar-se, senta-se em ancas que, parando de caminhar, não deixam de ser parte dinâmica do corpo a que dignamente pertence. O "lânguido repouso" da mulher ibérica, quando sentada sobre tais ancas, que não deixam de ser partes vivas e à vontade do corpo e dignificadoras desse corpo, em vez de dele merecedoras de serem tratadas de resto, seria um contraste com a irritação nervosa, ao se sentarem, de mulheres da Europa do Norte, vítimas, segundo Ellis, de um excesso de nervosismo, causado por impactos de repressões civilizantes, através de modas contrárias a à-vontades descontraídos. Esse modo ibérico da mulher ibérica, quando sentada, pode-se dizer haver se comunicado ao Brasil como a outras populações dessa origem.

Sabe-se da arte mexicana antiga, tão sabiamente evocada pelo admirável Miguel Covarrubias, que foi no que mais se esmerou: em apresentar mulheres sentadas em ancas dignamente ostensivas, como se fossem partes altamente dignificadoras, e não inferiores, da figura feminina. Iberismo reforçado por outras influências como a asteca. Tradição asteca que teria se comunicado à mulher mexicana moderna, junto com a tradição espanhola, de dignificação das ancas como partes, como que nobres, em vez de vergonhosas, da graça feminina. Tendência, volte-se a acentuar, que caracterizou a atitude brasileira, em dias patriarcais de casas-grandes, de apreço, da parte dos subordinados, por dominantes sinhás-donas de formas às quais, como que se assemelhavam protuberâncias de algumas, também dignamente imponentes negras das senzalas. Uma como que moda a prestigiar saliências de corpo dignas de respeito.

Ancas de mulher em artes brasileiras

Seria interessante um retrospecto de diferentes maneiras da apresentação estética de ancas de mulher nas artes plásticas brasileiras. Poderá dizer-se de Brecheret, na escultura, Portinari, na pintura, e, também na pintura, Vicente do Rego Monteiro, Tarsila do Amaral, Cícero Dias, terem, além de Di Cavalcanti, estilizado formas de corpo, de modos característicos de cada um desses artistas? Com relação a cores, parece certo dizer-se que o Brasil, magnificamente miscigenado, ganharia longe o primeiro lugar, num concurso internacional de cores raciais, inter-raciais, metarraciais, de aparências de mulher.

Neste ponto, impõe-se citação de recente livro em língua espanhola de brilhante autor chileno, Leopoldo Castedo, e tradução portuguesa do atual embaixador do Brasil na Suécia, Cláudio Garcia de Souza, e prefácio, solicitado pelo escritor chileno, do autor de *Casa-grande & senzala*. Livro intitulado, na tradução à língua portuguesa, *A constância barroca* na *arte brasileira* (Rio de Janeiro, 1980). Publicação do Conselho Federal de Cultura.

Para mestre Leopoldo Castedo há, na arte barroca brasileira, em face de assuntos religiosos com conexões profanamente sexuais, uma audácia, uma autodeterminação expressiva, uma liberdade especial. Daí "formas femininas sensuais" nas quais, segundo ele, os modelos de ancas e de seios para anjos é evidente terem sido os de mulheres antes do tipo livre que do, mesmo indiretamente, religioso. Mulheres livres de formas salientes, por serem estas um característico ou uma moda profissional.

Na literatura brasileira, que autor pode ser destacado como tendo dado especial relevo ao aliciante assunto? Impõe-se recordar do lúcido modernista de 22, Oswald de Andrade, que, em página de novela com alguma coisa de autobiográfico, confessa libertinagens em torno de traseiro feminino aristocraticamente paulistano. Em versos, também modernistas, Manuel Bandeira refere-se a "jenipapos" na bunda: sinais antropológicos de miscigenação. E em "Evocação do Recife" dá a entender, das lindas recifenses, que viu, com olhos de menino, nuinhas, a se banharem no então também lindo e limpo Capibaribe, que entre as partes de seus corpos mais causadoras do seu alumbramento, estavam encantadoras ancas.

Várias as ancas de meninos de colégios brasileiros em torno das quais se formaram mitos. Mitos consagradores dos chamados "meninos bonitos". Mitos, quase todos, só em torno das formas atraentemente estéticas de seus corpos, por vezes, em torno de generosidades de seus donos para com companheiros de estudos. A propósito do que surgiu, em termos anedóticos, reparo malicioso em torno de busto de homem público ilustre que teria intrigado matuto do interior. Matuto que confessava não compreender que a escultura só exibisse o busto de glorificado. E o resto do corpo? Ao que teria esclarecido um sofisticado: "o resto, foi comido".

A ser o Brasil atingido, breve, por uma voga ou moda francesa de castidade entre jovens, importará essa repercussão em revisão de apreços brasileiros por mitos ligados a valorizações brasileiras de certas partes do corpo? É preciso reconhecer-se, no complexo que envolve usos excepcionais dessas partes, sua maior importância através de funções socialmente dignificantes que, além de castas, dão à maioria dos desempenhos tradicionais e, ainda válidos, de protuberâncias de corpo de mulher, na sociedade e na cultura brasileiras, significados, além de estéticos, como que decisivos, no seu modo de serem enobrecedores de senhoras portadoras de formas matriarcalmente imponentes.

Imponências de formas da mulher tradicionalmente feminina

Impossível separar tais imponências de mulheres brasileiras ilustres, quando em desempenhos senhoris. A documentação de extraordinário valor sociofotográfico, constituída por fotografias antigas de famílias do Brasil patriarcal e escravocrata, com suas aristocracias de casas-grandes e suas mães pretas e mucamas por sua vez aristocratizadas por funções que passaram a desempenhar em casas-grandes, é o que revelam, de modo expressivo fotografias que podem ser vistas na Fundação Joaquim Nabuco. São fotografias, quase todas, de mulheres sentadas sobre ancas nada reprimidas, porém ostensivas, como insígnias, digna, virtuosa e socialmente aristocráticas. Maternas. Dignas. Dignificantes de suas donas e dos seus desempenhos de expressões de sexo, ao mesmo tempo que belo, por vezes rival do sexo forte, em seus comandos sociais.

Não é insignificante o fato de a palavra *cadeiras* ter se tornado, em língua portuguesa, sinônimo de ancas, com a mulher descadeirada sendo olhada como deficiente de corpo. O que é certo também da chamada de quartos caídos. São ancas, por suas deficiências, destoantes de uma generalizada moda brasileira segundo a qual a mulher de formas mais salientes tende a ser considerada a mais ortodoxamente feminina.

Possui o autor a significativa poltrona, tudo indica que especialmente talhada para mulher de vastas ancas e, a um tempo, muito feminina e, como viúva, substituta do esposo falecido em comandos patriarcais, que foi dona Ana Rosa Falcão, a madrinha que maternalmente criou Joaquim Nabuco na casa-grande, tornada particularmente histórica, do Engenho Massangana. Nem todas as senhoras de engenho da mesma época brasileira patriarcal e escravocrata terão sido tão corpulentas como dona Ana Rosa. Mas pode-se supor terem sido, quase todas, digna e castamente, de formas de corpo imponentes, como insígnias paradoxais de superioridades ou comandos patriarcais, exercidos por viúvas ilustres.

Dignidade e amplas ancas

Porque é notório terem se constituído em ancas as mais castas, as de sinhás-donas dos dias patriarcalmente brasileiros. Negações totais das libertinas. Afirmações de virtudes e de dignidade.

Quando em *Manuel d'erotologie* – um clássico, Paris s.d. – de Fred Ch. Forberg, texto latino e tradução literal, um capítulo – o II – é dedicado ao abuso, de todo libertino, de ancas, essa dignidade é ultrajada *à la "pedication"*, gênero de prazer em que o chamado ativo tinha como comparsa um chamado passivo. É o que se consagrava entre romanos. O historiador cita numerosos exemplos clássicos dessa moda erótica de valorização das ancas, como fonte de prazeres diferentes: o do ativo e o do passivo. Vários os casos, entre gentes clássicas, isto é, gregos e romanos, de ligações com tendência a permanentes entre ativos e passivos que, aos meios convencionais de amar, preferiam a pedicação. É dada como fato histórico a ligação de Alcebíades com Sócrates. Já Ovídio preferia mulheres jovens a rapazes para usos eróticos. E não deve ser esquecido que, dentro do complexo da utilização sexual de traseiros, se inclui, desde dias clássicos, certo exclusivismo feminino, com mulheres de clitóris avantajado penetrando outras mulheres, sem ser necessária intervenção masculina. Daí ligações clássicas célebres, nesse setor de suficiência feminina, com passivas e ativas, exclusivamente mulheres. Além do que se sabe, de matronas romanas, que se serviam de serpentes inofensivas para, em contato com seus traseiros, os refrescarem. Prática, segundo o autor do *Manuel d'erotologie*, referida por Luciano. Serpentes inofensivas, algumas enormes, tratadas com o maior carinho por suas donas.

Modas brasileiras de mulher e suas transferências com o trópico

Pode-se dizer das modas brasileiras de vestidos de mulher nem sempre virem atendendo à conveniência, nesses vestidos, de defenderem as elegantes de excessos de calor. Mas o certo é que a tendência no sentido de modas ecológicas vem se acentuando, com a moda dos decotes chamados afoitos, já em vigor, há anos. Afoitos, na verdade, ecológicos. Higiênicos.

Ouviu o autor, da baronesa de Estrela, que Pedro II não soube dar ao Rio de Janeiro o brilho de uma verdadeira Corte por terem faltado, à sociedade e aos salões da época, mulheres animadas não só de elegâncias de portes, como de maneiras e de ostentação de decotes, não só refrescantes, como elegantes. Afrancesadíssima, como era a ilustre e, para a época, avançada baronesa, de família fidalgamente fluminense, sentia a falta, na Corte brasileira, de francesismos que pusessem em relevo, entre outros valores, os de seios, para época, como a dela, afoitos. Foi o que a própria Estrela especificou ao autor, de uma Europa, em modas de mulher, grandemente valorizadora de seios e espartilhos e cintas compressoras de ancas, fazendo este autor, com dedos de são Tomé, apalpar, num primeiro contacto, com a ilustre dama, os seios que, em idade avançada, ela conservava surpreendentemente eretos, sólidos e provocantes.

Ao que não se referiu, a baronesa de Estrela, nessas confidências, foi a ancas femininas que, no Segundo Reinado brasileiro, não devem ter faltado a senhoras, muitas delas, vindas para a Corte, de casas-grandes rurais, onde a tradição é terem reinado, sobre essas casas, matronas, quase todas, de amplas e imponentes formas. Quase nunca, descadeiradas ou de quartos caídos. Pois os quartos caídos, ou a escassez de cadeiras, poderiam comprometer, segundo convenções da época, em senhoras dessa espécie, sua própria e importante dignidade senhorial. Que nunca seja subestimada essa dignidade. Houve e se impôs.

Adiante-se que essas valorizações de seios, em prejuízo de destaques concedidos a outras protuberâncias de mulheres elegantes, a tradição oral indica terem se estendido àquelas mucamas de casas-grandes, mais belas e elegantes, entre cujas funções estava a socioeconômica de propagarem, quando em público, o gosto, os primores de educação social, o bom estado das finanças, das suas senhoras ou dos seus senhores. Pelo que também essas mucamas bem trajadas tinham exuberâncias de corpo contidas ou reduzidas a dimensões permitidas ou aconselhadas por modelos franceses, sem os transbordamentos a que pudessem tender, por motivos de ancestralidades africanas ou de configurações já afro-brasileiras, tudo indica que particularmente apreciadas por senhores – ou jovens machos senhoris – das mesmas casas-grandes. Aos quais, importantes como eram socialmente, pode-se atribuir contribuição não pequena para a evidente valorização, por brasileiros eróticos, de protuberâncias de formas de mulher.

Voltando à mulher ibérica

Da mulher ibérica, pode-se acentuar nunca ter sido uma envergonhada de ter protuberâncias. Antes foi sempre dignamente orgulhosa delas. É preciso recordar-se dela sua arabização, através daquele contacto, por algum tempo tão favorável aos árabes, desses não-europeus, com o sul ibérico da Europa. Orgulhosa, essa mulher, de suas ancas dignas, virtuosas e dignificantes. Recorde-se ter sido, em Portugal, como que idealizada, a mulher de sangue mourisco, através do mito da "moura encantada". Uma moura encantada que é quase certo ter sido uma mulher de quadris amplos e ondulantes, sem prejuízo de sua dignidade.

Em *Le jardin parfumé* – obra clássica – acentue-se que em edição francesa de Paris, 1904, se apresenta como *Manuel d'erotologie arabe* (XVI Siècle), especificando-se de o tradutor ter sido o muito árabe Sheikh Nelzaqui, o capítulo II é dedicado a "*celles d'entre les femmes qui méritent des éloges*".

Entre as qualidades dessa mulher, arabemente ideal, avultava, na época, a de que ela fosse "*riche en embonpoint*". Mas especifica-se "*ses cuisses seront dures, ainsi que ses fesses*". E quando "*elle marche, ses parties naturelles ressortent sous ses vêtements*". Acrescentando-se, de sua própria religião, que estaria, em parte, na sua vulva: no zelo por essa sua dignidade.

Esse manual árabe de erotologia, tornado clássico, não deixa de assinalar a predominância, na civilização árabe do século XVI, de influências transbordantes sobre as épocas seguintes. Entre elas o efebismo, com os efebos, talvez por efeito da tendência muçulmana para inferiorizar a mulher, substituindo mulheres, em ocasiões socialmente significativas que excluíssem sua presença. Essa substituição, é de supor que envolvendo, por vezes, uma valorização sexual, além de estética, de tais efebos.

Um brasileirismo

O que torna oportuno recordar que coisa semelhante, por motivos socioculturais diferentes – e é possível, no caso, que econômicos –, ocorreu no Brasil, na primeira metade do século XIX, com negociantes portugueses, dos quais crônicas da época dizem terem substituído mulheres por meninotes, também vindos do Reino, para serem caixeiros de armazéns e de lojas. Adianta-se terem tais negociantes realizado essas substituições de sexos por econômicas utilizações de meninos e de adolescentes, enquanto os negociantes franceses procediam a economias semelhantes valendo-se de caixeirinhas, nem todas europeias – várias brasileirinhas de cor – de suas lojas. Supõe-se que recorrendo, por vezes, a substituições de vulvas, dado o fato de estar então em grande vigor o mito da virgindade, inclusive entre famílias brasileiras mestiças, em ascensão social.

Terminologia erótica

Requinta-se em dar minuciosamente, aos vários nomes das partes sexuais, o citado manual árabe de erotologia, tanto do homem como da mulher. Nomes, vários deles, simbólicos, alguns pitorescos, não poucos, anedóticos e humorísticos. Assim, tanto o membro viril como a vulva surgem sob denominações simbólicas de "taciturnos", de "enganadores", de "glutões", de "calorosos". Inseparáveis, dessas denominações, considerações evidentemente de grande importância para árabes, dos volumes e das dimensões de órgãos sexuais.

Tais denominações não vêm faltando a jargões eróticos em português do Brasil, não só com relação aos membros convencionalmente sexuais, como a substitutos, quando adaptados a desempenhos rivais dos especificamente convencionais. Ao pesquisador brasileiro Alberto Rossi, deve-se minuciosa relação de denominações, em nossa língua, desde o "popó", como se ensina às crianças, e "bumbum e traseiro", às relativas a particularidades de formas de estilos, de tamanhos, como as ancas desengonçadas, as caídas, as arrebitadas, as pendulares, as desequilibradas, salientando mestre Rossi de as mulatas serem "donas dos exemplares mais belos e desejados" de traseiros e apontando o *Dicionário do palavrão e termos afins*, do muito mestre no assunto, Mário Souto Maior, da Fundação Joaquim Nabuco, do

Recife, como estudioso do assunto que apresenta maior número de sinônimos da palavra portuguesa, assimilada de língua dialeto ou do dialeto etnograficamente denominado bunda.

É, aliás, ao mestre Mário Souto Maior que deve o autor o conhecimento da pesquisa valiosamente sociolinguística de Alberto Rossi. Sociolinguística: ciência cuja oficialização europeia data de 1954, mas já presente em aplicações a começos brasileiros de registro de palavras em português do Brasil, quer derivadas tanto de tupi e de línguas afro-negras, quer de adaptações de palavras civilizadas a falas infantis brasileiras, por mães, mucamas e bás – pioneiramente no livro de autor brasileiro *Casa-grande & senzala* (Rio de Janeiro, 1933). Livro que se antecipou em aportuguesar palavras de origens não-europeias – referentes a intimidades brasileiras.

O pesquisador Alberto Rossi informa ter apurado que, de A a Z, passando por todas as letras do alfabeto utilizado na língua portuguesa, há, no total, mais de 300 palavras em português castiço ou gíria, sinônimos referentes a tais intimidades. Assim, em Pernambuco, por exemplo, o "ânus" é chamado de "apolônio". E as populações do Rio Grande do Norte que moram perto de estações ferroviárias ou linhas férreas o chamam de "apito".

Diz-se, é natural, dentro da tendência do brasileiro para o uso irônico, humorístico, anedótico de aumentativos, do homem bundudo que é um bundão e da mulher que é bundona. O que, para não poucos dentre os que valorizam tamanhos, em assuntos sexuais, no caso da bundona, é exemplo sociolinguístico.

Ainda agora, a propósito da anfíbia Roberta Close, vem se destacando dela, como qualidade feminina, ter ancas simplesmente grandes. Acentue-se que o ideal árabe de mulher bonita ser gorda ainda não foi superado de todo, no Brasil, pelo ideal de mulher secamente elegante, desde a chamada "*flapper*", da década de 1930, moda uma vez por outra ressurgente: mulher delgada e como se fosse rapaz. Quase sem protuberância.

Efeitos da competição profissional da mulher com o homem

Note-se que, com a crescente competição com homens, em profissões ilustres, a mulher de formas exuberantes pode não corresponder exatamente aos requisitos para certos desempenhos. Mas sem perder vantagens para o exercício de ofícios em que as cadeiras ou ancas de mulher possam inspirar confiança nas possuidoras dessas insígnias de estabilidade. Para aeromoças é evidente que a mulher enxuta de ancas é ideal como é ideal para atriz de teatro, cinema, televisão. Mas para cozinheira o ideal de mulher inspiradora de confiança na sua, cada dia mais valorizada arte, é a de ancas ou quadris amplos.

Uma talvez omissão do professor Roberto DaMatta

É curioso que, no seu excelente *Ensaios de antropologia estrutural* (Petrópolis, 1977), o professor Roberto DaMatta, ao considerar o Carnaval brasileiro como "rito de passagem", destaque ser a rainha do Carnaval "sempre uma vedete de formas perfeitas". Se, como recorda DaMatta, de música de Chico Buarque, o típico brasileiro carnavalesco espera "o Carnaval chegar" para "pegar em pernas de moças", como não supor-se seu afã maior de apalpar outras formas de mulher? É o que registra cantiga pernambucana de Carnaval em que se atribui "cotação" à "taioba": taioba sendo termo popular que significa traseiro de mulher. E como conceber-se fantasia de "baiana" a que falte protuberância? E homem fantasiado de mulher que, à sombra de tal fantasia freudianamente significativa, não se exagere ou em remelexo de corpo ou em acréscimo artificial às próprias formas para ostentá-las como sua maior identificação com uma desejada figura de mulher?

Pena não ter o antropólogo Roberto DaMatta, antes de escrever sua análise estruturalista do Carnaval brasileiro, se inteirado do que consta, a respeito do assunto, do livro *Sobrados e mucambos.* As oportunidades, em antigos carnavais brasileiros, de homens se fantasiarem gostosamente de mulheres têm extensões nem sempre percebidas. Inclusive – pode-se acentuar – ostentando homossexuais formas provocantemente femininas como atrativos de modo algum só femininos ou vantagem só de mulheres. E, sim, alguns desses disfarces especificamente homossexuais.

A Antropologia entre as Ciências Sociais aplicadas a situações brasileiras e essas aplicações como estudo sensível a modos e a modas, ou vogas, de várias espécies

Que relações vêm sendo as de Ciências Sociais, no Brasil, com a realidade social brasileira em seus mais diversos aspectos? Que relações, em particular, as da Antropologia Física e Sociocultural, com essa complexa realidade?

Ocorre logo o fato de, no Brasil, ter se desenvolvido, mais que na França, seu país de origem, um Positivismo comtiano. Tanto que conseguiu ser ostentado, pela República de 89, na bandeira nacional do Brasil.

Quase o mesmo verificou-se com o spencerismo, através do apoio que recebeu de Sílvio Romero: discípulo de Tobias Barreto que se desviou um tanto do germanismo, por vezes arbitrariamente exclusivo, do mestre, seguindo, em estudos sociais, dois outros mestres: o inglês Herbert Spencer e o francês Le Play.

Modernos estudos e pensamentos sociais, que se anteciparam em abordar sociocientificamente a realidade brasileira, sem o Positivismo ter, de fato, se abrasileirado, ao procurar tornar efetiva sua, talvez, máxima preocupação teórica com relação ao Brasil: a de integrar o proletário – um modo proletário, inclusive – na sociedade nacionalmente brasileira. Nada conseguiu de decisivo nesse setor. Não foram poucos, entretanto, os adeptos do ilustre Positivismo comtiano no Brasil do fim do século XIX que procuraram ser influentes. Esse *ismo* francês tornou-se mais importante, no Brasil, no México e no Chile, do que no seu país europeu de origem: a França. Mas sem que dele resultasse obra importante de Ciência ou de Filosofia Social aplicada à situação social brasileira. Apenas estudos paradoxalmente abstratos. Quase todos, menos positivos que abstratos.

Tais estudos terão se seguido às primeiras indagações sociais, antes intuitivas que sistematicamente parafilosóficas, em torno de aspectos de uma realidade social brasileira dissimulada ou ostensivamente diferente das clássicas e – essas clássicas, europeias – sob afãs principalmente políticos. Os de um José Bonifácio e os de um Frei Caneca, entre eles. Ou principalmente econômicos, como os do bispo Azeredo Coutinho e os de Cayru, ou como os de mestiço pernambucano Antônio Pedro de Figueiredo, já de maneira nada insignificante tendendo, ainda na primeira metade do século XIX, a ser socioeconômicos.

Essas indagações envolvendo buscas de uma conceituação do que fosse o Brasil, quando ainda colonial ou mal saído da colonização, como sociedade, já que não se definira ainda, entre ocidentais, um conceito de cultura que incluísse outro, de civilização. E esses dois conceitos em termos especial e temporalmente, nacionais ou pré-nacionais. Será, entretanto, que nos é lícito tentar análises e interpretações de começos nacionais do Brasil e de projeções já nacionais sobre esses começos, aplicando-lhes conceitos modernos, como possíveis analítica e interpretativamente válidos em retrospecto?

Seria essa aplicação validamente esclarecedora de situações que, tendo se tornado históricas, já continham, entretanto, alguma coisa de socialmente trans-histórico que, como tal, pode ser identificada por estudiosos atuais? Admitida essa validade, ela nos colocaria em face de situações sociais já vividas, susceptíveis de poderem ser consideradas germinais e, assim germinais, geneticamente sociais e, nesse caráter, projetadas em situações futuras. E nos habilitaria a encontrar – repita-se – em José Bonifácio e em Frei Caneca, em Cayru e em Azeredo Coutinho, estudiosos antecipados de fatos, potencialmente transfatos sociais, por tais estudiosos já possíveis de ser já considerados como tendo sido, de certa maneira, antecipadores de estudiosos sociais susceptíveis de poderem ser classificados como anunciadores indiretos de uma futura sociologia brasileira de caráter genético: de modos de homens e alguns tanto de homens como de mulheres, estudos indagadores de origens sociais. Quem diz origens diz, certamente, raízes. Diz começos. Diz uma espécie de captação de gérmens ou de potenciais surpreendidos numas como nebulosas. E registrados para a época do seu aparecimento, tidos como efêmeros ou somente pitorescos, em documentos, por sua vez, susceptíveis de servirem a estudiosos de hoje de valiosas revelações de recorrências, e não apenas ocorrências, de caráter social.

Aqui cabe reconhecer-se, em testemunhos aparentemente efêmeros ou somente pitorescos, registros cientificamente válidos de recorrências sociais de épocas já remotas de vida social brasileira. Dentre outros, dois serão aqui destacados. Um, os testemunhos, a esse respeito, de viajantes estrangeiros, alguns deles cientistas não sociais ou artistas – botânicos, zoólogos, geógrafos, cartógrafos, geólogos, desenhistas, pintores – que não raro transferiram seu poder de observação científica ou pitoresca nesses setores para o setor humano-social, visto ou entrevisto quase socioantropologicamente – inclusive através de modos e de modas – e suprindo o futuro estudioso especificamente científico-social, de informes valiosos. O caso de um Saint-Hilaire, de um Wallace, de um Bates, de um Spix, de um Martius, completados por testemunhos de simples viajantes como Koster, dotados de quase científicos poderes de observação exata. Fonte magnífica, esses testemunhos, de informes de interesse social. Não só sobre modos como sobre modas caracteristicamente brasileiros.

Testemunhos de historiadores

Dois historiadores ilustres, Alfredo de Carvalho e Afonso de Taunay, aperceberam-se, como historiadores, da importância desses testemunhos para reconstituições históricas de aspectos de passados brasileiros de pouco interesse para historiadores convencionais, voltados quase exclusivamente para registros, principalmente cronológicos, oficiais, políticos, diplomáticos, financeiros, desses passados. Mas, como historiadores, Carvalho e Taunay não acentuaram o que tais testemunhos continham de interesse trans-histórico em suas sensibilidades a ocorrências sociais menos ostensivas. De onde a importância do fato de vir a lhes dar relevo, sob perspectiva já socioantropológica, o livro *Casa-grande & senzala* e, pelo autor desse livro, em outras das suas produções como *Sobrados e mucambos* e *Ordem e progresso* e também *Um engenheiro francês no Brasil*, *Ingleses no Brasil*, *Nós e a Europa germânica*. Livros nos quais se acrescentou a perspectiva de uma História e de uma Antropologia Sociais, intimamente e, até, um tanto proustianamente, complexas, como mais importantes que a apenas política ou somente a econômica. O que talvez possa ser considerado um pioneirismo brasileiro em dimensão mais abrangentemente ocidental que a das anteriores publicações mencionadas ou das orientações, já clássicas, em estudos, ou tentativas, científica ou paracientificamente sociais.

Inclusive a orientação de, ao estudo histórico-social, dever corresponder método quase pura ou ortodoxamente histórico-social. Ao estudo socioantropológico, o método socioantropológico. E assim por diante. A inovação da substituição, em obra de Ciência Social aplicada, de um método único e puro, por uma confluência de métodos, foi inovação revolucionariamente brasileira, assinalada, como tal, pelo crítico francês Jean Pouillon, da equipe de Jean-Paul Sartre, na revista de Paris que foi expressão do sartrismo nos seus dias de esplendor. Saudada também, na Inglaterra, por Gilbert Phelps e, posteriormente, por Lord Asa Briggs. Assinalada, nos Estados Unidos, por mais de um crítico, inclusive o da *Yale Review*, ao lamentar que ao equivalente do "pluralismo metodológico" brasileiro – como o denominou o francês Pouillon – faltasse uma reinterpretação sistematicamente plural da formação social estadunidense.

Dizendo-se o que não se pretende terem faltado aproximações idôneas, da parte de outros autores, brasileiros ou não-brasileiros, à revolucionária abrangência sistemática de perspectivas, acompanhada de métodos, inaugurada incisiva e sistematicamente por *Casa-grande & senzala* e continuada pelo seu autor, noutros dos seus livros. Recorde-se Euclides da Cunha. Lembre-se seu discípulo Alberto Rangel. Destaque-se Alcântara Machado em *Vida e morte do bandeirante*. O próprio Oliveira Viana, em *Populações meridionais do Brasil*. E não seja esquecido o socioantropologismo de Roquette-Pinto.

Lembre-se terem assinalado, em língua francesa, a abrangência brasileira de perspectivas sociais e confluências de métodos para a realização dessas perspectivas, críticos da eminência de Lucien Febvre e, de modo incisivo, quando ainda jovem, Roland Barthes; e, na língua inglesa, Frank Tannenbaum, em perceptivo prefácio à tradução e publicação nessa língua, de *Sobrados e mucambos*; Julián Marías, em língua espanhola; Herman Goergen, em língua alemã.

Tal abrangência de perspectivas e de métodos valorizou, além dos referidos testemunhos de viajantes estrangeiros, em torno de modos e de modas brasileiros, fontes, até então, não utilizadas em estudos sociais. Entre elas, já depois da publicação de *Casa-grande & senzala*, a chamada "história oral", oficializada academicamente pelo Departamento de História da Universidade de Columbia. A também oficializada, depois da publicação de *Casa-grande & senzala*, na Universidade de Columbia, abordagem interdisciplinar que é o "pluralismo metodológico", senão essa abordagem sistematizada em confluência de métodos? – através dos Seminários do tipo Tannenbaum. O aproveitamento de documentos pessoais, confidenciais, íntimos, biográficos, autobiográficos, orais, identificando-se história social com a "*histoire intime*" considerada, pelos Goncourt, a verdadeira história humana. Explica-se, assim, ter sido pela primeira vez utilizada de modo cientificamente social, em *Casa-grande & senzala*, a notável fonte de história confidencialmente íntima representada pela documentação magnífica constituída pelas *Denúncias ao Santo Ofício*, de publicação devida, em grande parte, a Paulo Prado, por sugestão de Capistrano de Abreu. E considerada, pelo famoso médico-psicólogo de Londres, William Sargant, única no Ocidente, como fonte secreta de preciosíssimos informes de importância psicossocial vindos do século XVI. Para o médico-psicólogo de Londres, outro extraordinário valor de *Casa-grande & senzala* estaria na utilização sistemática do registro de origens tribais – realizado pioneiramente pelo então jovem pesquisador José Antônio Gonsalves de Mello – de escravos afro-negros introduzidos no Brasil e trazidos, não de uma área só, mas de várias. Registro – inclusive de modos e modas tribais – levantado, a pedido do autor de *Casa-grande & senzala* – especifique-se – por então jovem que teve, nesse trabalho valioso, o início do que seria triunfante atividade de historiador brasileiro de novo tipo: José Antônio Gonsalves de Mello.

O que nos leva a outra nova e inovadora abordagem de origens e desenvolvimentos sociais inaugurada por *Casa-grande & senzala*: a utilização, no seu começo, para alguns escandalosa, por tão fora de convenções, de anúncios de jornais brasileiros relativos a escravos. Uma Anunciologia, partida do Brasil. Outro valioso registro de modos e de modas.

O próprio fato de considerar-se o anúncio de jornal informe cientificamente social válido foi tido por audácia com objetivos talvez sensacionalistas. Pois não se referira, em obra clássica, Oliveira Lima, como historiador brasileiro dos máximos, ao primeiro jornal aparecido no Brasil como historicamente desprezível por quase só conter anúncios de jornais? Como valorizar-se o anúncio de jornal em pesquisas cientificamente sociais como informe relativo não apenas a fatos porém a transfatos sociais – modos de homem e modas de mulher – valioso não apenas com relação a ocorrências históricas porém a recorrências sociais? Como matéria susceptível não de confrontos quantitativamente estatísticos como qualitativamente indicadores de diferenças entre condições psicossocioculturais de escravos, devidas a origens tribais. Origens registradas nesses escravos antropologicamente, por marcas de dentes – os banguelas, por exemplo –, de cortes de cabelo, de sinais míticos nesta ou naquela parte do corpo, ritmos de falas: modos e modas. Assinaladas, em mulheres, por modos, por vezes, modas, de usarem turbantes e mantos. Por característicos físicos e característicos socioculturais que, fugindo um escravo, o anúncio a seu respeito constituía ficha antropologicamente identificadora de sua figura física, de sua pessoa humana, do próprio tipo de sua personalidade, através de fala, voz, gestos, andar, sorrir. Através, portanto, de modos e de modas. Pode-se dizer do livro *O escravo nos anúncios de jornais brasileiros do século XIX* que é obra única, em qualquer língua, como análise e interpretação de assunto não só complexo como condicionado por circunstâncias muito peculiares ao modo especialíssimo do Brasil, quando patriarcal, ter sido escravocrata, por constar, do esclarecimento – do ponto de vista do escravo com quem o analista se identifique empaticamente –, informe autobiográfico do próprio processo de aculturação sociocultural de seres humanos socializados em membros de cultura específica, transferidos de suas origens a situações, para eles, diferentes das ancestrais e nativas, no social, embora coincidentes no fisicamente ecológicos.

A perspectiva empática em estudos sociais

Diga-se da empatia, como parte de método socioantropológico ou sociológico, que vai além de objetivismo com pretensão a absoluto e, sob essa pretensão, exemplar na sua cientificidade que corresponde à superação desse objetivismo por um transobjetivismo que reclama, em Ciências do Homem e para o trato de assuntos próprios dessas ciências, a procura de compreensão de tais assuntos como também sujeitos e não como puros objetos. É uma perspectiva – a empática – a que recorreu o autor de *Casa-grande & senzala* ao procurar juntar à compreensão a reações, partidas de componentes de casas-grandes, a componentes de senzalas, reações contrárias: de componentes de senzalas a componentes de casas-grandes. E a que o autor vem recorrendo em estudos posteriores à sua obra germinal. Inclusive no referido *O escravo nos anúncios de jornais brasileiros do século XIX*. Na verdade, em todas as suas tentativas de análise e de interpretação do material, por tanto tempo ignorado e, por ignorado, desprezado, que os anúncios de jornais representam. Material que se refere a seres humanos um tanto como objetos, é certo. Mas esses objetos contendo sujeitos e, portanto, indivíduos biológicos socializados como pessoas e aculturados em participantes, portadores, expoentes e, alguns, criadores de culturas específicas. Portadores de modos e de modas característicos.

Sob perspectiva empática, o analista pode chegar a compreensões que, sendo, em parte, imaginativas, podem tornar-se transobjetivas, de tais sujeitos dos quais palavras, gestos, silêncios, expressões fisionômicas, modos de falar, modos de andar, modos de sorrir dos quais se tenham registros exatos – e também modas de vestir, de pentear, de calçar – sejam revelações de tipos de personalidade ou de formas de comportamento gerais. Ou de reações a impactos traumatizantes a que pertençam ou das quais sejam projeções.

Quando um anúncio de escravo fugido o apresenta como "muito político no falar" – modo e talvez moda de expressar-se –, um traço de personalidade é apresentado, biograficamente, desse escravo, através de um aspecto como que gravado – como que fotografado ou fonografado –, não só da sua aparência como do seu comportamento e da sua fala. Simplesmente através de aparências e através de formas de comportamentos – talvez supervalorizados por behavioristas a ponto de alguns deles pretenderem para as chamadas "Ciências do Homem" ou "Ciências Sociais" ou "Ciências Culturais" que sejam denominadas "Ciências de Comportamento" – a perspectiva empática pode chegar a compreensões validamente socioantropológicas. E o que aqui se sugere dessas compreensões em geral pode-se particularizar de uma sociolinguística que, oficialmente, como ciência, datando da década de 1950, já pode ser encontrada em antecipação brasileira da década de 1930: a que consta do referido livro *Casa-grande & senzala*. Testemunho de não virem sendo os estudiosos brasileiros de assuntos psicossocioculturais simples espectadores ou adaptadores de criações vindas, nesse complexo setor, da Europa e dos Estados Unidos, porém inventores, iniciadores, descobridores daqueles "novos caminhos" nesse setor, aliás, já reconhecidos pela Sorbonne, a propósito de obra brasileira merecedora de suas específicas atenções.

O assunto – antecedentes de modernos estudos e modernas iniciativas em setores cientificamente socioculturais brasileiros – veio à tona em reunião, há alguns anos, do Conselho Federal de Cultura, quando o então e brilhante Secretário da Cultura do Ministério de

Educação e Cultura, Aloísio Magalhães, membro, em função do seu alto cargo, do mesmo Conselho, leu relatório, como que oficial, de antecipações que deviam ser consideradas bases não só de estudos, como de realizações mais expressivas, socioculturais, do Brasil. O que provocou retificações imediatas da parte do então único brasileiro de Pernambuco no Conselho.

Concordo – disse ele, então – em que a criação do Serviço de Patrimônio Histórico e Artístico Nacional – depois Instituto e agora elevado a órgão superior de defesa da Memória Nacional – representou "a primeira tomada de consciência do Brasil, em relação a seu patrimônio cultural" proclamada, como que oficiosamente, pelo *Jornal do Brasil*. Mas só em termos ostensiva e oficialmente nacionais. Sem nos esquecermos de que a iniciativa, assim ampla, foi precedida pela criação, antes de 1930, de efetivos – e não decorativos ou aparentes – serviços nacional, brasileira e criativamente regionais com esse fim, nos Estados da Bahia – iniciativa do Governador Goes Calmon – e de Pernambuco – iniciativa do Governador Estácio Coimbra. Precedências honrosas para esses Estados, detentores, aliás, de valores históricos e artísticos regionais de considerável importância nacional e até – é opinião de observadores da Unesco – internacional. Em ambos os casos, tais iniciativas teriam resultado de empenhos, nesse sentido, tanto do Movimento Regionalista, Tradicionalista e, a seu modo, Modernista, da década de 1920 – Movimento que teve seu centro no Recife e promoveu um Congresso Regionalista aí reunido em 1926 – como de intelectuais que, desde o começo da mesma década, se destacaram por esforços no sentido de uma sistemática defesa, no Brasil, de tais valores. Deles podem ser recordados, do Recife, o jurista Luís Cedro Carneiro Leão que, como deputado federal por Pernambuco, chegou a apresentar à Câmara projeto pioneiro cuidando do assunto, e os também pernambucanos José Mariano Filho, apologista da arquitetura colonial brasileira, Carlos Lyra Filho, diretor do *Diário de Pernambuco*, e o, a seu pedido, organizador, de 1924 a 1925, de um livro comemorativo do primeiro centenário desse jornal, publicado em 1925. Esse livro reúne matéria, também pioneira, inclusive desenhos do admirável artista Manoel Bandeira, ligada ao patrimônio histórico e artístico da região Nordeste.

Defesas de valores culturais

Além do que, clamou esse intelectual, em sucessivos artigos de jornal de 1918 a 1926 – hoje reunidos no livro *Tempo de aprendiz* – pela necessidade da defesa desse patrimônio: desde as igrejas barrocas, os sobrados luso-mouriscos com seus abalcoados e fontes de Olinda, os portões antigos de ferro e as janelas também antigas do Recife, até o primeiro inventário realizado, no Brasil, com critério etnográfico, da arte da renda no Nordeste e a defesa da árvore e da planta regionais na arborização de ruas e praças. É justo que tais pioneiros sejam recordados, tanto mais quanto, ao organizar-se no Rio de Janeiro aquele Serviço Nacional – iniciativa do então ministro Gustavo Capanema que, para articulá-la, valeu-se da lúcida inteligência de Rodrigo Mello Franco de Andrade – este, por sua vez, convocou para auxiliá-lo nesse esforço de articulação não só, como tem sido merecidamente destacado, o paulista Mário de Andrade, já então famoso pelo seu *Noturno de Belo Horizonte*, como aquele intelectual pernambucano que, pelo *Diário de Pernambuco*, vinha se dedicando ao assunto e reunindo vasto material pictórico e fotográfico sobre arquitetura de mobiliário, prataria, louça, quer de casas-grandes e sobrados antigos, além – saliente-se – de exemplares, então pouco valorizados, de artesanato do Nordeste, quer de casas de caboclo e, até, de mocambos, devendo-se notar que a primeira publicação do então Serviço do Patrimônio Histórico e Artístico Nacional seria, em 1937 – estudo de antropologia cultural saída pioneiramente do Recife –, sobre *Mucambos do Nordeste*, como expressão de criatividade de todo rústica e anônima em arte de habitação.

A propósito do que destaque-se que uma das originalidades do Museu de Antropologia do antigo Instituto Joaquim Nabuco de Pesquisas Sociais, hoje Fundação Joaquim Nabuco, é a sua coleção de madeiras, ferro, cerâmica, telhas, tijolos, que vêm sendo usados na região para a construção de vários tipos, nobres e rústicos, de residência, ao lado de vegetais, folhas, cipós, utilizados. Outra: a de iluminária popular ou rústica regional. Ainda outra, a de ex-votos regionais relativos não só a partes do corpo humano como a casas e também a animais (cascos, patas etc.), plantas (espigas de milho etc.) e até máquinas (moendas de engenhocas etc.). Não há notícia de coleção igual a esta em qualquer museu antropológico: foi o Brasil o primeiro país a dar essa dimensão aos significados socioculturais da arte e da mística do ex-voto.

O movimento regionalista partido do Recife

Com relação ao Movimento Regionalista, Tradicionalista e, a seu modo, Modernista, que irradiou do Recife desde os primeiros anos da década de 1920, convém que se lembre palavras do seu principal organizador em prefácio a uma das edições do *Manifesto ou pronunciamento regionalista* vindo de 1926, embora só publicado em livro em 1952. Segundo esse depoimento, é "impossível traçar-se a história dessa cultura, nos últimos decênios, sem se dar atenção especial àquele movimento". Regionalismo tradicionalista a seu modo modernista: mas de todo independente do "Modernismo" Rio-São Paulo, do qual tanto se fala, às vezes esquecendo-se esse outro movimento da mesma época, saído do Recife e o seu chamado "Manifesto Regionalista", apresentado – como pronunciamento que definisse suas orientações – ao Congresso Regionalista organizado no Recife em 1926. Já então o movimento se vinha desenvolvendo – repita-se – há alguns anos: desde 1923 ou 1924. Talvez se possa dizer que desde 1918.

Um dos valores regionais-tradicionais brasileiros a que o movimento do Recife deu um relevo, para a época, escandaloso – tal o conceito predominante do que fosse valor dinamicamente cultural ou histórico-cultural – foi o constituído pela cozinha (principalmente a afro-brasileira) e pela doçaria e confeitaria das senhoras de engenho e das negras de tabuleiro do Nordeste, tendo, a esse respeito, um dos seus participantes reunido em pesquisa socioantropológica, pioneiríssima, expressivo número de receitas. Algumas dessas receitas, secretas, quer de velhas famílias tradicionais da região, quer – lembre-se – de xangôs ou candomblés. As primeiras seriam publicadas em livro com o título *Açúcar*, de autoria de um dos organizadores do movimento e já em segunda edição.

Mais: o movimento pretendeu influir sobre modas – pioneirismo significativo – isto é, vestido, sapato, adorno, joias, perfumes – tanto de homem como de mulher – e sobre Medicina. Em Medicina, através da defesa do uso de plantas tropicais e também de assimilação de conhecimentos paramédicos e higiênicos, de ameríndios, de africanos e de gente do povo. Note-se que, do Recife, surgiria uma ecológica *Sociologia da Medicina*: obra que, traduzida ao italiano, teria forte repercussão europeia. Influindo o Recife, como viria a influir, sobre pintura, escultura, arquitetura, móvel, cerâmica, jardim, paisagem, medicina tropicais.

Ainda: pretendia-se que se dessem novas formas a essas tradições de cultura, assim como à música – menos preocupados, entretanto, com a música, que viria a ter, em anos recentes, pesquisador especializado magistral: o padre Jaime Diniz – do que com essas outras artes: uma sua deficiência. Mesmo com essa deficiência quanto à música e teatro, rompeu o Recife, desde a década de 1920, com as convenções e com a passiva subordinação absoluta a modelos estrangeiros e, unindo-se a essas novas valorizações (algumas o seu tanto expressionistas na ênfase dada a impulsos de dentro para fora, neutralizantes do excesso dos de fora para dentro: impulsos tropicalizantes de, aliás, valiosíssimas importações de valores europeus), a reinterpretação, a interpretação e a utilização de motivações e de motivos brasileiros, regionais, tropicais, populares e não-populistas, que dessem vigor ecológico e visão ecológica às relações do homem com o ambiente regional. Este foi um dos pioneirismos máximos dos renovadores recifenses.

Antecipações recifenses

Dentro desse critério, clamou-se pioneiramente, no Recife, desde a década de 1920 – leia-se a respeito o chamado *Livro do Nordeste*, elaborado de 1923 a 1924 e publicado no Recife em 1925 e agora em nova edição, fac-similada: iniciativa valiosa do professor Mauro Mota, como diretor do Arquivo do Estado de Pernambuco –, por uma arte brasileira de mural que ultrapassasse a mexicana na glorificação de homens e de expressões regionais brasileiras de trabalho (trabalhadores de canaviais, de cafezais, de seringais, de engenhos de açúcar, de fazendas de gado, de portos e doca e se extremasse até noutra glorificação, a da mulher mestiça, tropical, das várias regiões do Brasil mais mestiçadas, consideradas as várias sugestões plásticas e de cor – sensualmente estéticas – da mestiçagem. Daí ter inspirado, neste particular, vários pintores "modernistas" no Brasil – o próprio e admirável Emiliano Di Cavalcanti – tendo um autorizado crítico estrangeiro de arte, o professor Robert Smith, destacado a influência do Recife, assim pioneiro, sobre os motivos regionais e tradicionais da arte modernista de mural de Candido Portinari. Influência que, no Recife, madrugou com outros pintores "modernistas" recifenses educados em Paris – como Fedora, Vicente e Joaquim do Rego Monteiro: este, ativo participante do movimento recifense da década de 1920 como estilizador, em desenhos publicados no referido

Livro do Nordeste – conforme já se recordou – de folhas de mamoeiro – e que se manifestaria em Cícero Dias, Manoel Bandeira (pintor e ilustrador magnífico daquele livro), Luís Jardim, Lula Cardoso Ayres, Francisco Brennand, João Câmara, Ladjane, Eliezer Xavier, Maria Carmem, Rosa Maria. Tendência que se faria sentir também em "novos" e "novíssimos" renovadores do teatro – no de Ariano Suassuna, no de José Carlos Cavalcanti Borges, no de Hermilo Borba Filho e, notavelmente, no maior dos novos teatrólogos brasileiros: o recifense Nelson Rodrigues – e, é evidente, no pensamento e na metodologia e na temática de Estudos Sociais. Um desses estudos, *Ideologia dos poetas populares do Nordeste*, de Renato Carneiro Campos. Outro, o já clássico *Tempo dos flamengos*, de José Antônio Gonsalves de Mello. Ainda outros, a *Língua do Nordeste*, de Mário Marroquim, e *Os indígenas do Nordeste*, de Estêvão Pinto; *O banguê em Alagoas*, de Manuel Diegues; o *Guia da cidade da Paraíba*, de Ademar Vidal; o de *Salvador da Bahia*, de Jorge Amado; o de *Belém do Pará*, de Leandro Tocantins. E mais, *Faculdade de Direito do Recife: traços de sua história*, de Odilon Nestor (dando relevo especial, por sugestão do Movimento Regionalista, à figura do estudante), predecessor de admirável estudo recente do professor Nilo Pereira e das também admiráveis reinterpretações de sentido filosófico-social tanto do professor Gláucio Veiga como do mestre Pinto Ferreira. Isso sem se deixar de recordar ter essa influência se projetado no chamado romance social do Nordeste, iniciado a seu modo com *A bagaceira*, de José Américo de Almeida, e, depois desse início singular, tão expressivamente regionalista e tradicionalista, nas novelas de José Lins do Rego, Amando Fontes, Rachel de Queiroz, Jorge Amado, Graciliano Ramos, Luís Jardim, José Condé, todos mais ou menos tocados pela influência recifense. E, ainda, no conto – principalmente nos de Luís Jardim e José Carlos Cavalcanti Borges, também notável como teatrólogo especializado em assuntos regionais. E, ainda, na poesia de Jorge de Lima da fase de "Essa Nêga Fulô". Na de Ascenso Ferreira: muito telúrica sem ter deixado de assimilar o modelo Vachel Lindsay no seu modo de ser poesia cantada diferente do cantar sertanejo. Na do regionalista, tradicionalista, modernista Joaquim Cardozo. Na mais recente, dos tão merecidamente consagrados Mauro Mota e

João Cabral de Melo Neto. Na de Carlos Pena Filho. Em ensaios de um novo tipo na literatura brasileira como *Casa-grande & senzala* e – repita-se – o esplendidamente inovador *Tempo dos flamengos*, de Gonsalves de Melo Neto e o já citado *O banguê em Alagoas*. Como *Memórias de um senhor de engenho*, de Júlio Bello, excelente livro há pouco reeditado. Nos mais recentes estudos de Sylvio Rabello sobre o artesanato no Nordeste e os pequenos engenhos da região, os de Ulysses Pernambucano Neto sobre arqueologia regional, além dos estudos de Ulysses Pernambucano sobre psicologia ou psiquiatria social, ligadas a ambientes regionais, de Gonçalves Fernandes, de Uchoa Cavalcanti – com relação à ecologia recifense – de René Ribeiro, do já citado Renato Carneiro Campos, sobre Protestantismo no Nordeste rural. De Waldemar Valente com relação a sobrevivências maometanas entre negros do Nordeste: assunto, a cultura afro-brasileira da região, que vem sendo reinterpretado magistralmente, em termos os mais modernos, pelos professores René Ribeiro e Roberto Motta. De Mário Souto Maior. De Edson Nery da Fonseca. De Odilon Ribeiro Coutinho. Estudos sobre temas regionais e tradicionais considerados sob novas ou modernas perspectivas, dentre as quais começam a avultar, como do mais alto porte, os do economista--sociólogo Clóvis Cavalcanti.

Destaquem-se, ainda, de criações literárias ou de ensaios sociológicos ou antropológicos – entre os quais também os de Álvaro Ferraz de antropologia física, ou geográficos – como os de Gilberto Osório de Andrade, os de Mário Lacerda, Rachel Caldas Lima. Manuel Correia – ou históricos, ou autobiográficos, aparecidos nas décadas seguintes à de 1920, nos quais não é difícil surpreender a influência ou o estímulo do Movimento Regionalista, Tradicionalista e, a seu modo, Modernista: *O boi aruá*, de Luís Jardim, que o diga. Que o digam, além do já lembrado *Memórias de um senhor de engenho*, de Júlio Bello, *O cajueiro nordestino*, de Mauro Mota, *O sobrado na paisagem recifense*, de Aderbal Jurema, *O negro na Bahia*, de Luís Viana Filho, *O sentido social da revolta praieira*, de Amaro Quintas. E ainda os brilhantes estudos de sociologia regional de Roberto Cavalcanti, Marcos Vilaça e Sebastião Vila Nova. Os de ecologia biológica de Vasconcelos Sobrinho. Os estudos de economia regional de Paulo

Maciel. Os notáveis ensaios da recifense doutorada pela Sorbonne, Maria do Carmo Tavares de Miranda, tão afirmativa quanto o também mestre Luís Delgado no seu modo de ser católica ao mesmo tempo universalista e regionalista. Lembre-se que, do Congresso Regionalista de 1926, no Recife, participaram arquitetos do Rio de Janeiro, como Nestor de Figueiredo, para quem o Recife estava se antecipando numa, para eles, ideal modernização da arquitetura brasileira: a que não desprezasse nem a região nem a tradição.

O pintor Lula Cardoso Ayres já destacou, por sua vez, o mesmo quanto ao misto de regionalismo tradicionalista e modernista na pintura. Jorge Amado confessou-se um influenciado pelo Recife nessa tendência. E são, hoje, vários os restaurantes brasileiros com pratos regionais e tropicais, em reconhecimento da valorização da culinária brasileira empreendida pelo movimento do Recife. Notável é a cerâmica voltada para motivos regionais de Francisco Brennand. Notável o novo interesse brasileiro pela cerâmica popular do Nordeste: a de Vitalino e a de Severino de Tracunhaém, por exemplo.

Não se deve esquecer terem decorrido de sugestões pioneiras do mesmo movimento do Recife, nova fase na vida já antiga do jornal *A Província*, do Recife, com o seu provincianismo tão destacado por Manuel Bandeira, poeta, em artigo sobre literatura brasileira na *Enciclopédia Delta*. Foi jornal que teve a colaboração de modernistas ou modernos como Jorge de Lima, Prudente de Morais, neto, Pontes de Miranda, os dois Bandeira – Manuel e Manoel –, José Américo de Almeida, Ribeiro Couto, ao lado da de saudosistas como Júlio Bello.

O Primeiro Congresso de Estudos Afro-brasileiros

O Primeiro Congresso de Estudos Afro-brasileiros, iniciando em 1934 a valorização da presença do negro africano na cultura e na vida brasileiras e rompendo com a africanologia de Nina Rodrigues, para quem o negro era biologicamente inferior (um Nina seguido por algum tempo por Artur Ramos), foi outra repercussão importante de movimento renovador surgido no Recife no começo da década de 1920. Importantíssima.

Traços de parentesco com o ideário do mesmo movimento já foi recordado que se encontram, por antecipação, no *Livro do Nordeste*, comemorativo do primeiro centenário do *Diário de Pernambuco*: inclusive na publicação nesse livro, quer de desenhos arrojadamente modernistas, sobre assuntos regionais, de Joaquim do Rego Monteiro e de Joaquim Cardozo, quer nos mais conservadores que inovadores de Manoel Bandeira. Vários – dos de Manoel Bandeira – baseados, como os de janelas e portões antigos, os de tipos de mulheres mestiças notáveis pela beleza e pela graça, em fotografias de Ulysses Freyre e José Maria de Albuquerque Mello. Pois o movimento da década de 1920 avivou o gosto pelas fotografias de coisas regionais e tradicionais, que também se manifestaria, como arte, em Lula Cardoso Ayres e

Benício Dias, já nas décadas de 1930, 1940 e seguintes. Fotografias, inclusive, de modos e de modas do Nordeste.

Já se mencionou a Escola de Psiquiatria Social surgida no Recife através de Ulysses Pernambucano com a colaboração de amigo antropólogo, como projeção do movimento renovador da década de 1920. Projeção sua seria também a pioneiríssima primeira cátedra da Sociologia Moderna acompanhada de pesquisas de campo, criada em 1927 na Escola Normal do Estado de Pernambuco, pelo então governador Estácio Coimbra – tão influenciado pelo movimento – à qual se seguiria a de Antropologia Sociocultural, fundada por Anísio Teixeira na Universidade do Distrito Federal e pela qual seria responsável homem do Recife. Cátedra que foi a primeira do seu gênero na América Latina, à qual se ligou a de Psicologia Social confiada ao depois eminente e sempre admirável Artur Ramos, contanto que ampliasse em ecológica sua orientação até então exclusivamente psicanalítica e igualmente ampliasse a sua atitude em face do negro, também até então conforme a de Nina Rodrigues, para quem o negro era, como raça, inferior. Recorde-se que foi também como projeção do ideário do movimento do Recife que, em sua tradicional Faculdade de Direito, se inaugurou, no começo da década de 1930, um curso também pioneiro, em Faculdade de Direito do País, de Sociologia Moderna e esta de base antropológica e incluindo uma então desconhecida Sociologia do Direito, relacionada com sugestões ecológicas de comportamento e de cultura. Acentue-se ainda que do Movimento Regionalista, Tradicionalista e, a seu modo, Modernista, do Recife, é que surgiram, de modo mais específico, quer a ideia de criar-se no Brasil – trabalho apresentado por Luís Cedro Carneiro Leão –, um órgão para a defesa de valores históricos, artísticos e paisagísticos regionais, quer a ideia, que igualmente surgiu então no Recife, com Alfredo Morais Coutinho, discípulo de Roquette-Pinto, e superando planos de planejamento apenas urbano, através de planejamentos regionais (rurbanos, portanto) com a defesa do verde agreste e ecológico. Mais: do movimento do Recife pode-se sugerir que reavivou no Nordeste a tendência para um jornalismo menos reflexo passivo do metropolitano e mais expressão de vida e das preocupações de culturas regionais. Tipo de jornalismo em que se destacariam participantes do movimento na década de 1920.

Se se recordam repercussões do Movimento Regionalista, Tradicionalista e, a seu modo, Modernista, do Recife, aparentemente sem ligação com o conceito sociológico de "bem cultural" que agora está sendo tão oportunamente posto em foco em jornais e semanários do Rio, é que essa ligação não deixou de verificar-se, caracterizando um movimento que, ao projetar-se com ânimo renovador sobre formas eruditas de cultura regional e através dessa cultura regional, sobre a nacional, nunca se fechou em eruditismo: sempre se mostrou atento tanto a inspirações populares sobre expressões eruditas de cultura que devessem ser renovadas como a sugestões eruditas que pudessem estimular novas expressões de arte não-erudita que não degenerassem em popularescas.

O que hoje se apresenta como um tipo nacionalmente brasileiro de sociedade e de cultura tanto resulta do que se pode considerar, nesse conjunto, sua predominante feição civilizada avançada como sua sobrevivente primitividade: um complexo sociocultural antropológico nada insignificante quando assim misto. Para tal concorreu grandemente o afro-negro. Para o que há de positivo, nessa sobrevivente primitividade, continua a concorrer o que o brasileiro, desde quando pré-brasileiro, vem conservando, assimilando, desenvolvendo tanto de cultura telúrica, ecológica, criativamente ameríndia e, como tal, tropical, como do misto de primitividade e de civilidade ibéricas e afro-negras aqui abrasileiradas.

Este um dos característicos do grande e, pode-se dizer, triunfante experimento brasileiro: o de vir combinando civilidade e primitividade nas suas formas de vivência e convivência. Nas suas expressões de cultura nacional. Na sua música, na sua cerâmica, em parte da sua pintura, em parte da sua literatura, na sua culinária.

No brasileiro de hoje que, civilizado, prefere dormir amerindianamente em rede – uma moda triunfante – deliciar-se amerindianamente em substituir trigo por mandioca – outra moda triunfante – comer africanamente, com igual delícia, acarajé – moda nada insignificante – está um civilizado que junta à sua predominante civilidade sobrevivências, para ele, quase volutuosas, de primitividade. A primitividade que o espanhol, parente de brasileiro, Picasso, procurou em inspirações afro-negras, para sua modernizadora pintura. Que o brasileiro juntou à modernidade de sua música, genialmente desenvolvida de telúrica em erudita, por Heitor Villa-Lobos. A que dá ao futebol brasileiro, pelo que nele é mais dança dionisíaca do que jogo apolineamente britânico, o caráter de, no setor esportivo, vir sendo, como a música e a culinária noutros setores, revolução brasileiramente antropológica. Modas magnificamente triunfantes em setores tão importantes.

O mesmo critério pode ser aplicado a modas de vestir, calçar, pentear, que, como expressões de cultura característica de um povo, vem se constituindo em traço dos mais significativos do Brasil de hoje e marcando uma crescente presença brasileira entre não brasileiros.

Ecologismo e empatia em voga

Está em moda intelectual no Brasil um ecologismo aplicável a vários setores, acompanhado da perspectiva empática. Note-se de tal ecologismo aplicado, de modo específico, a modas de mulher e de homem num Brasil cada dia mais consciente, de não lhe tocar ser país de gente subeuropeia. Porque tais modas se acham dentro de um contexto ecológico, dado o fato de que trajo, calçado e adorno, no Brasil, podendo abranger produtos de artesanato, incluem, principalmente, produtos industriais.

Talvez seja já o momento de desejar-se uma moda de mulher e de homem brasileiros, especificamente ecológica e antropológica. Mas é possível que, de acordo com o sugerido há alguns anos, no livro de cientista social do Recife, *O brasileiro entre outros hispanos*, se possa ir além. E admitir-se uma moda de mulher que, partindo do Brasil, seja, de certo modo, transbrasileira e, como tal, susceptível de encontrar receptividade em países de populações femininas afins, nas suas ecologias e na sua antropologia física e sociocultural da população feminina brasileira. Cabe recordar-se o que se diz a respeito no referido livro intitulado *O brasileiro entre outros hispanos: afinidades, contrastes e possíveis futuros nas suas inter-relações* (Rio de Janeiro, 1975), no capítulo "Nós, hispanos e os trópicos: a responsabilidade de São Paulo".

Essa responsabilidade, sugere-se nesse capítulo, incluir principalmente atuação, menos de governos ou de órgãos oficiais, por meios especificamente jurídico-políticos, que de industriais mais criativos e mais capazes de transmitirem criações brasileiras, nesse setor, a países dos que constituem – volte-se a este ponto um vasto mundo euro-tropical, em cujas populações avultam hispano-tropicais, muitos deles, na sua Antropologia Física completada pela sua situação socioantropológica ou antropocultural, semelhantes a brasileiras. Por conseguinte – esta a sugestão de interesse específico para a consideração do relacionamento entre moda de mulher e trópico –, no setor de modernos produtos industriais paulistas, em particular, brasileiros, em geral, nos setores de vestidos, calçados e adornos, cosméticos femininos, além de alimentos e de remédios, que possam ser de uso particular, por mulheres.

Um dos últimos números da excelente revista brasileira, que é *Ícaro*, consagra algumas páginas a interessantíssimo assunto, há anos muito do meu apreço: modas brasileiras. As modas brasileiras, de trajo, de penteado, de sapato, de culinária e, particularmente, as modas de mulher – especificamente, as euro-tropicais – como uma das expressões mais significativas da criatividade da nossa cultura e do nosso crescente senso ecológico.

Dá-se relevo a dois "brasileiros bons da moda", caracterizados como "especialistas em moda", e assinala-se estar o Brasil, segundo o cronista Fernando de Barros, caminhando para "um estilo brasileiro de vestir inspirado nas grandes tendências internacionais, mas brasileiro" – note-se o "mas brasileiro" –, para isso sendo necessário "adaptar o nosso calendário da moda à realidade do nosso clima..." O que importa em reconhecer-se uma sociologia da moda. Insistência já antiga da minha parte.

Que seja perdoado ao autor notar, de tal orientação, que corresponde à ideia partida, já há algum tempo, de brasileiro do Recife. E agora adotada, como válida, por ilustre revista do Sul dedicada a assuntos femininos. Ideia, porém, a brasileira, da qual se pode dizer não incluir apenas assunto feminino. E, sim, de vários modos, aspectos daquela tropicologia que é perspectiva desenvolvida, há algum tempo, mais pelo Brasil do que por qualquer outro país, de cultura herdada, em grande parte, da Europa, mas situada principalmente em espaço tropical.

Esse primado brasileiro, em setor tão importante de estudos, principalmente em espaço tropical, representado pela atenção científica dispensada na Fundação Joaquim Nabuco, a assuntos tropicais. A assuntos tropicais sob perspectiva, principalmente tropicológica.

Se tais estudos realizados no Recife, e dos quais já participaram Eugène Ionesco e Julián Marías e pelos quais interessou-se Arnold Toynbee, não tiveram repercussão no Centro-Sul – a repercussão merecedora – deve-se, talvez, a duas causas. A primeira, haver paulistas receosos de serem considerados parte de Brasis comprometidos com os trópicos e evitarem suspeitas a esse respeito. Seria área, brasileira, a ocupada brilhantemente por eles, de modo algum tropical. A segunda, existir, da parte de alguns noticiaristas de publicações centro-sulistas, ausência, talvez a ser explicada psicologicamente, de simpatia por iniciativas culturais de origens mais acentuadamente nortistas ou nordestinas. Agem como se tais origens fossem, desprezivelmente, sub-brasileiras.

Daí, nos anúncios de tecidos e confecções de origem brasileira, que estão conquistando simpatias estrangeiras, poder dizer-se, como se lembra no referido e lúcido artigo de *Ícaro*, estarem "superando o velho preconceito de que o Brasil não tem tradição em moda. Os nossos produtos são considerados exóticos pelas cores e estão despertando muito interesse".

Note-se a expressão "exóticos pelas cores" que, evidentemente, se refere ao fato de parecerem acusar, aos olhos de bons entendedores, duas inconfundíveis características de sua origem brasileira: a ecologicamente tropical, uma. E outra, a projeção de um brasileirismo biossocial: a miscigenação.

A moda de mulher saída do Brasil

A moda de mulher que, saída do Brasil, vier a firmar-se no estrangeiro pelo seu atraente e, até, fascinante exotismo, analisada, interpretada, vista nas suas raízes, apresenta-se projeção das duas circunstâncias orteguianas que aqui se assinala: a ecologia tropical e a miscigenação brasileira.

O último censo nacional indica que a população miscigenada do Brasil já quase ultrapassa a não-miscigenada. Como pensar-se numa moda verdadeiramente brasileira de penteado, de calçado, de trajo de mulher, que deixe de considerar tal circunstância, não como um exclusivismo, é claro, mas como uma influência significativa sobre os tipos mais representativamente nacionais de mulher brasileira ostensivamente bonita? De mulher, pela beleza, pela graça, pelo sorriso, pelo andar, inspiradora de modas com tecidos, fibras, matéria, em grande parte, tropicalmente brasileira?

Quando se prevê, autorizadamente, um "grande futuro para os têxteis brasileiros", esse futuro implica uma confiança objetiva, concreta, existencial nas formas, nas cores e nas aparências da mulher – ou, no plural, das mulheres – pela sua condição de brasileiras, modelos vivos das confecções pioneiras à base desses têxteis.

Se é certa a afirmativa de mestre no assunto, de que "o valor de nossas exportações poderia ser dobrado se os fios tecidos fossem substituídos por confecções", o futuro das modas brasileiras de mulher está próximo de ser um triunfo. O que – mas este aspecto fica para outro assunto – era previsão minha, há dois anos, ao insistir com uma filha do meu grande afeto em que desse novo rumo à sua *boutique*. E que surgisse com livro, para o qual cheguei a escrever prefácio, comentando a necessidade de as *boutiques* brasileiras serem mais ostensiva e ecologicamente brasileiras nas suas ênfases a modas de mulher.

Transeuropeização de modas brasileiras

Há uma crescente presença brasileira em criações e renovações de modas não só de mulheres como de homens e crianças, transpessoais, de construções, de jardins, de relações de grupos humanos com a natureza.

As atuais modas de mulher e de homem, no Brasil, já não são as apenas imperialmente europeias, nas suas origens e nos seus condicionamentos por climas temperados. Importadas, portanto. Nelas começam a refletir-se uma acentuada insubmissão de populações e de culturas não-europeias a essa espécie de conformidade com esse tipo de imperialismo como que sociocultural.

Uma das expressões mais significativas dessa insubmissão é a que vem partindo do Brasil. E como insubmissão brasileira, nesse particular, afirmação de dois importantes brasileirismos, um ecológico, outro antropológico, os dois alongados numa síntese brasileiramente cultural. Esses dois brasileirismos, um, expressão de uma tropicalidade, outro de uma situação antropológica, de projeções em modos de vida, estilos de cultura, artes, língua, literatura, ciências sociais. E – decerto – em modas de mulher de acordo quer com uma ecologia, em grande parte, tropical, como é a do Brasil, quer com uma situação antropológica da mulher brasileira – e de mulheres de país semelhante ao Brasil – que as diferencia das ortodoxamente europeias ou afins das europeias. Essa situação antropológica, a que decorrer, quer do crescente amorenamento da população brasileira, quer da crescente superação, entre grande número de brasileiros dos dois sexos, de consciências, tanto de suas origens como de suas situações especificamente raciais, cada dia maior, pela identificação, tanto de homens como de mulheres, com o que neles é seu tipo nacional de ser: o brasileiro. O tipo nacional de brasileiro à revelia daquela origem. E sim por seus característicos socioantropologicamente metarraciais de ser, de sentir, de pensar, de amar, de comportamentos, de atitudes, de preferências de paladar, de recreação, de formas de vivência e de convivência.

O que, sendo exato, condiciona preferência por formas e cores de trajo, de calçado, de penteado e de quanto constitua objeto de moda de mulher. A mulher brasileira e, seguindo-a, o próprio homem, já não se resignam a ser passivos em sua aceitação de modas irradiadas de Paris ou de Roma ou de Londres ou de Nova York. Os dois vêm não só recriando tais modas, através de adaptações de europeísmos, ianqueísmos e orientalismos a situações ecológica e culturalmente brasileiras como, em alguns casos, ousando quase inventar brasileirismos. Invenções da mesma espécie que vêm ocorrendo na música – sobretudo na do grande Villa-Lobos –, depois da de Santos Dumont e de alguns recentes, no setor da arquitetura – Niemeyer, Lucio Costa, Mindlin – e com Roberto Burle Marx, no setor dos jardins-paisagens para os trópicos.

Os próprios sociólogos da espécie de Sorokin parecem admitir relação entre impactos susceptíveis de se tornarem musicais – populares, solidários, regionais e, quando religiosos, alguns universalistas, nos seus impactos e suas expressões sociológicas. Pois não é a Sociologia uma ciência do homem voltada para ritmos, segundo Sorokin, uns verticais, outros horizontais, de contactos solidários entre grupos humanos? Grupos solidários – observe-se tendentes a tornar modas suas predileções.

O caso do brasileiríssimo Villa-Lobos

Reciprocamente, pode-se sugerir das perspectivas artisticamente musicais que Villa-Lobos seguiu, como pioneiro, não lhe terem faltado toques ou ânimos solidariamente brasileiros. O Brasil nunca deixou de ser uma presença na criatividade artística do grande compositor em termos, ao mesmo tempo que musicais, solidários. Sua solidariedade com quanto fosse telúrica, tropical, festivamente brasileiro. Mas pode-se sugerir, desse ânimo de ser brasileiramente solidário, ao mesmo tempo, festivo, lírico, dionisíaco, ter sido condicionado por sua juventude carioca. Carioquíssima.

O autor deste ensaio, em excursões, de jovem, junto com Prudente de Moraes, neto, e Sérgio Buarque de Holanda, dentro de noites cariocas em busca, guiados por Pixinguinha, Donga, Patrício, do que na música popular brasileira nos parecia festivamente carioca, seguindo o exemplo de Villa-Lobos, foi do que se apercebeu: de quanto essa carioca cidade tocara Villa-Lobos. E de quanto, pelo que nela é confluente, podia ensinar tanto a paulistas como a pernambucanos, por mais quatrocentões.

Carlos Gomes deixou em *O Guarani* um igual ânimo brasileiro. Mas em Villa-Lobos esse ânimo foi mais constante, mais envolvente, mais abrangente, quer de sua música, quer de sua personalidade de criador de música da mais conciliadora de ânimos nacionais com expressão universal. Afinal, quem mais gênio brasileiro do que Villa?

Uma futurologia brasileira

A esta altura, lembre-se que a atual moda brasileira, quer de mulher, quer de homem, dentro de uma generalizada tendência de modernas artes e modernos saberes – inclusive científicos – para antecipações, pode marcar uma presença brasileira entre os *designers* de modas que estão sendo chamadas científicas, pelo seu caráter como que futurológico: previsões a respeito de futuros. Futuros, como houve já, no Brasil, quem os caracterizasse, admitindo o aparecimento de uma futurologia brasileira diferente das arbitrárias que têm surgido, nos Estados Unidos e na Europa. E sim plurais, diversas e até contraditórias, em vez de únicas e assim brasileiras, susceptíveis de se tornarem universalmente válidas.

A chamada "moda científica", para um futurólogo à brasileira, isto é, relativista e pluralista, terá que atender a ecologias diferentes das europeias. A situações culturais também diferentes. Divergindo, portanto, dos que acreditam no triunfo de um mundo como uma, segundo dizem alguns desses futurólogos, "aldeia global". Os indícios mais idôneos não parecem confirmar esse globalismo, senão em parte, de modo algum, predominante. As variantes e mesmo criações brasileiras em modas de mulher, de homem e de criança, é evidente que, para serem válidas – para o Brasil –, precisam de se harmonizarem a uma ecologia tropical. Além do que é lícito perguntar-se se por futuro científico de moda brasileira de mulher e de homem será preciso entender-se um futuro rigorosamente técnico ou, mesmo, rigorosamente lógico. E aquelas outras motivações, além das somente lógicas e racionais, destacadas por Pascal? Precisarão corresponder à ecologia – ou a ecologias – diferentes das condicionadoras de modas de mulher por algum tempo ditatorialmente europeias e quase que só europeias.

Que é, afinal, moda?

Que é moda? Além de "hábito ou estilo geralmente aceito, variável no tempo e resultado de determinado gosto, ideia, capricho" do sentido básico que lhe atribui Aurélio, "uso passageiro" – segundo o mesmo Aurélio – "que regula a forma de vestir, calçar, pentear etc." e "... arte e técnica do vestuário". Uso passageiro – acrescente-se, entretanto, a Aurélio – como os sugeridos por expressões como "a cor roxa está na moda", "tal perfume é o da moda", "sandália virou moda", "sutiã passou da moda".

Dentro desses sentidos ecológicos é que se vem afirmando, no Ocidente, dentro de normas gerais de cultura ou de civilização ocidental, não só de vestir, de calçar, de pentear, as quais se assemelham as modas como as, muito brasileiras, mas também as de outros países, de se bronzearem ao sol, o europeu e o europeizado, residentes em cidades do litoral atlântico. Amorenar-se a gente ao sol das praias. E também a de fumar-se cigarro, a de ouvir-se rádio ou ver-se televisão e, de modo específico, a de vestir-se, calçar-se, pentear-se a mulher ou o homem segundo a sua idade, sua atividade, seu lazer, seu biótipo. E também de acordo com a ecologia ou o clima da região do país onde reside. Daí a importância de passar-se a considerar o vestir-se, o calçar-se, o pentear-se do brasileiro, em geral, da mulher, da criança e do homem, em particular, de acordo com a ecologia em que está situada a maior parte de uma população. No caso, a brasileira, que é, predominantemente, a tropical ou paratropical. Paratropical, por vir-se estendendo a espaços não-tropicais, brasileirismos adaptados a trópicos e aí tão triunfantes que vêm se expandindo. O caso tanto da música como da culinária.

Ouvindo dicionários

No bom *Dicionário contemporâneo da língua portuguesa* (Lisboa, 1881) – em alguns pontos, superior ao Aurélio! – define-se moda talvez mais satisfatoriamente que em Aurélio, como "uso geralmente adoptado de vestir ou de fazer qualquer coisa e que varia segundo o gosto, o capricho ou a vontade; maneira, phantasia: a moda dos vestidos compridos". E mais: "estar em moda significa estar em voga. Passar da moda: deixar de estar em voga. E loja de *modas*: estabelecimento de venda de vestuários e de trajos de senhoras".

Mas impõem-se ouvir outras definições. Em *The Columbia encyclopedia in one volume* (Londres etc., 1935), a definição de moda se apresenta mais sociologicamente abrangente que noutras enciclopédias e dicionários: "*a prevailing mode affecting the details of living and the modifications of dress*". E registra: "*Fashion may be said to have originated in Europe before and about the 14th century*", observando das mudanças de vogas virem sendo afetadas por esportes e movimentos políticos, inclusive por tendências populares. A Revolução Francesa teria causado mudanças radicais em modas: especialmente nas de trajo masculino. Meios de comunicação vêm tendendo a causar maior estandardização de modas.

The New Merriam Webster pocket dictionary (Nova York, 1964) sintetiza o que é moda em termos os mais sociologicamente modernos: "*The mode or form of something*". E especifica esse "*something*": "*manner, way*", "*prevailing custom, usage or style (as in dress)*". E mais "*a particular style*". Estilo ou o que veio em dias recentes denominar-se *design* e o artista especializado em *design*, *designer*. Note-se a identificação de "modo" com "forma". "Modo" abrangente de "moda".

Especialização que antecipou-se a adotar profissionalmente, com notável brilho, o brasileiro Aloísio Magalhães. O que, através dessa opção, contribuiu para novas perspectivas de artes e de artesanatos no seu e nosso país, sem que se deva esquecer um como que antecessor magnífico: Flávio de Carvalho. A façanha escandalosa de Flávio de Carvalho, caminhando em ruas ilustres da capital de São Paulo vestido de trajo para homem, de sua invenção – trajo para também, inspirado, como saiote, em trajo de mulher, adaptado ao trópico – marcou nele um *designer* brasileiro bravamente inovador. Aloísio Magalhães não chegaria a tanto, mas mostrou-se sensível, como secretário de Cultura do Ministério de Educação e Cultura, no governo João Figueiredo, a esforços de tropicalizações de europeísmos presentes em vários setores de artes e artesanatos do Brasil, no que seria continuado, de modo exemplar, pelo seu sucessor no desempenho do mesmo cargo, Marcos Vinicios Vilaça.

Ambos, note-se que, em desempenhos oficiais, precedidos por iniciativas, no mesmo sentido ecológico de tropicalização de europeísmos de caráter sociocultural, presentes ou desejados para o Brasil – inclusive a arquitetura Le corbusieriana imposta arbitrariamente à nova capital brasileira, de acordo com inovação originária ecologicamente da Europa central – por orientações de modelos culturais castiçamente ecológicos, para soluções regionais e nacionais, já oferecidas por idôneos e criativos pesquisadores do então Instituto, hoje – graças ao arrojo de Fernando Freyre – Fundação Joaquim Nabuco. Soluções que, se não alcançaram desejáveis adoções nacionais, deve-se ao fato de terem então predominado – como ainda hoje – atitudes centro-sulistas, hostis a iniciativas partidas do Recife.

A tomada de consciência, pelo brasileiro, de ser pessoa situada nessa ecologia – resolução que marca pioneirismo recifense – é fenômeno relativamente recente. Data da década de 1930. Pode-se dizer que a tendência do brasileiro, em geral, como população dependente, sobretudo de europeus não-tropicais, foi, durante longo tempo – até data recente – entre suas elites, a de seguir passivamente modelos e artigos importados de países de climas temperados. O que tornou predominantes, entre brasileiros dos dois sexos e de sucessivas idades, durante todo esse tempo, modas antibrasileiras de vestir, de calçar, de pentear, além de, ao lado de aceitáveis adornos e perfumes para mulheres e pratos e talheres para refeições elegantes e relógios e óculos de uso geral, brinquedos como que etnocêntricos para crianças – como bonecas sempre louras e sempre de olhos azuis – de possíveis efeitos indesejáveis como sugestões de sentido arianizante.

Este, aliás – o etnocêntrico –, um importante aspecto da importação, pelo Brasil, de modelos e artigos de modo e de moda em vigor em países europeus ou nos Estados Unidos, em que a opção etnocêntrica da parte desses países contraria opções brasileiras ligadas a situações étnico-socioculturais criadas no Brasil por um beneficamente avassalador processo de miscigenação. Processo em resultado do qual – que o diga o último censo – é crescente o amorenamento, em vários graus da aparência, da gente ou da população brasileira.

O amorenamento da gente brasileira

Inclusive da mulher. Esse amorenamento vai do pardo escuro a um pardo pálido ou levemente amarelado, considerado, aliás, por especialistas, o pigmento ideal, do ponto de vista biológico, ou físico, do mestiço situado em espaços tropicais. E que não deixa de ser esteticamente agradável.

Aliás, os vários morenos de mulher brasileira têm, cada um, seus admiradores europeus e anglo-americanos e é certo de seu conjunto que constitui uma morenidade comum a essas várias expressões. Sendo essa morenidade comum, pela sua predominância, sem ser exatamente a mesma no modo por que se apresenta, pode ser considerada um característico de pigmentação digno da maior atenção das modistas ou costureiras ou das proprietárias de *boutiques*, ou por elas responsáveis, o que tenda a advertir ou orientar combinações de cores de vestidos ou blusas com tons de morenidade. O que não significa que se deixe de atender a conveniências de combinações de outro tipo dessas cores, com relação a brasileiras louras e alvas. As Veras Fischer existem ao lado de Sônias Braga, embora estas sejam as predominantes.

Há bons anos, mais que vinte anos, tendo sido convocado pelo educador Anísio Teixeira, então reitor da Universidade do Distrito

Federal – na época, o Rio de Janeiro –, para aí fundar uma cátedra de Antropologia Sociocultural, comecei a lembrar a alunos – entre os quais Lúcia Miguel Pereira, Hélio Beltrão e José Bonifácio Rodrigues – a conveniência de industriais brasileiros virem a se orientar por antropólogos físicos e por antropólogos socioculturais quanto a produtos de suas indústrias de tecidos, calçados, alimentos e outros artigos de uso pessoal, considerando-se gostos regionalmente brasileiros por cores, formas, odores e em casos de roupas feitas, calçados, chinelos, sandálias, móveis, não só por gostos, cores como predominâncias de tipos bioantropológicos e predominâncias de alturas, quer em brasileiros regionais do sexo masculino, quer do feminino, quer em adultos, quer em crianças, de diferentes regiões e situações socioeconômicas. Pela primeira vez, no Brasil, surgiu a advertência científica de que as Antropologias, tanto a Física como a Sociocultural, têm o que dizer a industriais e fabricantes de artigos pessoais. Artigos ligados a modos de homem e a modas de mulher.

Uma pioneira advertência sobre ciência e moda

Aqui, talvez pela primeira vez se adverte, um relacionamento entre Ciências Antropológicas e modas tanto de mulher como de homem, tanto de adulto como de criança. Os criadores dessa espécie de arte precisam atender a sugestões e orientações que possam lhes ser feitas por antropólogos, quanto a predominâncias, em populações regional e socioeconomicamente situadas, de formas de figuras de homens, mulheres e crianças brasileiras.

O que indica que já viria se considerando, pioneiramente, no Recife – pioneirismo com relação ao Brasil e, talvez, à América do Sul –, a relação entre as Antropologias – a Física, a Humana e a Sociocultural – e trajos, calçados e adornos, inclusive nas suas projeções em modas e modos de populações brasileiras. É dentro, portanto, de um pioneirismo partido do Recife e, no Recife, do antropólogo-sociólogo fundador do Instituto Joaquim Nabuco de Pesquisas Sociais, hoje parte da Fundação do mesmo nome, que agora se aplica a consideração de tal relacionamento geral a assunto específico: a modas de mulher, de homem e de criança, no Brasil atual. Modas dentro de modos polivalentes, depois de terem sido quase exclusivos, de homem.

Se o Brasil vem tendo, e tudo indica que continuará a ter, área de maior projeção transnacional, é a São Paulo, como vanguarda, em termos mais que modernamente urbanos dessa posição, que cabe a maior responsabilidade de tornar-se foco de irradiação de modas brasileiras adaptáveis a populações latino-americanas, crescentemente modernas e urbanas. É um mundo, esse, com suas duas principais línguas de crescente importância, quer prática, quer literária, a espanhola e a portuguesa, e com a também crescente importância política e econômica das nações que o constituem, destinado a sobressair cada vez mais do chamado todo universal. Destinado a afirmar-se, cada vez mais, líder, por suas criações e por seus arrojos culturais, quer científicos, quer humanísticos.

E, dentro dele, o Brasil, liderado por São Paulo, mas com criatividades de várias origens, se apresenta destinado a criar modos e modas de vestir, de calçar e de pentear. Também estilos ecologicamente transeuropeus de casa, de móvel, de transportes. Novos alimentos. Novos remédios. Novos doces.

Dentro dessa ecologia transeuropeia, novas relações dos homens com a natureza. Novos sentidos de tempo para novas formas de sua utilização ou do seu gozo. Novos lazeres. Novas artes tanto maiores como menores. Novas pinturas de Majas Desnudas em que se procure captar todo o esplendor de novas formas e cores, de mulheres tropicalmente morenas ou amorenadas pelo sol. Novos saberes sobre gentes, animais, plantas, doenças, terapêuticas tropicais. Novas interpretações de existências e de convivências humanas condicionadas por ecologias tropicais. Novos brinquedos para crianças motivados pelos trópicos ou por quase trópicos. Novos sabores, novos odores, novas cores, novas sensações físicas, novos métodos de experimentações científicas, em Física, em Química, em Antropologia, estimulados por assuntos tropicais ou quase tropicais. Novos êxtases poéticos, musicais, pictóricos, esculturais, espirituais, inspirados por mais íntimas relações dos homens com ambientes também tropicais e quase tropicais marcados por presenças hispânicas. Novas relações entre o senso de tradição hispânica e o gosto de inovação excitado por condições menos hispânicas do que tropicais de vida. Novas interpretações de valores tropicais e quase tropicais que sejam sugeridos, pela sua maior ou menor adaptação a essas condições não-europeias de vida, com os passados, considerados válidos, cada vez mais harmonizados com presentes e futuros desejáveis. O que incluiria a especialização das indústrias no fabrico dos pentes que melhor penteiem cabelos tropicais, de calçados que mais se ajustem a pés tropicais, de tecidos que melhor correspondam a climas tropicais. Ou euro-tropicais.

O Brasil e o mundo ibero-tropical

É um mundo, o hispano-tropical, ou ibero-tropical, destinado a contribuir, cada vez mais, para a cultura pan-humana com a genialidade de novos Cervantes, de novos Vives, de novos Camões, de novos Fernãos Mendes, de novos Garcias d'Orta, de novos Josés Bonifácio, de novos Teixeira de Freitas, de novos Ramón y Cajal, de novos Eças de Queirós, de novos Santos Dumont, de novos Rubens Dario, de novos Euclides da Cunha, de novos Joaquins Nabuco, de novos Carlos Chagas, de novos Unamunos, de novos Villa-Lobos. Gênios que a sangues ibéricos juntem sangues tropicais. Ou que a heranças ibéricas ou hispânicas ou europeias de cultura acrescentem valores quase virgens, na sua pujança, nativamente tropicais, que venham sendo assimilados por novas nações mistas de europeus e de não-europeus. De não-europeus de várias espécies e de várias etnias. De "vária cor", como diria Camões. E ecologicamente tropicais dos também vários trópicos.

No ajuste de inter-relações aqui sugeridas entre tradição e ecologia, ou de harmonizações tríbias entre passados, presentes e futuros, dentro da simbiose hispano-tropical, cabe evidentemente ao Brasil uma responsabilidade específica. No mundo hispano-tropical, repita-se que não há hoje dois São Paulos: apenas um e este o brasileiro. Este, possível centro de criação de modas de vestir, de calçar, de morar, de comer, para grande número de hispano-tropicais. É um São Paulo, o brasileiro, com suas deficiências, suas incorreções, suas traições a seu passado, sua falta de um flexível planejamento do seu futuro. Mas com tudo isso, expressão de arrojo modernizante e de constante hispânica de ânimo, como não há igual noutras partes do mundo hispano-tropical, sem se desconhecer o que já existe de grandezas urbanas e de realizações nacionais nesse mundo em desenvolvimento. Mundo prestes a tornar-se uma força capaz de falar, como de igual para igual, com o mundo anglo-saxônico, com o mundo eslavo, com o mundo chinês, com o mundo árabe. São Paulo é grandemente responsável pelos rumos dessa nova força da qual o Brasil é, pela vastidão do seu espaço, pela sua já grande população, pelas suas antecipações e pelas suas realizações, quer de ordem material, quer de caráter transmaterial, condicionadas pela sua ecologia tropical, parte tão dinâmica quanto importante.

Note-se que, num estudo quanto possível específico, do que sejam, ou venham sendo – os antecedentes, sempre importantes, no Brasil, de situações atuais, interessa a consideração da relação entre moda e mulher ou moda e homem ou moda e criança, situando-se essa relação entre registros de costumes ou hábitos ou estilos de vida, apresentados de modo sociologicamente geral. O assunto é específico – moda pessoal e trópico –, mas impõe-se sua colocação num contexto.

Moda como um imperativo elegante que, seguido principalmente pela chamada *society*, tenha suas vogas elitistas quase sempre seguidas, de maneiras mais ou menos modestas, por mulheres, homens e crianças de outras camadas da sociedade e utilizados, em vestidos, sapatos, adornos, materiais mais acessíveis a esses outros elementos de uma população que podem ser não só de situação mais modesta, residentes de áreas urbanas, como residentes, de várias situações socioeconômicas, de áreas rurais.

Em todas essas adoções, por imitação dos grupos-modelo, de modas, entra este condicionamento: o ecológico. A conciliação entre imitação de modelo e clima, ecologia e situação econômica, que facilite ou dificulte essa imitação. A conciliação entre imitação de modelo importado e o meio, o ambiente, a situação sociocultural do meio em que se pretenda introduzir modelo trazido de outro meio. Daí a importância, para criações brasileiras de artigos femininos susceptíveis de ser exportados, das afinidades entre o Brasil e o referido mundo hispano-tropical. Hispano ou ibero-tropical.

Afinidades de outros ibero-tropicais com o Brasil

São aspectos do assunto – pessoa situada e moda brasileira – que estarão sempre presentes nas considerações que se seguem, como inter-relações. Parece chegado o momento de essa espécie de moda – a brasileira – ser apresentada como expressão tão característica de uma cultura nacional e, dentro dessa cultura, como uma afirmação de criatividade brasileira, tão importante e cada vez mais evidente, como na música, como a que se faz notar na arquitetura, como a que caracteriza, além da culinária, a doçaria e a drinkologia: todas essas criações, testemunhos de um crescente domínio, pelo brasileiro, de valores ecologicamente tropicais ou quase tropicais, acrescentadas a heranças europeias.

Quando se diz inter-relação entre isto e aquilo – entre moda e espaço, moda e tempo, moda e espaço-tempo – diz-se quase sempre uma complementação de um objeto por outro, de uma situação por outra, de uma criação por circunstâncias que se não a criam de todo, condicionam-na de modo, por vezes, decisivo.

No caso da moda de mulher, esse condicionamento vem obedecendo a circunstâncias complexas. A circunstância do espaço físico está entre as mais importantes. Não se concebe, senão como um absurdo, uma moda de mulher – de vestir, de calçar, de pentear – que contrarie persistentemente essa circunstância. Não se concebe uma moda de vestir ou de calçar ou de pentear que contrarie um tempo social. O tempo social é de tal modo um impacto condicionante de modas que pode-se dizer, desses tipos de moda, que flutuam com tempos sociais, por vezes, ao sabor desses tempos, mudando quase de repente e, outras vezes, surpreendentemente, voltando a reinar. Essas flutuações das modas no tempo – ou de acordo com tempos sociais –, por vezes, são expressões de mudanças globais dessa espécie, que abrangem vários setores de vivência e de convivência de grupos humanos constituídos em sociedades ou culturas de feitio nacional, como quase todas as do moderno Ocidente.

Daí ser importante dar-se atenção a esses impactos globais que caracterizam tempos sucessivos com característicos que diferenciam um tempo social de outro. E que, por vezes, são impactos que se exprimem em maneiras diferentes de um tempo para outro, sem esquecermos que espaços, por sua vez, diferentes fisicamente nas suas ecologias, tendem a reagir diferentemente a tempos sociais que, com ímpetos decisivos, caracterizam espaços sociais.

O Brasil passivo importador de modas

Durante longos anos, o Brasil, como espaço social, ou sociocultural, reagiu com excessiva timidez e quase sem ânimo ecológico de resistência ou de inteligência adaptadora ou abrasileirante, à importação de artigos franceses de modas femininas, masculinas, infantis. Aconteceu, a certa altura, importarem-se, da França, enxovais inteiros de casamentos e de batizados. As modas de cores de vestidos, de enfeites de chapéus, de espartilhos, de penteados, eram seguidas passivamente por mulheres ou senhoras elegantes do Brasil. E impostas, como que tiranicamente, aos filhos pequenos, vestidos – inclusive, de meninas – segundo modas europeias para crianças. Portanto, modas, algumas delas, que, correspondendo a climas temperados ou frios, foram a tortura dessas crianças. Não só extravagantes, para o Brasil, como terrivelmente anti-higiênicas, antiecológicas, antitropicais. Abusos, em pleno Rio de Janeiro, de modas, para mulheres, de capas de peles para invernos franceses, de luvas, de outras defesas contra excessos europeus de frio, de neve, de gelo.

Raros, durante anos, os esquisitões que ousavam reagir, entre as elites sociais brasileiras, contra essa espécie de imperialismo cultural europeu – principalmente francês, para mulheres, e inglês, para homens – nos setores das modas de vestir e calçar. O que não fosse francês, nesses setores, aplicado à mulher, deixava de ser reconhecido como elegante. O imperialismo francês não se limitava a perfumes, loções, *rouge*, adornos, mas incluía, além de vestidos de vários tipos – do de baile ao de dias comuns –, sapatos, meias, espartilhos, roupas de baixo. As, em certa época, numerosas roupas íntimas, cujo uso era de rigor: rigor estético e rigor moral. As luvas, de rigor, no exterior, da elegante. Uma brasileira elegante da *belle époque* que saísse sem luvas não era considerada ortodoxamente bem vestida. Luvas e sombrinha completavam tanto o vestido como o leque, as joias, os perfumes, cuja origem tinha que ser, ortodoxamente, a parisiense. Daí a voga, no Rio como no Recife, em Salvador, no Rio Grande do Sul, de modistas que anunciavam, com ênfase, sua qualidade de francesas. Modistas e lojas – lojas exclusivas! – de luvas. Ou de chapéus.

Acrescente-se que, ao lado dessas vogas de vestidos, sapatos, chapéus, luvas, leques, perfumes, vigorou esta outra: a de homens ortodoxamente elegantes do Rio e de cidades, na época, em certos pontos, rivais do Rio e de São Paulo, como o Recife e Salvador, ostentarem amantes francesas. Algumas delas vindas diretamente de Paris como que por encomenda. Outras, quase raptadas dentre artistas de teatro ou de *vaudeville* elegante ou de estabelecimentos recreativos franceses. A francesa triunfante, em certa época, sobre a mulher de cor, célebre por seus atrativos, mas vencida pela francesa.

A moda brasileira de mulher foi, assim, por algum tempo, uma moda vinda da França, sem nenhuma preocupação, da parte dos franceses, de sua adaptação a um Brasil, diferente no clima, da França. Uma moda imposta à mulher brasileira e à qual essa, quando de gentes mais altas, das cidades principais, teve de adaptar-se, desbrasileirando-se e, até, torturando-se, sofrendo no corpo, martirizando-se.

Martírio da mulher brasileira

Não consta que, contra esse martírio da mulher brasileira, por uma arte tão antibrasileira de vestir e de calçar, de pentear-se e de adornar-se, tenham protestado os "modernistas" da célebre Semana de 22 em São Paulo. A explicação é que São Paulo foi, até cerca de 1930, no particular "modas de mulher", tão passiva colônia da França parisiense como o Rio. Talvez mais que o Rio. Modernistas ricos como o inteligentíssimo Oswald de Andrade viviam parte do ano em Paris. Paulistas elegantemente ricos como os Prado não sabiam vestir-se, ter médicos, dentistas, amantes, senão em Paris. E quando liam e iam a teatro, os livros que liam e o teatro que frequentavam eram livros franceses e teatros parisienses. Também a música que ouviam. Os restaurantes em que se regalavam de cozinha e de vinhos e de pastelaria franceses. E as paulistas elegantes era em Paris que se vestiam, se calçavam, se penteavam, se perfumavam.

Mas não só paulistas. Pernambucanos elegantes, dos dias ainda de esplendor do açúcar, ufanavam-se, com o rico João Peretti, de viverem entre Caxangá e Paris. No que os Peretti tinham por companheiros os Aquino Fonseca, os Guimarães, os Cardoso Ayres. Quem mais parisiense da *belle époque* do que Emílio Cardoso Ayres, o pintor admirável que Picasso veio a informar Cícero Dias ter conhecido e admirado? Ou que o também pintor do Recife, Vicente do Rego Monteiro? Brasileiros tão de Paris desdenhavam eles do Rio e esnobavam São Paulo. De Emílio destaque-se ter colaborado, como desenhista, em revistas parisianíssimas, de modas. Isso mesmo: foi um *designer* talvez mais que um pintor livre.

Na década de 1920, encontravam-se em Paris não poucos renovadores brasileiros de artes como os irmãos Rego Monteiro, Vicente e Joaquim, Oswald de Andrade, Victor Brecheret, Tarsila do Amaral. O autor conheceu-os nas suas tocas parisienses. Tarsila do Amaral, pintora esplêndida, de um encanto pessoal paulista acentuado por seus requintes parisienses de vestir, de calçar-se, de pentear-se que, em São Paulo, irradiou, no Brasil, graça pessoal tanto quanto o talento artístico aprimorado em Paris. O grande Oswald de Andrade não levou de Paris para São Paulo somente modernismos literários, porém usos parisienses, por homens, de paletós de cores vivas, para o Brasil, escandalosos, pelo fato de só se compreenderem essas cores – toleradas em cores claras – em vestidos de mulher. Na época, fizeram sucesso, em Paris, como dançarinos, os brasileiros Duque e Gabi. E Santos Dumont, quando, já triunfante como inventor genial, aparecia em restaurantes ou cafés, era festejado: continuou, durante anos, aos olhos de franceses e de francesas o aeronauta heroico que nunca deixou de ser para a França. Seu sucessor seria Villa-Lobos. Um Villa-Lobos que, se fosse mais femeeiro do que era, poderia ter constituído, em Paris, um harém de adoradoras de sua música.

Saliente-se de Paris que se impôs ao Brasil, ditatorialmente, modas de mulher, à revelia do calor do trópico brasileiro, compensou-se desse excesso tendo sido um grande centro consagrador de alguns dos mais altos talentos brasileiros como o de Santos Dumont e o de Villa-Lobos. Como, em dias recentes, o de Guilherme Figueiredo, o de Paulo Carneiro, o de Carlos Chagas Filho e, sobretudo, o de Cícero Dias.

Resta considerar-se o que houve, no Rio, em dias pioneiros, de adaptação de modas francesas de mulher, à mulher brasileira. Alguma modista brasileira que se distinguisse nesse começo de adaptação? É ponto a investigar e a estudar.

A verdade é que a influência da moda francesa de mulher veio a ser superada por outras influências. Inclusive a que parece ter vindo inicialmente dos Estados Unidos com a moda chamada de *flapper*, saída de uma Nova York de modo audaciosamente criativo e consagrando nas formas de corpo de mulher moderna, influências masculinizantes, ao que parece, suscitadas pela idealização dos jovens heróis americanos na Primeira Grande Guerra. É uma influência que, sob perspectiva sociológica, não vem sendo considerada tanto quanto, talvez, merece. Foi o primeiro surto, em termos artísticos, em moda de mulher, de um pendor para o unissex que alcançaria tanta receptividade. E que marcou, também, uma criatividade, no setor "moda de mulher", de Nova York, como rival de uma Paris que parecia tão decisivamente soberana, nesse particular, como Londres, no setor de moda masculina. Duas soberanias talvez abaladas, por surtos ianques de rivalidade em modas, nos dois setores: o feminino e o masculino. Pois não parece virem sendo de origem principalmente europeia os shorts para os dois sexos, os *slacks*, as sucessivas inovações em modas unissex.

Tampouco a generalização do uso de sandálias para os dois sexos. Nessa generalização parece justo destacar-se uma não de todo insignificante participação brasileira. Aliás, é de salientar que o Brasil antecipou-se em admitir o uso – ou a moda – de alpercatas sertanejas por soldados do Exército brasileiro destacados para combater cangaceiros já afeiçoados a esse uso, além de ecológico, funcional. Vem sendo considerável, no Brasil, pelos dois sexos, a moda da sandália, com o seu fabrico tendo se aprimorado por brasileiros já industriais dessa espécie de calçado. E com não poucos pés femininos vindo a preferi-las a sapatos convencionalmente europeus e como companhias ideais de *shorts*.

Trajos e calçados

Em modas de mulher, talvez mais do que nas de homem, essa combinação de trajos com calçados parece vir se acentuando. E quem ainda se esmera, no Brasil, em usar chapéu? O chapéu ocidental vem se tornando crescentemente um arcaísmo, embora possa ainda ocorrer uma sua ressurgência. Mas é difícil que venha a acontecer tal ressurgência. O chapéu parece ter de resignar-se a ser arcaísmo, ou a estabilizar-se em arcaísmo, do mesmo modo que a botina convencional, para homem ou para mulher, embora continuem a aparecer botas altas para mulher. Chapéus é que raramente surgem nas ruas ou nos cabides, se é que ainda existem cabides em salas brasileiras. Chapéus e bengalas já não os reclamam.

Grandes as alterações em joias para mulher. O uso das legítimas, de alto valor, é raro. Prefere-se – ou a segurança exige – sua substituição pelas similadas. E, nas similadas, aos símbolos católicos vêm se juntando os não-católicos, de homenagens esteticamente prestadas a Iemanjá e a outros objetos afro-brasileiros de devoção. Pois há que considerar-se o aparecimento, entre brasileiros, de presenças não-católicas em modas de devoção.

Triunfo quase absoluto dos relógios de pulso, ao mesmo tempo que funcionais, decorativos, tornou-se moda notavelmente brasileira. Segundo brasileira ilustre, uma Penteado, de São Paulo, amiga de Santos Dumont, o grande aeronauta é que teria inventado o relógio de pulso – ou relógio-pulseira –, hoje tão em moda entre mulheres como entre homens do Brasil e de outros países. Tão joia para os dois sexos, como, aliás foi, durante algum tempo, o também ornamental e, ao mesmo tempo, funcional *pince-nez*, com cordãozinho de ouro a prendê-lo à blusa ou à camisa ou ao paletó ou ao fraque.

Registre-se, de passagem, que certos jogos tornaram-se, durante algum tempo – outro aspecto da *belle époque* brasileira, como decorrência da europeia –, comuns aos dois sexos, como jogos elegantes. Um deles, o próprio *tennis*, tão, por algum tempo, da grã-finagem brasileira de Petrópolis e que daí irradiou-se para o Recife e mesmo para Maceió, onde José Lins do Rego foi nele iniciado, parece que por senhoras de origem recifense. O mesmo, desde essa época, começou a suceder com o hábito do cigarro – elegância para os dois sexos depois de ter sido modo de homem – precedido, em alguns casos, pelo prazer de algumas senhoras – inclusive baronesas do Império – de competirem com os barões no consumo de charutos, a ponto de algumas, dentre as mais ilustres, se saber que fumavam um charuto atrás do outro. Portanto, é possível que mais que os maridos que não fossem tão fumantes de charutos como o Visconde do Rio Branco e aos charutos preferissem o rapé caturramente. Outro modo de homem. Pois o rapé é um extremo a que não consta terem chegado, no Brasil, de qualquer época, mulheres elegantes. Um rapé guardado, por homens, em requintadas bocetas: denominativo que se tornou obsceno. Rapé fabricado na Bahia, já famosa pelo seu fumo, ou vindo de Lisboa: este muito anunciado em jornais. Ao hábito do rapé não parece ter chegado – acentue-se – nenhuma mulher ilustre do Brasil patriarcal. Foi estritamente masculino e, como hábito masculino, pode-se admitir, pelo que guarda a respeito a tradição oral, acréscimo à respeitabilidade daqueles provectos que, se em casa vestiam chambres quase orientais e andavam de chinelos sem meias, para saírem à rua revestiam-se de trajos ocidentais solenemente pretos, tendo, por chapéus, cartolas soleníssimas e os pés metidos em botinas também liturgicamente pretas.

Lembre-se aqui, a esse respeito, o que é acentuado em capítulo do livro *Sobrados e mucambos*, continuador de *Casa-grande & senzala*, no afã de apresentar os característicos essenciais não só da mentalidade nacionalmente predominante como dos cotidianos generalizados do Brasil, quando já crescentemente urbano no seu modo de ser patriarcal e escravocrata: ter a vinda, para o Rio de Janeiro, da Corte do Império, importado numa como que reeuropeização da sociedade e da cultura brasileiras, durante sua época de isolamento, consideravelmente africanizadas e orientalizadas. A orientalização, devido aos portos brasileiros terem sido fechados a norte-europeus e abertos somente a Portugal e áreas lusitanizadas do Oriente e da África.

Daí alterações nada insignificantes, no Brasil-Reino em vez de apenas Colônia, quanto a modas de trajos, hábitos, usos em vários setores. Uma pacífica revolução sociocultural.

Em livro recente, o notável pensador espanhol que é Julián Marías – abrangentemente hispânico nas suas perspectivas gerais do século atual – retoma do alemão Simmel e de outros autores o assunto sociológico *modas*. Esse livro é *La mujer en el siglo XX* (terminado de escrever em Madri em 1979 e publicado em Buenos Aires).

Julián Marías e modas de mulher

Para Julián Marías trata-se de "tema sumamente importante". Por quê? Porque "*la moda no es simplesmente un uso*". E passa a ser de todo concreto: "*... la prueba es que las cosas que están de moda no se usan mucho y cuando se usan dejan de estar a la moda. La moda parte siempre de una inovación: es una ruptura del uso...*". Mais: "*Hay un elemento fundamental, que describió Simmel, ya es la imitación pero tampoco basta: la imitación individual so crea moda. Se puede incitar a una mujer, muchas pueden prover se de igual modo, o niquillarse de cierta manera, pero eso todavia, no es moda. La moda se produce unicamente cuando eso se extiende a un grupo al qual se reconoce elegancia o buen gusto, lo que sea. Es decir, tieve que haber un grupo con un reconocimiento social; y entonces la moda se convierte en vigencia*". Talvez uma conceituação sociológica da moda, essa de Julián Marías, que excede em precisão à do próprio Simmel. É que Marías só admite o êxito da moda através de uma pressão social que a torne uma expressão de atuante vigência; quando há, da parte de mulheres, um desejo – um fator psicológico – de "*ir a la moda*".

Outro ponto importante é assinalado por Julián Marías: que as modas são lançadas através de intuições, da parte dos *designers*, que se assemelham às previsões meteorológicas. Isto é: "... *los que hacen la moda, lo que hacen es predecirla*".

Mas o fenômeno, afetando modas, tanto femininas como masculinas, que foi o dos chamados *hippies*? Não aconteceu criarem eles uns como uniformes internacionais como modas de trajo? Não houve um desprezo por previsões de novas modas segundo, em grande parte, convenção vigente? É o que ocorre a este autor observar um tanto contra Marías.

A verdade, porém, é que os chocantes usos *hippies* não perduraram como usos uniformizadores que substituem modas diferenciadoras, quer para mulheres, quer para homens. E não há dúvida de que a diferenciação sexual de modas de vestir, de calçar e de pentear vem se sobrepondo à tendência simplificadora, uniformizante ou unissexualizante, por algum tempo, com aparências, de triunfantes.

O que talvez se ligue a um fator psicológico conservador que Julián Marías – volte-se ao pensador espanhol – destaca como tendo sido uma constante, só agora, no Ocidente como que em crise. Esse fator, o seguinte: que interessa à mulher – inclusive quanto a modas – o que nela, mulher, é diferente do homem e, ao homem, o que nele é diferente da mulher. Haverá risco de que venha a acontecer a mulher desinteressar-se ou desprender-se da atração dessas diferenças? A mulher, por seu lado, e o homem, pelo seu? A permanência ou não dessas atitudes não poderá deixar de refletir-se sobre orientações de modas de mulher. O desafio, no caso, é força representada pela feminilidade. Força psicológica que não deve ser subestimada em face de impactos socioculturais, não psicossociais, que estariam tendendo a predominar. Como não deve ser desprezado o fato de quando se diz moda de mulher, o assunto passa, ou não, a ser, na sua abrangência científico-social, exclusivamente feminino.

O professor Julián Marías, indo além da consideração sociológica das modas de mulher, pergunta, no seu referido e notável estudo acerca da mulher no século XX, o que será, verdadeiramente, que mais interessa ao homem na mulher? Para ele, a resposta está condicionada por uma, para ele, *vivência recíproca* dos dois: mulher e homem. Isso desde as primeiras diferenças sexuadas.

E essas diferenças – acrescente-se ao professor Julián Marías – se acentuam, criando, em homem e mulher, modos bissexuais – modos, acentue-se – de ser ou de serem. De serem e de aparecerem e – o que é importante: acrescente-se – de parecerem. Daí haver, na mulher, característicos desses três tipos, que atraem o homem à mulher. Inclusive os de pura aparência. Isto é, o que ela é não só fisicamente como mulher, com suas curvas femininas, sua voz feminina, seus gestos femininos, mas – acentue-se – transfisicamente. Característicos, os transfísicos, que aos físicos se acrescentam sob a forma dos, em ciências sociais, chamados culturais ou socioculturais: penteados, trajos, sapatos, adornos, gestos que acentuam ou estilizam os sexualmente femininos. Característicos tão acentuados por cientistas sociais brasileiros.

Voltando a assunto já referido, pode-se dizer que a mulher, em confronto com o homem, constitui, por seus característicos – que aqui são apresentados, em acréscimo a nada insignificantes generalizações, por vezes um tanto vagas, do pensador espanhol, como, além de físicos, transfísicos. Um "sabor do humano" constituído pela mulher, diferente do "sabor do humano" constituído pelo homem. Isso dentro de uma concepção de sabores humanos, segundo a qual o sabor feminino seria tão humano como o masculino, no essencial, porém sexualmente diferentes um do outro. A mulher é um sabor, em sua expressão de uma comum condição humana; o homem, outro sabor, dessa mesma condição. E é o sabor feminino que o homem – a não ser, é claro, quando homossexual – tende a buscar, a gozar, a saborear, na mulher, e vice-versa.

Aceita a concepção de mestre Julián Marías, brasileiramente interpretada, pode-se dizer, das modas bissexuais, que cada uma delas tende, como se fosse tempero atuante, a acentuar, aguçar, especializar esses sabores naturais. Daí tenderem, tanto a masculina como a feminina, a ser, uma, especificamente feminina, outra, especificamente masculina. Pelo que a concepção universal desses dois tipos de modas passaria a ser uma deformação do que a bissexualidade em modas tenderia a, criativamente, corresponder a uma bissexualidade irredutível pelo que representa de diferenças criativas de duas artes condicionadas por aparências de dois sexos.

Pelo que antropólogos e sociólogos, voltados para a consideração do assunto, têm tendido a aceitar essas diferenças como criadoras de originalidades desejáveis e o nivelamento, implícito num conceito unissexual de trajo, sapato, adorno, capaz de resultar numa, sob o ponto de vista – para dar importância máxima a esse ponto de vista –, indesejável monotonia de aparências. Um ponto de vista estético – em matéria de modas, importantíssimo – que não importa em se negar à mulher direitos quanto a profissões, atividades públicas, oportunidades de ascensão socioeconômica, para não falar na intelectual – que a iguale ao homem.

O que é antropológica e sociologicamente válido é admitir-se que, apresentando-se esteticamente como mulher através de modas que acentuem esteticamente sua feminilidade –, os encantos, particularmente, para olhos masculinos, dessa feminilidade – a mulher não está impedida de ser profissionalmente tudo que é o homem ou de politicamente chegar a presidente de República ou ministra ou embaixadora ou, no setor econômico, a empresária, banqueira, capitã de indústria em países de feitios neocapitalistas, por mais que lhe venham sendo negadas paradoxalmente tais oportunidades, tais ascensões e tais direitos em supostas democracias socialistas. Ao que parece, na própria União Soviética, pelo que há observadores que considerem tais discriminações tão injustas quanto as impostas por aquelas sobrevivências racistas que excluem de direitos reservados a brancos ou caucásicos quem seja de outra etnia.

E o arianismo?

O que nos leva a considerar este fato: infiltrações dessa espécie – a racista – em modas brasileiras de mulher, com os *designers* só desenhando modelos inspirados por um tipo de mulher: o caucásico. O de mulher branca. O da super-burguesa. De onde figurinos brasileiros que só expõem vestidos harmonizados com esses tipos de mulher. Tipos de mulher, no Brasil, talvez às vésperas de tornarem-se expressão de uma minoria étnica ante a miscigenação triunfante.

Note-se, aliás, que em boas revistas brasileiras de modas já não são excluídas, de tipos de mulheres modelos de novos vestidos ou sapatos, morenas brasileiras acentuadamente morenas, isto, é, de ostensivos sangues não-arianos. O que, em não poucos casos, concorre para o que nelas é beleza da mais impressionante. Desejável é que apareçam sugestões para brasileiras de todo, ou quase de todo, pretas, embora o seu número seja reduzido. Mas existem. São brasileiras. E brasileiras tão em ascensão social quanto as morenas. Pelo que é preciso que os *designers* e revistas elegantes não fechem os olhos a seus encantos, devendo-se desejar, dos penteados a que se prestam seus tipos de cabelos, que inspirem a esses *designers* soluções estéticas diferentes das convencionalmente arianoides, sem deixarem de ser esteticamente apreciáveis.

As modas brasileiras que possam tornar-se irradiantes, no vasto e crescente mundo hispano-tropical, são modas cujos artistas ou *designers* precisam passar a considerar a presença, nas lindas mulheres desse mundo – o hispano-tropical –, como nas do próprio Brasil miscigenado, descendentes de gente eugenicamente africana, famosa por dentes – um pormenor – em grande número de casos, superiores aos dentes de mulheres de outras origens. Dentes alvíssimos. Dentes resistentíssimos a cáries. Dentes idealmente estéticos. Isso, não só nas mulheres mais puramente afro-negras como naquelas, com o seu sangue, herdeiras desse seu característico superiormente eugênico e superiormente estético: os dentes.

Mas a esse característico repita-se que se juntam outros – como o do tipo especial de cabelo – que sugerem, espera-se, dos *designers* mais criativos, modelos de penteados em que se tire partido desse fato em vez de se pretender sempre arianizar cabelos como se em vez de vário, conforme sugestões de caráter étnico, as mulheres de uma população miscigenada devessem todas seguir modelos arianizantes dos seus característicos físicos não-arianos. Inclusive o cabelo crespo em vez de arianamente liso. Com cabelos crespos podem ser criados penteados embelezadores de figuras femininas. Não se deve considerar desonroso para uma mulher esse tipo de cabelo. Nem cabe às revistas elegantes deixar de dar relevo a penteados estéticos, elegantes, atraentes com esse tipo de cabelo, como se, num Brasil de população crescentemente miscigenada, a elegância fosse exclusivamente a condicionada por característicos físicos de todo ou quase de todo arianos. A moda brasileira para a mulher brasileira é uma moda que precisa vencer de todo este complexo: o que envolve uma crença numa superioridade tal do tipo fisicamente ariano de mulher que só se considerasse ortodoxa a moda de cabelo, a de vestido, a de adorno feminino derivada desse tipo.

Outra vez a morenidade brasileira

Ao libertar-se de um total imperialismo parisiense sobre essas modas, o *designer* brasileiro começa a superar uma absoluta idealização da mulher alva e loura para admitir a não-caucasianamente morena, correspondente a parte tão numerosa e importante da população feminina do Brasil. É preciso, nesse particular, ir-se além. É preciso admitir-se, como modelo ou inspiração de moda de mulher, a mulher não somente caucasianamente morena clara, porém a morena escura e quase negra, por sua condição de brasileira dessa condição étnica e por essa própria condição já, em muitos e expressivos casos, expressão de uma beleza feminina que a cultura brasileira precisa vangloriar-se de tê-la como um seu patrimônio. E pela sua brasileiridade, com pleno direito a ser modelo de vestidos, sapatos, adornos, penteados adaptados aos que nela seja beleza condicionada por essa condição étnica ou fisicamente antropológica.

A miscigenação que vem triunfalmente se processando no Brasil não vem correspondendo ao que o sociólogo Oliveira Viana, como que envergonhado de sobrevivências mais ostensivamente não-arianas na população brasileira – inclusive, é evidente, na mulher brasileira –, chamava, e celebrava com efusão, arianização. Vem correspondendo ao triunfo, já evidente, de um processo muito diferente dessa arianização: o de uma melanização em vários graus, todos esses graus saudavelmente brasileiros. O de um amorenamento nesses vários graus. Isso nem que se excluam belezas de mulher, brasileiras, não-morenas.

A esse processo miscigenador, já característico do Brasil, é preciso que correspondam modas crescentemente sensíveis a essa realidade que, em vez de desonra, só faz honrar uma mentalidade brasileira mais que democraticamente inter-racial: metarracial. Isto é – insista-se –, uma crescente superação, pelo brasileiro, de consciência de origens raciais consideradas nas suas purezas, ou dessas situações assim puras, por um tipo socioantropológico, ou culturalmente antropológico, de brasileiro e de brasileira, nacionalmente brasileiro e nacionalmente brasileira. E sob essa configuração, podendo ser escuramente moreno, ele, ou escuramente morena, ela. Metarracialmente moreno ou metarracialmente morena.

A figura da brasileira metarracialmente morena deve estar sempre presente na sensibilidade do *designer* que se sinta responsável pela criação de vestidos – principalmente de vestidos – que pelas suas formas e cores se harmonizarem com essa brasileira, sem que faltem criações adaptadas a brasileiras puras ou predominantemente arianas. Umas e outras podem inspirar criações brasileiras de *designers* que representem, em setor artístico tão importante, originalidades brasileiras. Brasileirismos. E como brasileirismos adaptados a ecologias e formações socioculturais brasileiras, adaptáveis a populações femininas de países de situações, além de socioculturais, tendentes a se tornarem, em suas consciências, semelhantes às brasileiras nesta tendência: a de desenvolverem consciências metarraciais.

PERFUMARIA DA MODA

Extractos de Coty :—L'Origan, La Rose Jacqueminot, Idylle, La violette pourpre. Houbigant :—La Rose France, Coeur de Jeannete, Quelques Fleurs. Roger & Gallet :—Zigalia, Fleurs du Passè, Fleurs d'amour, Gloire de Paris, Rêve fleuri, Ambrerose, Violette rouge, Rose Neyron, Jacinthe, Idylle. Delettrez :—Sinhà, Aglaia. Piver :—Azurèa, Pompèa, Trèfle encarnat Brilhantinas, sabonetes, pòs de arroz, loções, agua de toilette, cosmeticos, etc,

AGENCIA JORNALISTICA

Influência europeia na moda e no modo das brasileiras do fim do século XIX.

Acima: Fotografia de Arthur Photo, Av. Central. Rio de Janeiro. Ao lado: Anúncio da "Perfumaria da Moda". *A Luneta*. Recife, 16 de abril de 1913.

Acervo da Fundação Gilberto Freyre.

Espartilhos

Elegantes!

Confortaveis!!

Recebeu o grande sortimento

AU PARADIS DES DAMES

Página ao lado:
Trajes femininos característicos do Brasil do fim do século XIX.
Anúncio "Espartilhos". *Gazeta da Tarde*. Recife, 29 de setembro de 1892.

Nesta página:
Exemplos de trajes femininos do início do século XX, ainda com a presença da sombrinha, do chapéu e do leque.

Acervo da Fundação Gilberto Freyre.

Nesta página:
Trajes femininos característicos
da segunda metade do século XX.

Página ao lado:
Capa da revista *Rua Nova*.
Recife, 27 de novembro de 1926.

ACERVO DA FUNDAÇÃO GILBERTO FREYRE.

RUA NOVA

ANNO 3º

Num. 79

Preço 500 réis

O INACREDITÁVEL

— Mas era um atleta e um amor. Alto, forte, cabelos pretos, dentes brilhantes, inteligente — nunca vi um rapaz assim!

— Acredite, querida!

SEM RAZÃO

— Paulo disse que tôda a vida se alimentou de carne e por isso é forte como um touro. Mas não posso compreender — tôda a vida tomi peixe e não sei nadar.

das praias

QUANDO o sol vai esquentando com a aproximação do verão, as "Garôtas" saem a êle, mostrando aos olhos ávidos dos ávidos a beleza de sua beleza. E como sempre, enquanto exibem o corpo, exibem também a excelência do seu veneno distilado e engarrafado à moda.

DESENHOS DE ALCEU — LEGENDAS DE VÃO COCO

PÃO DURISMO

...agine só o sovinismo da ...ntem, quando ia se afo... ...mou respiração artificial, ...dinheiro que tinha bem ...mar a verdadeira.

SEMELHANÇA

— Aquêle rapaz de maiô prêto é o noivo da Marli. Dizem que cheio de gaita.

— Nada, querida, é tão quebrado como um caça-níqueis num campo de nudistas.

INTREPIDEZ

— Você viu a coragem daquele banhista salvando a Délia?

— Se é! Teve que pôr nocaute três sujeitos que queriam salvá-la também.

TÉCNICA

— Hoje não vou nadar, vou pescar nas pedras no quebra-mar.

— Pescar nas pedras! Como é isso?

— Ora, é simples. Afasto uma pedra, ponho o relógio no caniço e mostro-o pela abertura. Quando o peixe bota a cabeça de fora para ver as horas, brucutu, agarro-o pelas orelhas.

Coluna de Alceu Penna para a revista *O Cruzeiro*. Rio de Janeiro, 18 de novembro de 1944.

ACERVO DO JORNAL *ESTADO DE MINAS*.

Penteados femininos e estilos de barba e bigode comuns no Brasil no fim do século XIX.

ACERVO DA FUNDAÇÃO GILBERTO FREYRE.

Trajes masculinos típicos do Brasil do fim do século XIX.

Acervo da Fundação Gilberto Freyre.

Alfaiataria Moderna

de Sergio Gomes de Sonza

Ex-mestre da Camisaria e Alfaiataria Pernambucana

Trabalha com sua fazenda e de seus freguezes com perfeição. Roupas para Homens, Meninos, Militares e Padres. Garante-se em 48 horas um costume deFrack e em 24 horas um costume de Palitot sacco.

Preços commodos

39, Rua Duque de Caxias, 39

(Antiga das Cruzes)

Acima: Traje característico de meados do século XX.
Ao lado: Anúncio da *Alfaiataria Moderna*. *A Capital*. Recife, 6 de julho de 1901.

Acervo da Fundação Gilberto Freyre.

LOJA DA NOIVA

76—Rua Duque de Caxias—76

Confronte ao becco da Congregação

OCTAVIO BANDEIRA & C.

Especialidade em enxovaes para cazamento

A LOJA DA NOIVA é a unica casa que recebe di-
ctamente do estrangeiro todas as fazendas de seu ne-
cio e que vende por preços excessivamente baratos.
Para evitar confusões com outras casas, temos na
ente do estabelecimento uma bandeira de dois metros
altura, com uma noiva pintada.

Página ao lado:
Guilherme e Amália Cabral Tavares.
Maceió, 1916.

Nesta página:
Gabriel e Albertina.
20 de setembro de 1941.
Anúncio da *Loja da Noiva*.
O annunciador comercial.
Recife, 4 de outubro de 1899.

Acervo da Fundação Gilberto Freyre.

Trajes infantis característicos
do fim do século XIX.

ACERVO DA FUNDAÇÃO GILBERTO FREYRE.

BONECAS

Grandes, ricamente vestidas,

FALLANDO

E'

Com Movimento

RECEBEU

Au Paradis Des Dames

Acima: Traje infantil característico do início do século XX.
Ao lado: Anúncio *Bonecas*. *Gazeta da Tarde*. Recife, 27 de março de 1897.

Acervo da Fundação Gilberto Freyre.

Acima: Fantasias infantis do fim do século XIX.
Ao lado: Fantasia infantil de meados do século XX.

Acervo da Fundação Gilberto Freyre.

Consciências metarraciais

O desenvolvimento de consciências metarraciais não terá de implicar repúdio a sobrevivências de característicos fisicamente raciais em brasileiras: sobrevivências a serem consideradas com modas de mulher que correspondam ao que elas, sobrevivências dessa espécie, sugerem de esteticamente utilizável nas mesmas modas que, para serem abrangentemente brasileiras, precisam atender a condicionamentos físico-antropologicamente minoritários.

Há modas brasileiras de mulher que, nas suas predominâncias, tendendo a ser metarraciais, vêm correspondendo a situações majoritariamente psicossocioculturais. Não quer isso dizer, entretanto, que essa predominância não atenda a sugestões, não como as mencionadas, vindas de influências de mulheres já civilizadamente brasileiras e integradas na sociedade nacionalmente brasileiras, mas de origens remotas tribalmente ameríndias ou afro-negras. Entre estas, certo pendor a, em seus penteados, vestidos, calçados e adornos, continuarem a dar brasileiras civilizadas preferência a gostos de cor ameríndios e afro-negros nos seus vestidos civilizados, a preferências por adornos ancestrais. É de esperar, das modas brasileiras, que atendam a tais preferências da parte de mulheres que, abrasileirando-se, civilizando-se e até metropolizando-se, não deixem de considerar esteticamente valiosos seus adornos de origens ameríndias e afro-negras: tribalmente ameríndias e afro-negras. Aliás, é justo notar-se que, dessas culturas tribais, o *designer* brasileiro de modas para mulheres pode absorver mais de uma lição valiosa quanto a combinações de cores que do seu uso em tangas ou penachos pode ser transferido a vestidos de estilos predominantemente civilizados.

É de Freud o reparo que a mulher tende, como mulher, ao narcisismo. Será essa tendência da mulher, em geral, ou da mulher ocidentalmente civilizada, em particular? Sobre o assunto seria interessante ouvir-se, de modo específico, um mestre do saber e da lucidez, quanto a culturas ameríndias do Brasil, o professor Darcy Ribeiro. E quanto a culturas afro-negras, projetadas sobre o Brasil, mestre René Ribeiro ou o talvez mais brilhante dos seus continuadores, que é o professor Roberto Motta.

Para Freud, reinterpretado, nesse particular, por perspicaz estudioso dos nossos dias – Frank Solloway, no seu *Freud biologist of the mind beyond the psychoanalytic legend* (Nova York, 1979) a mulher tenderia a sentir extraordinária admiração por si mesma, além de grande complacência por sua beleza. Narcisismo. O que faria a mulher desinteressar-se, por esse seu absorvente narcisismo, das atitudes masculinas a seu respeito. O que parece extremamente duvidoso e afetaria, se fosse exato, perspectivas sociológicas e psicossociais, sobre as modas de mulher. Em livro anterior ao aqui já citado – *La mujer en el siglo XX* –, intitulado *Antropologia metafísica*, o professor Julián Marías contesta Freud ao opor a uma como que Antropologia Psiquiátrica uma abrangente Antropologia, não apenas psicológica ou econômica, porém, por assim dizer, total. Inclusive em ver no homem – ou na mulher – que seja antropologicamente considerado nos seus característicos tendências, opções, não só antecedentes – ou passados – como antecipações (futuros). Critério que coincide com a teoria, partida do Brasil, já há alguns anos, de "tempo tríbio" e de não pouca repercussão na Itália, segundo testemunho do professor Miguel Reale.

Moda de mulher e tempo tríbio

Teoria que pode ser aplicada a modas de mulher quanto a tenderem conter, quase sempre, nas atualidades ou nos presentes que as definem como momentos de todo atuais ou "*derniers cris*", ressurgências e, simultâneas com esses momentos atuais, antecipações de futuros. Isso mesmo: as modas de mulher tendem, quase todas, a fazer coincidir com o que nelas é inovador, atual, modernismo, ressurgências de modas antigas e antecipações de modas futuras. Quem ignora de as calças-saias de hoje terem sido modas, há meio século, como *jupes-culottes*?

Lembre-se de que, na história das modas brasileiras de mulher e de homem, a moda das alpacas de cores vivas, que se tornou tão incisiva a partir da década de 1870 – e, nesse particular, os anúncios de jornais são fonte valiosíssima de informação –, foi precedida por alpacas escuras: ressurgências do mesmo material sob cores cuja voga viria a ser parte da reação à predominância de pretos e cinzentos que assinalou no Brasil, como se destaca, à base de evidências idôneas, no livro *Sobrados e mucambos*, a reeuropeização. Reeuropeização de modas que se verificou a partir da Independência. De modas, de hábitos e de padrões culturais brasileiros, por algum tempo, durante os dias coloniais, tão literalmente coloridos por influências orientais, vindas, em parte, da Índia e, particularmente, de Macau. A reeuropeização, tendo se feito sob influxos principalmente britânicos e franceses, incluiu substituições, nos trajos brasileiros das classes altas, de cores vivas, por pretos, cinzentos e azuis-escuros. Até que, a começar do ano 70, houve um retorno, nos vestidos de mulher, a cores brilhantes.

Recorrendo a anúncios de jornais

Mas sem deixar de ter havido fase de transição: da década de 1830 à década de 1860. Registrem-se alguns anúncios desse período: em 1857, anúncio no *Diário de Pernambuco* tornava evidente o que vinha sendo, há anos, a europeização de trajo e de calçado no Brasil, através não só da importação de artigos europeus como de chegadas, ao nosso país, de, além de artistas, artesãos. No referido anúncio, informa-se terem acabado de chegar de Paris um sr. Blanchin, "optimo official de sapateiro, e madame Blanchin, perita engomadeira de roupa fina, como sejam mangas, manguitos, babados, capotinhos de senhoras, rendas, bicos, roquete de padre etc.". Ofereciam seus préstimos "por se acharem com todos os aparelhos necessários para suas artes". Evidentes requintes novos para o Brasil, sendo de presumir dos sapatos que já fossem de aparências discretas.

Portanto, em contraste com anúncios de vinte anos antes, no mesmo jornal, num dos quais, de 1º de maio de 1848, noticia-se até de escravo ter fugido com "camisa de madapolão, com casa de botão de ouro nos punhos e colete de seda roxa bordada...". Em anúncio do mesmo ano – de 13 de maio – diz-se de outro escravo fugido ter "levado calças e camisa de riscado azul". Em anúncio de 14 de abril de 1836 já se dizia do escravo José ter fugido "com calça de riscadinho azul". Em 1838, em anúncio de 12 de janeiro, fala-se de escravo fugido levando "jaqueta de riscado azul". Já Elias, fugido, segundo anúncio de 13 de setembro de 1838, à calça branca juntava "jaqueta de chita roxa". Azuis e roxos brilhando em trajos de escravos.

Quanto a anúncios de gente senhorial, destaque-se um, da década de 30 – de 23 de outubro –, em que se anunciava a chegada de artigos ainda um tanto orientais, de seda, entre os quais "adereços de ouro". De anúncios dessa época, vários os que informam sobre o ainda muito uso de panos da costa por escravas. O que faz supor o muito colorido das ruas brasileiras, dados os não poucos e vibrantes panos dessa espécie.

As décadas de 40 e 50, vistas através de anúncios da época, foram de transição entre presenças coloridas, exóticas, para olhos ortodoxamente europeus, como sobrevivências de influências, sobre alguns elementos da população, de orientalismos e africanismos e começos de afirmações mais empáticas de influências europeias em trajos e sapatos.

É assim que, em anúncio de 26 de outubro de 1857, loja do Recife na época, cidade tão de vanguarda, informa ter acabado de receber, "pelo último vapor da Europa, cortes de vestidos para senhoras, de um gosto inteiramente novo, de cores escuras e elegantemente listrados, de seda assetinada; esta fazenda denominase Graciosa e he a mais própria para a presente estação...". Anúncio representativo de tendência brasileira da época.

No *Diário de Pernambuco* – jornal, na época, de vanguarda – era loja da Rua do Queimado que anunciava em 1850 ter recebido "lindo e variado sortimento de fazendas, de bom gosto por baratíssimos preços". Quase certo dessas fazendas que primavam por "cores escuras". Enquanto das escravas que fugiam na época, várias continuavam a ostentar vestidos de "palmas encarnadas": o caso da escrava Luzia, cujo desaparecimento consta de anúncio no *Diário* de 8 de dezembro de 1850.

Interessante num anúncio de 7 de agosto de 1861 é estarem à venda, em loja do Recife, berços de palha "de muita utilidade para este país muito cálido", por serem "muito frescos, segundo nos afirma o seu fabricante italiano". Madrugador ecologismo.

Outro anúncio significativo da época – no mesmo *Diário* de 31 de agosto de 1861 – é o de "lenços finíssimos de linho próprio para os tabaquistas" e "de cores escuras e fixas". Parece que em correspondência com novos gostos de cores, dado que os tradicionais lenços de rapé tendiam a ser de cores vivas. De cores menos vivas, parece terem começado a ser as gravatas da moda, "com pontas bordadas", como as anunciadas a 29 de agosto de 1861 por loja da Rua do Queimado, no Recife.

Anúncio de 13 de abril de 1861 anuncia "enfeites de cabeça para senhoras de bom gosto", "tanto pretos como de lindas cores". Eram última moda de Paris. Haviam chegado por vapor francês.

A 25 do mesmo abril, a loja recifense de Burle Júnior anunciava ter recebido "pelo último vapor do Havre"... "borzeguins de Meliés todos de bezerro e de cordovão". Novidade francesa.

Quanto a alimentos finos importados da Europa, registre-se que a 20 de junho de 1861 loja da Rua das Cruzes anunciava ter recebido bolachinha inglesa, manteiga inglesa, alpiste, painço, presunto, toucinho, cerveja. Continuava a moda da manteiga inglesa.

Anúncio surpreendente de 7 de março de 1861 é o de "carro fúnebre de estilo inglês", notável pela "simplicidade e gosto". É anúncio em que começa a aparecer o nome da famosa Casa Agra: a dos versos de Augusto dos Anjos.

Pesquisa realizada em jornais do Recife, por sugestão e sob orientação, à jovem pesquisadora, de seu professor, antropólogo, foi o que revelou. A partir do fim da década de 70, a moda, nesses vestidos, de alpacas furta-cores, "mescladas com barras" e "alpacas de seda"... "amarelas, violetas, azuis e pardas, roxas", além das "brancas finas para noivas", vindo a essas alpacas para mulheres juntar-se, em 1873, o chamado alpacão, para homem. Este, britanicamente escuro, de um uso que se prolongaria até o fim do século.

O escuro em paletós e casacas para homens caracterizaria também casimiras inglesas, admitindo-se, porém, calças de cores, sem que se voltasse, nesse particular, a casacas de cores dos dias coloniais. Para mulheres surgem, no fim da década de 70, "cambraias brancas transparentes" a se juntarem a "chitas indianas" e em anúncio que pode ser considerado talvez pioneiro, de 1875, cambraias de linho de uma só cor, "parda, gosto novo, e ainda muito pouco conhecidas neste país, própria para o clima". Assinale-se "o próprio para o clima" como um dos primeiros sinais do que hoje se chamaria de ecologismo em modas de mulher para o Brasil. A época considerada acentua-se que é a década de 70.

Época em que se afirma a moda dos, talvez não de todo ecológicos, gorgorões. Mas, em compensação, ao lado das cambraias de linho, torna-se material de moda para roupas de mulher o "linho liso". E junto com esse linho, outro uso volta a ser elegante: o de musselinas. Também o de *bugandys*. E, dando início a uma voga, as *popelines* de seda e linho, as *popelines* de lã, as *popelines* acetinadas, as *popelines de lyon escocês*, e anunciada "a última moda da Europa": a *popeline* em "floco de neve".

Muitos os anúncios – tanto no *Jornal do Commercio*, do Rio, como no *Diário de Pernambuco* – de "cortes de seda vindos da Europa" nas décadas de 70 e 80. Surge também a seda Bismarck como "fazenda encorpada". Surgem cetins: inclusive o da China. Aparecem sedas roxas para luto aliviado, com o roxo parecendo ser inovação no ritual do luto. O preto para o luto a rigor, o roxo para o luto aliviado. Num retrospecto sobre modas de mulher no Brasil é aspecto que não pode ser esquecido, tal a sua importância durante os dias de esplendor patriarcal. Ou da família patriarcal escravocrata, como ela dominou no Brasil até o fim do século passado.

O luto no Brasil e modas

A morte de pessoa da família criava, nos dias brasileiramente patriarcais, todo um ritual de luto, que incluía estilos de trajo. Luto fechado, tratando-se de pai ou mãe, de avô ou avó, de esposa ou esposo, de filho ou filha. Luto fechado por um ano: vestido preto, chapéu preto, calçado preto. O luto aliviado se fazia com vestidos roxos. O roxo não faltava nas lojas para esses vestidos.

O luto fechado incluía, ortodoxamente, a moda do chamado chorão para as viúvas. Um véu escuro que as revestia durante o período de luto. Luto em casa, em vestidos caseiros. Luto para vestidos de sair à rua, quer para missas, quer para compras ou para visitar amigos. A moda do trajo preto não só para a mulher como para o homem e a criança.

Todos os membros da família: inclusive as crianças ainda tenras. E para os mais ciosos da ortodoxia do luto o uso do preto ia até os escravos domésticos, como membros sociológicos de uma família brasileiramente patriarcal.

As modistas elegantes esmeravam-se em confeccionar vestidos elegantes de luto. As sinhás elegantes como que compensavam-se da perda que sofriam com a morte de um ente querido, fechando-se nesses trajos tristonhamente pretos ou roxos. Era preciso que essa homenagem de trajo fúnebre fosse prestada a esses mortos. Daí uma especialíssima moda: a dos vestidos requintadamente de luto.

Não faltavam aos vestidos de luto da gente mais endinheirada, veludos caros. Inclusive os que aparecem em anúncios de jornais como "veludos pretos de seda". Ao lado de anúncios desses vestidos, uma das novidades da década de 70 foi a de "tafetá chinês" que, podendo ser "cor de café", era também "lyrio" e, quando "lyrio", podendo servir para luto já de todo aliviado. Mas também verde-claro, azul-claro, rosa-claro. Crescente alívio do preto ortodoxo. Para esse alívio de luto, admitiam-se tarlatanas brancas com salpicos pretos ou com palmas "bordadas a prata". É o que informam anúncios nos dois jornais, que, vindos do coração do século XIX, continuavam a ser publicados.

Uma novidade da época, como material para vestidos de mulheres elegantes, foi a de cretones, com os cretones escuros parecendo ser de maior apreço que os de cores vivas ou claras. Mas havendo também os anunciados como "matizados" e os "ingleses todos claros", os "cretones à prussiana", os "cretones da Rússia", os "cretones da Índia", os "cretones belgas", os "cretones com barra", os "cretones da Pérsia", os "cretones suíços", os "cretones austríacos". Curiosa essa variedade nas origens de cretones oferecidos às mulheres elegantes do Brasil nos dias de esplendor do reinado de Pedro II.

Muitas as mulheres brasileiras – das elegantes – da década de 70 e das seguintes, desse período do Brasil, além de patriarcal e escravocrata, monárquico, às quais não faltaram, para seus vestidos, tecidos finos vindos da Europa. Além dos já citados, "gazes de seda branca para noivas", "gazes de seda de todas as cores", "gazes florentinas", "gazes com listras de seda e flores para vestido de baile". Além de *chalys* – espécie fina de chita – em "ricos padrões para vestidos", "japonesas para vestidos de festa nos arrabaldes ou passeios à tarde", "pekins da China vindos da Europa", "fazendas de lã vindas de Paris", "foulardinas ou ricas fazendas para vestidos nas cores mais usadas nas principais cidades da Europa", especificando-se essas cores: azul, pinhão, bronze, cor de lírio, tudo com listras brancas". Mas também *foulards* de lã com listras de seda.

Fazendas e modas de mulher

Tecido nessa época dos grandes dias de Pedro II, anunciado como "bastante fino", é o chamado "Batista": "cetim branco da Índia" e trombeteado pelas lojas de modas como "a fazenda mais em moda na Europa". Entre as novidades, para "vestidos de senhoras", certa fazenda chamada "Irlanda". Também "*jaine* de lã": cor de café, amarela, cor de pérola, cor de azeite, cor de garrafa. E, com nomes de sugestões não-europeias, fazendas chamadas, uma "Moreninha", outra "Angolinha", para vestidos, como que a procurarem competir com fazendas europeias e orientais, uma das quais, a chamada "Natelense *à la* Grevy", anunciada por lojas brasileiras de modas, como "fazenda da moda em Paris, Londres, Berlim, Viena, Madri, Lisboa, de lã e seda".

Há fazendas anunciadas como especialmente próprias para "uso da Corte", tomando-se em consideração, do ponto de vista de modas de mulher, o fato de que o Brasil patriarcal e escravocrata era, então, o único país da América a ter Corte, imperador, imperatriz, príncipes e princesas. Portanto – *noblesse oblige* –, com suas mulheres elegantes como que obrigadas a se vestir de acordo com essa circunstância nada insignificante: rumos seguidos por modas femininas no Brasil condicionadas pelo fato de ser o país uma monarquia europeia.

O Império brasileiro pode ter sido considerado por simplistas um Brasil fora da moda política que, na América, tornou-se serem as nações, Repúblicas. Mas a verdade é que, sob vários aspectos, significou, aos olhos de europeus e, até, de americanos do Norte e mesmo do Sul – inclusive argentinos –, uma superioridade brasileira em expressões qualitativas de vida e de cultura. Com a Corte com salões – veja-se a respeito o bem documentado livro de Wanderley de Pinho – o fato condicionou, no Brasil, qualidades de modas de vestir que faltavam à, de certa altura em diante, mais rica e mais progressista que o Rio, Buenos Aires. Salões, os brasileiros do Império, centros de uma talvez mais castiça elegância feminina que a ostentada por outras capitais latino-americanas, como novos-riquismos repudiados pelo Brasil monárquico em suas modas.

A esse respeito, cabe ouvir observadores estrangeiros. O muito viajado estadunidense C. C. Andrews, por exemplo, que foi cônsul-geral dos Estados Unidos no Brasil, tendo sido, posteriormente, ministro do seu país na Suécia e na Noruega, no seu *Brazil, its conditions and prospects* (Nova York, 1887). Que reparou ele, no Rio, com relação ao trajo do carioca? Que quase não diferia, entre a gente das classes alta e média, do europeu. Nem ao menos chapéus de palha eram usados pelos homens, e sim cartolas. Trajos solenes, a despeito do clima tropical. E quanto às mulheres da classe alta, pareceram-lhe "*dignified and formal*" nos seus vestidos, calçados, penteados e maneiras. Instruídas em francês, música e trabalhos de agulha. E quanto a trajos e maneiras, os seus eram praticamente os mesmos dos característicos das mais polidas sociedades e cidades do Velho Mundo. E não lhe escapou este fato: o de já provavelmente duas mil mulheres serem empregadas, no Rio de Janeiro, em estabelecimentos industriais. E destaca teatros elegantes. Corridas de cavalos. Esportes. Companhias estrangeiras de óperas com a família imperial e as famílias mais elegantes nos camarotes. Mulheres em vestidos de gala e ostentando belos penteados. Música da melhor.

Pergunte-se como se vestiam, na época das observações de Andrews, as mulheres brasileiras que, em cidades brasileiras como o Rio e talvez em São Paulo, Salvador e no Recife, começavam a constituir um proletariado feminino? Andrews só atentou em brasileiras de classe média e de fidalguia. Surpreendeu-as em vestidos de gala ouvindo ópera e vendo teatro. E dá a entender delas, como dos homens brasileiros das mesmas situações sociais, que tendiam a ser solenes e a se vestir solenemente, embora à revelia do calor. Vestindo-se à europeia. Servindo-se de artigos pessoais – de modas, portanto – importados da Europa. Predominantemente – pode-se concluir – apolíneos nas suas aparências, nos seus aspectos, nos seus modos, nas suas modas. E as mulheres daquele proletariado que ele observou na corte? Seriam dionisíacas nos seus modos e nas suas modas?

Modas e mulheres brasileiras de trabalho

Uns tantos anos antes de Andrews, esteve no Brasil uma europeia célebre, Ida Pfeiffer, em viagem de volta ao mundo. Isso no meado do século XIX. Suas impressões constam da edição em língua inglesa de escrito em alemão: *A woman's journey round the world* (s.d.). Chocou-a, no Rio, a muita presença afro-negra: quase todos, homens e mulheres, meio nus, com alguns escravos, entretanto, ostentando roupas europeias já usadas por seus senhores. Afro-negros que, como escravos, lhe pareceram corresponder as por ela chamadas "classes baixas" da Europa. E não deixa de reconhecer que, desses escravos africanos que viu no Rio de Janeiro, muitos – isso mesmo: muitos – aprendiam ofícios europeus e tornavam-se, no exercício deles, tão competentes como os mais competentes europeus. Informa ter visto, no Rio, africanos e africanas, nas lojas mais elegantes, confeccionando roupas e chapéus; e, particularmente, algumas negras, elegantemente vestidas e, nas lojas mais requintadas de vestidos para mulheres, várias ocupadas em bordar esses vestidos do modo mais delicado. Quase parisienses de cor. E mme. Pfeiffer informa, dessas jovens modistas afro-negras, tê-las visto sempre alegres e gracejando enquanto trabalham. Dionisíacas, portanto, o que talvez viesse a ser exato das duas mil cariocas que Andrews viria a descobrir, no Rio, empregadas em estabelecimentos industriais.

Se mme. Pfeiffer chegou à conclusão de os escravos no Brasil do século XIX serem, em geral, bem tratados, e alguns, mulheres bem vestidas, sem serem obrigados a trabalhar excessivamente, bem alimentados e nunca punidos com extremo rigor, como que, nessa conclusão, corrigiu a impressão dos primeiros negros que viu seminus ou usando roupas velhas dos senhores. Note-se da notável viajante europeia ter surpreendido, entre os estudantes da Escola de Belas-Artes do Rio de Janeiro, tão grande número de negros e mulatos quanto o de brancos. Esses informes nos levam a supor um começo de generalização, desde o meado do século XIX, no Rio de Janeiro, de trajos europeus, sendo que, das jovens afro-negras empregadas em casas de modas, Pfeiffer informa elas próprias se apresentarem elegantemente trajadas à europeia.

Modas e ascensão social

Não terá sido certo das novidades, ou artigos de modas europeias, importados pelo Brasil, de Paris, no decorrer de grande parte do século XIX, que os menos caros terão sido adquiridos por pessoas das classes médias pouco acima das camadas proletárias, com o uso desses artigos concorrendo para a ascensão sociocultural de não poucas mulheres de origens étnica e economicamente desfavorecidas? Outra conclusão a ser retirada de informes como os de mme. Pfeiffer é o de que, desde o meado do século XIX, o Rio de Janeiro começou a confeccionar vestidos finos, em vez de importá-los, já feitos, da Europa. O Rio de Janeiro, por suas modistas, francesas e brasileiras, a competir, desde então, com as modistas de Paris.

Se a perspicaz mme. Pfeiffer concluiu, do que viu no Brasil, que os brasileiros – inclusive as brasileiras – eram, vários deles, de classe alta e de classe média mais educada, "*Europeans translated into Americans*", é que deixou-se impressionar pela muita influência europeia que encontrou no único Império da América: inclusive nas suas modas de vestir e de calçar. Pode-se sugerir que parte dessa influência se desenvolveu através de considerável importação de artigos europeus de modas, quer de mulher, quer de homem. Especialmente de tecidos para trajos, véus e adornos femininos. Artigos que chegavam ao Brasil quando ainda quentes do seu aparecimento em Paris.

Exemplos de imediata importação pelo Brasil dessas novidades: a do tecido chamado "Nausic", usado para vestidos, apresentando diversas padronagens, tais como para "vestido cordão com desenhos acetinados em branco". Aparecida a novidade em Paris em 1870, em 71 já estava ao alcance das mulheres elegantes do Brasil. É o que indicam estarem à venda em lojas que faziam anunciar tais artigos em jornais da década de 1870. Particularmente no *Jornal do Commercio,* do Rio de Janeiro.

O mesmo aconteceria em 1875 com as novas "Mariposas Imperiais", seguidas em 1877 pelas "Mariposas à Irlandesa": cassas de linho com listras de seda de um novo estilo. E, ainda, filó de seda com palmas e flores, para vestidos de baile, muito em moda na Europa. E o que fosse moda na Europa mais elegante tinha que ser, sem demora, moda no Brasil, que podia então ser elegante, através de mulheres de maridos abastados, dado que o Brasil exportava açúcar e já começava a exportar, imperialmente, café. Natural que às mulheres da alta sociedade não faltasse com que se revestissem de vestidos feitos com os tecidos mais finos em moda na Europa e segundo figurinos de Paris. E continuando a trabalhar, em lojas de modas, brasileirinhas de sangue africano tocadas de graças parisienses.

Note-se terem sido do meado da década de 70 – apurou-se em pesquisa sobre modas em anúncios de jornais que veio a ser realizada nos nossos dias pelo pioneiro, em tanta coisa, Instituto Joaquim Nabuco de Pesquisas Sociais, agora parte da Fundação Joaquim Nabuco, sob a direção de Fernando Freyre – importações, pelo Brasil, de trajos de banho como requintes de elegância feminina. Recebiam-se, de Paris, "interessantes costumes do último gosto para homens e senhoras que desejarem tomar banhos salgados, além de sólidas fazendas para resistir à água salgada, a elegância dos trajos nada deixa a desejar".

Em Pernambuco, a importação desses elegantes trajos para banhos de mar marcou o começo de toda uma nova moda, talvez já em vigor no Rio: a dos banhos de mar com considerável presença, elegantemente feminina, a substituir a tradição dos banhos de rio –

em Pernambuco, os banhos de rio, em Caxangá e Apipucos, principalmente. Nesses banhos de rio, as mulheres se regalavam das águas do Capibaribe, despindo-se, para eles, em banheiros de palha e, nuas, mergulhando e nadando dentro desses banheiros, com uma ou outra afoita indo bastante além desses refúgios. Uma delas, a surpreendida, assim nua, por um ainda menino Manuel Bandeira que confessa, em poema célebre, ter sido esse o seu primeiro alumbramento.

Quando os banhos de mar passaram a substituir os de rio, observe-se dos primeiros trajos femininos para esses banhos terem sido extremamente vitorianos. Nem decotes nem pernas à mostra desde que os calções para mulheres iam até os tornozelos. Um contraste com as futuras modas de corpos quase nus tanto nas Copacabanas e Ipanemas metropolitanas como nas Olindas e Boas Viagens provincianas.

Nessa espécie de modas de libertação, paralelas às próprias teologias chamadas, também, de libertação e quase, a seu modo, por vezes, libertinas, o Brasil, sem ter chegado a completos nudismos europeus de praias de banho, passou a avançar em direções coincidentes com sua crescente consciência de ser país tropical e, como país tropical, tendente a harmonizar seus trajos com ecologias tropicais.

Assunto já considerado neste texto: a harmonização de modas de mulher com ecologias. E que se liga a trajos de banhos de mar que sejam também – e tenham sido – trajos para a prática de esportes oceânicos nos quais é lícito aos brasileiros esperarem triunfos internacionais dos seus jovens de ambos os sexos. O que, aliás, está começando a verificar-se, com brilhantes resultados de ordem tanto eugênica como estética, para novas gerações do nosso país: um país com tão extenso litoral debruçado sobre o Atlântico.

Os *designers* brasileiros não podem deixar de ser sensíveis a essa circunstância, desde que a moda brasileira de mulher, se fosse dotada de voz, poderia muito orteguianamente dizer, a propósito de suas diretrizes e de suas inovações ou criações: "Eu sou eu e minhas circunstâncias". Entre essas circunstâncias, além de tropical – ou quase tropical –, tão importante – a oceânica. A oceânica quase tão importante como a tropical ou a quase tropical.

Orientalismos em modas brasileiras

Volte-se, a este propósito, a antecedente histórico do que vem sendo a moda brasileira de mulher: ao impacto de uma reeuropeização da vida, dos hábitos, da cultura do Brasil colônia. Um Brasil colônia que vinha absorvendo – repita-se – não poucos orientalismos, inclusive quanto ao uso de cores vivas nos trajos tanto de homens como de mulheres elegantes, essa absorção, por parte das mulheres, parecendo ter-se estendido a penteados e a adornos de um modo que resistiria, em não poucos casos, à referida reeuropeização. O que fez que o autor de *Casa-grande & senzala*, à base não só de tradição oral, a respeito desses particulares, como de observações de fotografias de casais patriarcais brasileiros da década de 1860, registrasse uma ainda aparência um tanto oriental, pelo trajo e penteado, das sinhás, e um aspecto de todo ocidentalizado ou reeuropeizado, dos senhores, a cujas roupas, em dias anteriores, não teriam faltado toques de amarelos e outras cores orientalmente vivas ainda possíveis de ser surpreendidos em anúncios de jornais dos começos do século.

Esses toques de sugestões orientais em trajos e em adornos – resultados de não poucos contactos do Brasil colonial com o Oriente – desapareceriam com a reeuropeização em consequência da transferência da Corte portuguesa – e brasileira – de Lisboa para o Rio de Janeiro, com a qual coincidiu a abertura dos portos brasileiros às nações europeias – particularmente ao comércio britânico. Ao comércio britânico, privilegiado, mas também ao francês. E com relação a modas de mulher a predominância viria a ser a da influência francesa.

Verificou-se então – como se assinala em *Sobrados e mucambos* – uma considerável reeuropeização do que fosse influência, sobre o Brasil, de um Portugal metrópole, ele próprio um tanto oriental no seu modo singular de não ser de todo europeu. Reeuropeização, sobretudo, através da Grã-Bretanha, já carbonífera e industrializadíssima. Reeuropeização que afetou modos e modas dos brasileiros.

Inclusive com relação a cores nos trajos. Às cores vivas de influência oriental sucederam-se modas, nesse particular, consagradoras – como já se referiu – da elegância de pretos e cinzentos, nos trajos masculinos das altas categorias sociais e de cores antes escuras do que claras ou vivas nos trajos femininos. Daí cores classificadas como verde-garrafa, azeite, azul-escuro, roxo – além de pretos e brancos – em vestidos mais elegantemente femininos, que deviam acompanhar o aspecto, grave, solene, por vezes britanicamente hierático dos trajos masculinos.

Repete-se, da parte de observadores estrangeiros do Brasil patriarcal e escravocrata, desde a primeira metade do século XIX, acentuando-se com relação ao Brasil de Pedro II desde muito jovem imperador, o reparo de ter sido considerado, a julgar pela aparência de brasileiros e brasileiras de categoria elevada, um país de gente "grave", "solene", ciosa de sua dignidade formalmente europeia.

O *chic* – as palavras como *chic*, por vezes, por si sós, dizem muito – é palavra que, sob a influência francesa no setor de vestidos e adornos femininos, passou a começar a incluir, no brasileiro e na brasileira, o gosto por uma sobriedade que não deixava, senão rarissimamente, que as senhoras trajassem de amarelo ou de cores vivas. "Gorgorões" e "veludos" e, no fim do século XIX, até "peles" passaram a ser moda feminina num Rio de Janeiro de calores, nos seus nada curtos verões tropicais. Luvas francesas passaram a requinte ortodoxo no trajo feminino e segundo modelos ingleses, no trajo masculino, marcando esse extremo, contrário ao clima carioca – o da corte dos dois Pedros –, o absurdo atingido pela europeização do trajo elegante nessa Corte.

Dom Pedro II e a imperatriz: seus trajos

De Dom Pedro II e a Imperatriz pode-se dizer que foram representativos, nos seus trajos sempre escuros – ele de sobrecasaca preta e de cartola também preta, ela, também, sempre de vestidos tristonhamente escuros –, da predominância de "gravidade" e de "solenidade" que passaria a caracterizar o Brasil patriarcal e escravocrata do longo reinado do segundo Pedro. Que passaria a caracterizar aparências, nesse período de brasileiros e de brasileiras das categorias altas e médias, especifique-se. Que os fixou como euro-tropicais, nessas camadas socioeconômicas, mais como brasileiros europeus que tropicais, nos seus trajos absurdos para cidades como o Rio de Janeiro, Salvador da Bahia, o Recife de Pernambuco, Belém do Pará. Isso em contraste com os trajos e aparências da gente do povo.

No seu *Le Brésil contemporaine* (Paris, 1867), Adolphe d'Assier salienta, de franceses que se estabeleceram no Rio de Janeiro no meado do século XIX, terem introduzido, na capital do Império brasileiro, indústrias parisienses que despertavam, em população ainda vítima de rotinas portuguesas, entusiasmo pela civilização francesa, representada por novidades técnicas. Essas novidades industriais parisienses teriam concorrido para aumentar, entre os brasileiros, o apreço pela língua francesa em contraste com a língua portuguesa, associada só a passados, enquanto a língua francesa se apresentava ligada a atraentes futuros industriais. Daí o começo de um maior prestígio de língua assim, a olhos brasileiros, futurosa, tanto mais quanto – acrescente-se – como língua também latina, mostrava-se menos difícil de ser adquirida por jovens do que a inglesa. A inglesa, no caso, como a grande competidora da francesa do entusiasmo patriótico de D'Assier.

A esse respeito, D'Assier mostra-se, no seu citado *Le Brésil contemporaine*, de todo entusiástico acerca do futuro, no Brasil, de uma língua que, como "*la plus claire de toutes les langues savantes*", começaria a facilitar aos brasileiros leituras modernas nos mais importantes setores de saber ou de ciência: inclusive do Direito e da Medicina já, no Brasil, com escolas superiores no Recife, em São Paulo e na Bahia. E já nos colégios e até nas escolas primárias do Império começara a fazer-se notar um triunfo de livros franceses: ao lado de clássicos, traduções de autores modernos. Enquanto as línguas inglesa e alemã continuavam, para D'Assier, de acesso difícil aos brasileiros.

Ao que D'Assier junta o informe de o Brasil independente vir importando mais do que exportando. Aqui o observador francês poderia ter destacado o volume, nada insignificante, de artigos franceses de modas femininas, presente na importação de produtos europeus pelo então jovem Brasil, como nação não-europeia. Mais: poderia ter especificado que, entre as presenças francesas a se tornarem notáveis, não só no Rio de Janeiro como no Recife, consideravelmente afrancesado. Um Recife onde a Missão Técnica Vauthier foi um equivalente da Missão Artística no Rio de Janeiro, quase na mesma época: a primeira metade do século XIX. Época em que aumentou a presença de modistas francesas nas duas capitais: Rio de Janeiro e o Recife. Aspecto do assunto considerado de modo não só histórico como sociológico no livro intitulado *Um engenheiro francês no Brasil*.

Volta ao assunto: a França e modas brasileiras de mulher

As modas de mulher parisiense constituíram-se – volte-se ao assunto sob nova perspectiva – numa das maiores expressões de conquista psicocultural do Brasil pela França, na já denominada fase de reeuropeização do Brasil. Essa conquista psicocultural estendendo-se do setor de vestidos e de tecidos para o de adorno, o de perfumes e, posteriormente, o de doces ou bombons. Estendendo-se ao setor do paladar, inclusive através de vinhos e licores.

Neste texto, o que interessa assinalar é a penetração no Brasil do século XIX – o primeiro século de vida e de cultura nacionalmente brasileiras – pelas modas de mulher vindas da França e de homem, vindas da Grã-Bretanha. Foi uma penetração grandemente reorientadora de gostos brasileiros no setor do trajo, a começar por uma reorientação em preferências de cor que se refletiram num Brasil recém-saído da condição colonial. Condição de um quase isolamento do Brasil, de Europas, que não fosse a metropolitanamente portuguesa, e de ligações, noutras partes do mundo, limitadas a Orientes e Áfricas relacionados direta ou indiretamente com Portugal. A abertura de portos brasileiros a europeus não-lusitanos trouxe subitamente ao Brasil – uma revolução para a cultura brasileira – impactos europeizantes que, a aspectos políticos, econômicos, tecnológicos, juntou o de gostos europeus por cores de inspiração como que austeramente industriais, carboníferas, neotecnológicas e, até, positivistas e – no sentido lato da palavra – antirromânticas. Inspiração marcadamente britânica a que se juntou a francesa. A adoção de pretos, pardos, cinzentos em artigos de vestuário masculino com transbordamento sobre o feminino, acentue-se que foi um desses impactos europeizantes, como que, de certo modo, antibrasileiros, sobre um Brasil em grande parte situado em ambiente tropical.

No fim do século XIX, o francês Max Leclerc, anotando, em *Lettres du Brésil* (Paris, 1890), suas impressões da então já República brasileira, registra a ainda pouca presença de senhoras nas ruas. O que atribui a sobrevivências daqueles velhos ciúmes, tão dos portugueses, em brasileiros.

Notando serem os ingleses os senhores do mercado financeiro do Brasil. Leclerc parece admitir que fosse, através dessas e de outras preponderâncias britânicas, que a jovem República se apresentasse sem um maior domínio francês sobre sua cultura e – conclua-se – sobre modas de mulher, embora não especifique tal fato. Pelo que recomendava que os fabricantes franceses atentassem mais nas possibilidades de ampliarem suas relações com o Brasil. Dos brasileiros, especificava que, como consumidores de produtos europeus, deviam ser considerados nos seus gostos específicos. Os quais, para esse arguto observador, tendiam a mudar com a latitude e com a cor da pele: "*Avec la latitude et la couleur de la peau*".

Menciona Leclerc uma "grande *cordonnerie* de Paris" ter enviado ao Brasil um representante que, mal chegado ao Rio, constatou que os artigos enviados não correspondiam aos gostos e aos hábitos dos brasileiros. O que fez? Inteirou-se desses gostos e desses hábitos, fez fabricar na França artigos de acordo com eles e o resultado foi imediato para o ano seguinte: encomendas no valor de 200 mil francos. Artigos mais requintados de moda estavam entre os que mais precisavam ser assim considerados.

A esse respeito, leia-se o interessantíssimo livro francês que é *La vie quotidienne au Brésil au temps de Pedro Segundo (1831-1889)*, de Frederic Mauro (Paris, 1980). O arguto francês que é Mauro lembra presenças francesas numa como antropologização ecológica de modas brasileiras de mulher. Por exemplo: certa Mademoiselle Arthemise, costureira parisiense, fabricando no Rio da década de 1870 de Pedro II, "*des seins adhésifs à l'usage des personnes fines et maigres. A ces artifices utiles en caoutchouc on donne la couleur desirée imitant parfaitment la peau blanche, rosée, brune ou noire...*" Isso, segundo anúncio na *Revista Ilustrada*, do Rio de Janeiro, de 27 de maio de 1876. Pois o historiador Mauro, no seu livro, segue o exemplo brasileiro de recorrer o pesquisador histórico-social a anúncios de jornais. Aliás, cita, mais de uma vez, o livro *Casa-grande & senzala*. Inclusive a respeito de relações entre gerações do Brasil patriarcal, cada uma com suas preferências de gosto de vestir e de pentear, sob influências europeizantes. Nota interessante pormenor que hoje se chamaria sociolinguístico de influência francesa sobre o brasileiro da época de Pedro II: o de as próprias crianças dizerem *maman* em vez de mamãe.

Modas e vários tipos brasileiros de mulher

Com relação a modas de mulher, teria sido preciso considerar, durante o século XIX brasileiro, mais de um tipo de mulher, entre aquelas a que destinassem artigos mais finos ou mais caros: a senhora, esposa legítima do homem de prol, um tipo, quando educada por religiosas francesas, conhecedora da língua francesa e, através dessa língua, inteirada, de tal modo, de estilos europeus de vida e de tal maneira discriminadora quanto a artigos de trajo, de calçado, de adorno feminino, que podia exigir os melhores desses artigos. Outro tipo, a rival, como amante, dessa senhora legítima de homem de prol, e tão cioso em ostentar bem trajada, bem calçada e bem adornada, tanto a amante quanto a esposa. Dois tipos de mulher da sociedade brasileira, quando patriarcal e escravocrata, consumidoras dos mais finos artigos de moda importados da Europa – especialmente da França – pelo Brasil de então.

A esses dois tipos específicos de mulher, acrescentem-se aquelas mucamas, aquelas mães pretas, aquelas escravas domésticas de estimação, das quais a ética patriarcal fazia mulheres em cujos tecidos de trajos, qualidades de sapatos, apuro de adornos, o patriarca devia sentir-se obrigado a esmerar-se em adquirir artigos que proclamassem sua fidalguia. Ou sua riqueza. O seu apreço por esses membros sociológicos de sua família.

Max Leclerc destaca São Paulo – o do fim do século XIX – como cidade brasileira em que observou haver chefes de família que introduziam, nas suas famílias, filhos por eles havidos de escravas, com as esposas legítimas, segundo ele, "cientes e resignadas, sofrendo essas afrontas sem se revoltarem: parecendo mesmo terem perdido a consciência de tais humilhações". O que aqui interessa acentuar é que a tais membros sociológicos de famílias patriarcais reservavam-se, quase sempre, privilégios de se vestirem, se calçarem e se adornarem com artigos finos para não se confundirem com mulheres e crianças nascidas simplesmente escravas. Sem pais fidalgos.

O observador francês, particularizando o que observou, nesse particular, em São Paulo, esclarece de tais recorrências que eram comuns à sociedade patriarcal e escravocrata em suas áreas socioeconomicamente semelhantes à da já então notável por sua opulência cafeeira. E acrescenta, a observações diretas, o relato de "*vieux* Paulista". O qual lhe "*raconta qu'il y a une quarantaine d'années les professeurs de Droit de la Faculté de Saint-Paul – et plusieurs étaient des ecclésiastes – avaient des faux ménages*". *Faux ménages* com direito a se vestirem e calçarem elegantemente.

Max Leclerc insiste nos aspectos que lhe pareceram moralmente lamentáveis da sociedade patriarcal e escravocrata do Brasil, sem destacar os positivos. Entre os positivos, o reconhecimento – por ele, aliás, notado – por patriarcas, de filhos ilegítimos, havidos de escravas, tratados quase como os legítimos, inclusive quanto a trajos. O que aqui se salienta para acentuar-se, de tais atitudes, que aumentavam o consumo de artigos, de materiais finos, importados da Europa, de trajo feminino – e também do masculino –, fazendo que o uso, assim abrangente, desses materiais superiores, beneficiasse brasileiros de origens não-europeias. De origem e de pigmento. O que indica ter o uso, em modas – principalmente de trajo feminino –, de material finamente europeu, ter contribuído para a ascensão socioeconômica de não poucos membros sociológicos, à maneira brasileira, de famílias patriarcais e escravocratas.

Reconhecendo haver, nesse Brasil, homens de um espírito – *esprit*, filho do francês: "*fils de l'esprit français*" – e que os mestres do pensamento brasileiro eram os pensadores e *savants* franceses, Leclerc deixa de assinalar que o gosto europeu de maneiras, de modas, de modos, mais seguido pelas elites brasileiras mais apuradas, da mesma sociedade patriarcal e escravocrata, era o dos criadores franceses de padrões, quer de elegância feminina, de trajos, quer de arte culinária: inclusive quanto a porcelanas finas usadas em jantares elegantes. Gosto que se prolongaria, além da vigência dessa sociedade, vindo a revelar-se em cronistas de ocorrências mundanas, inclusive de modas, de expressão literária superior, da década dez do século XIX. Um desses cronistas, Paulo Barreto ou – seu pseudônimo – João do Rio.

O fato, destacado por Leclerc, de, nos principais jornais brasileiros da capital do Brasil do tempo de sua permanência no País – o *Jornal do Commercio* e a *Gazeta de Notícias* –, o espaço ocupado por anúncios lhe ter impressionado como muito mais extenso que o dedicado a pronunciamentos editoriais – pareceu-lhe jornalisticamente interessante. Explicaria – pode-se sugerir – a qualidade de alguns dos anúncios relativos a modas de mulher, não poucos dos quais de sabor quase literário. Inclusive nas qualificações de cores de tecidos por imagens como verde-garrafa, evitando-se abstrações e empregando-se termos tão concretos como se alguns desses anúncios de tecidos fossem – pode-se sugerir – remotas antecipações da expressão artisticamente literária dos imagistas dos nossos dias.

Quase da mesma época das observações de Leclerc de coisas brasileiras – inclusive relativas a gostos por artigos de moda feminina, influenciados por franceses e masculinos, influenciados por britânicos, algumas dessas influências podendo ser atribuídas a expressivos anúncios em jornais do Rio – é o livro do americano dos Estados Unidos Isaac N. Ford, *Tropical America* (Londres, 1894), com não poucas páginas dedicadas ao Brasil. Numa dessas páginas, o autor, com olhos quase de antropólogo, refere-se aos trajos das mulheres por ele chamadas "negras da Bahia" – as da camada mais pobre – como sendo de "*the gayest colors and patterns*" e acompanhados de muitos adornos. Mas, sob esses trajos, o que encantou Ford foi o físico dessas mulheres de cor. A graça do seu físico. Seu andar, para ele, de "deusas gregas". Blusas roxas, cor de-rosa e azuis e, emergindo delas, braços e partes que lhe pareceram dever causar inveja "as senhoras brasileiras da mais alta categoria".

Curioso que mais do que as senhoras belas e elegantes do Rio impressionaram mr. Ford as de Montevidéu, que notou ostentarem caros vestidos parisienses e, à mesa, beberem livremente vinho e livremente conversarem com homens. Será que, no Brasil – um Brasil ainda quente de sua transformação de Império em República –, Ford, de tanto se preocupar com assuntos banalmente políticos, não teve oportunidade de ver a Rua do Ouvidor? De conhecer o que eram modas francesas de mulher no Rio de Janeiro? De notar o que eram essas modas em figuras de brasileiras mais aristocráticas que as uruguaianas de Montevidéu e de andar – o olhar de antropólogo só funcionou na Bahia – tão de mulher, isto é, tão femininamente gracioso, sob formas euro-brasileiras, quanto o das lindas negras da Bahia, das cariocas. É o que se depreende de testemunhos de outros estrangeiros sobre as mulheres mais elegantes do Brasil de então.

Mas – submetendo-se às observações sul-americanas de mr. Ford a um critério comparativo – tendo ele deixado de se impressionar pela elegância de vestir das argentinas e das chilenas, para só vir a notar a beleza física das mulheres de alta classe de Lima, suas omissões talvez revelem, no antropólogo amador, noções muito particulares de elegância feminina. Curioso que atento, como se revela, aos pés lindamente pequenos das peruanas elegantes de Lima, não os tenha notado nas brasileiras do Rio: cariocas, nesse particular, continuadoras das fidalgas sinhazinhas dos dias patriarcais do Brasil. Só em peruanas de Lima seus olhos se fixaram em "*small and dainty shaped feet*". E os das brasileirinhas do Rio, já que na Bahia só se deixou fascinar pelos braços e pelas formas das, aliás, lindas "baianas", imunes de influências de modas requintadamente francesas e valorizadas só por cores e adornos de origem africana e, como tal, primitivas no seu modo de ser uma arte, a delas, ainda um pouco tribal? O que se diz sem desapreço algum pelo que se deva considerar primitivismo em adornos, de "baianas", ao lado de sua fina adaptação, em seus trajos belamente mistos, de africanidades magníficas, de cores, a circunstâncias já brasileiras. Saias características, ao que parece, de velhas aristocracias das mais europeias, e só encontradas em fidalgas brasileiras. Tanto que viriam de séculos de opulência dessas saias repolhudas, tão exageradamente imitadas por rainhas afro-negras de maracatus. Curioso terem sido saias conservadas por brasileiras de origem afro-negra, donas daqueles braços esculturais notados por mr. Ford nas "baianas" que viu na própria Bahia. "Baianas" de origem étnica afro-negra, mas, nos trajos, já lusitanizadas e abrasileiradas.

O que ensina o livro *Ordem e progresso*?

Do livro *Ordem e progresso*, do autor deste texto, consta um inquérito pioneira e cuidadosamente realizado, entre sobreviventes de uma específica época psicossociocultural brasileira: a de transição da Monarquia para República e do trabalho escravo para o livre. Inquérito no qual se pergunta a esses sobreviventes que modas principalmente os impressionavam, permitindo ao autor do livro, e coordenador de inquérito tão significativo, chegar a algumas generalizações quanto a modas de época tão sociologicamente expressiva. Dessas generalizações é oportuno destacar algumas. Por exemplo, quanto à moda do muito francês *pince-nez*, por senhoras e homens elegantes: "Para algumas senhoras e mesmo para alguns elegantes, o *pince-nez* de ouro tornou-se, nesse Brasil milnovecentista de fim de século – o XIX –, joia que completava (com seu trancelim) os anéis, os brincos, os broches, as pulseiras". Ao que se acrescenta no mesmo livro: "Se o Brasil passou do Império à República, com os homens dos últimos decênios da Monarquia e dos primeiros anos do regime republicano, às vezes excessivos na ostentação de anéis e de joias, de dentes e de *pince-nez* de ouro, de perfumes no cabelo, na barba, nas mãos, tendo um deles – Joaquim Nabuco – sido acusado, por seus adversários, do uso de pulseira – para os críticos, adorno só de mulher –, não é de admirar que esses orientalismos escandalosos, quanto a requintes pessoais de homens, aos olhos de europeus e, sobretudo, dos anglo-americanos, se requintassem, ainda mais, nas mulheres". Rara a esposa de brasileiro rico do fim do século XIX e do começo do XX que não saísse de casa – às vezes simplesmente para fazer compras – sobrecarregada de joias e perfumada da cabeça ao pés.

Uma das inquiridas, dona Antônia Lins Vieira de Mello, nascida em 1879, em São Paulo, mas crescida em engenho aristocrático do Nordeste, informa que suas roupas de sair eram todas adquiridas em Paris, compradas por encomenda e por intermédio de costureiras do Recife. Também vinham de Paris – para essa como para outras sinhás dos engenhos patriarcais da região – "chapéus e calçados de luxo e roupas de dentro, finas e delicadas e de muito bom gosto". Usava-se – segundo dona Antônia – "a última moda de Paris". Inclusive quanto a joias de mulher, com as preferências sendo "os anéis de brilhante grande, os broches também grandes cheios de brilhantes, o cordão de ouro com medalha e crucifixo de brilhantes. Havia particular predileção pelo brilhante, embora fossem usados, como no meu caso – de dona Antônia –, o rubi e a esmeralda". Nessas joias, a cruz "era o símbolo mais em voga".

Havia, porém – tal a devoção católica dominante – "quem deixasse de ostentar joias caras para ter nos dedos anéis de menos valor apenas porque benzidos por padres e que significavam símbolos muito preciosos para os católicos praticantes". Curioso é que senhoras de engenho, assim vestidas e adornadas por Paris, segundo as últimas modas, tinham que vir de casas-grandes para cidades, umas em cabriolés mais resistentes, outras em seguros porém arcaicos carros de boi.

Outra inquirida pelo autor de *Ordem e progresso*, dona Levena Alves da Silva, nascida em Pernambuco em 1880, informa ter usado muito espartilho mas sempre ter achado horrível a moda das anquinhas. E gostado muito de joias.

Dona Isabel Henriqueta de Souza e Oliveira, nascida na Bahia, em 1853, informando ter ainda alcançado as saias-balão, "com as calças compridas aparecendo": espécie de antecipação dos *jupe-culottes*. Teve muita joia. Muito anel. Vestidos – no seu caso – sempre feitos em casa.

Quanto a dona Carolina Tavares Sales, nascida em Pernambuco em 1884, tornou-se moça quase sem saber o que era moda de mulher. Um pai que a privava de tudo: até de seguir procissão. Quando saía – raras vezes –, era "acompanhada pelo Velho".

Já dona Maria Tomásia Ferreira Cascão, também nascida em Pernambuco em 1875, teve, ao contrário de dona Carolina, mocidade alegre. Frequentou a Casa de Banhos, para banhos salgados, na época, elegantes. Teve, no Recife, costureira elegante: mme. Ducasble. Chapeleira também de luxo: mme. Laquin. Luvas: mme. Gérard. Presenças de Paris no Recife de então. Vestidos, penteados, luvas, vindos de Paris. E também joias. A moda de saias que alcançou, quando jovem, foi a de "serpentinas bem compridas", junto à de corpetes. Corpetes bem apertados para a mulher ficar com a cintura bem fina. E "não se dispensavam duas ou três anáguas de baixo, bem engomadas. Era *chic*!".

O segundo tomo de *Ordem e progresso* inclui – a anunciologia da predileção do autor é um seu pioneirismo, como sistemática de informação socioantropológica – a reprodução de numerosos anúncios aparecidos em jornais da época. Alguns desses anúncios ilustrados e relativos a modas de mulher. Curioso um anúncio de *pince-nez*, ilustrado, em que um *pince-nez* é quase glorificado na sua apresentação: usado por senhora com elegante decote e dois trancelins sustentados por anjinhos graciosos e nus. Outro de "gazes de todas as cores sob a forma de camisas para senhoras". Ainda outro, de uma tintura para cabelo, chamada "Juventude". E, destacando-se dos demais, uma como que glorificação, dentre "as grandes *corsetières* de Paris", de certa madame Torchielboeuf, como inventora do "colete *docloresse*" e, ao lado de reclamo de espartilho tão superior aos outros, modelos de vestidos de última moda, sendo um "confeccionado em fazenda de linho", outro, "com a fralda ligeiramente repuxada, último modelo", e um terceiro, "de dois planos graciosamente combinados", um quarto, de "*frack* de fazenda fina, alta novidade feminina".

Francesismos em anúncios de jornais

Interessante este outro anúncio de últimas modas femininas de Paris, no qual é preciso que se notem as caracterizações de cores: para vestidos de passeio, à escolha, cores como "cinzento rato, toupeira, castanho não muito escuro... resedá, musgo, *beige* carregado, tijolo, violeta"; para "*toilettes* de visita e cerimônia: *champagne* heliotrópio, cinzento pérola, *beige* claro, groselha, azul *Sèvres*, verde-esmeralda, *mordoré*, rubi escuro, violeta de Parma"; e para "*toilettes* de baile, *soirée* e teatro: rosa desde o tom mais suave até o mais carregado, azul-celeste, verde-água, branco, amarelo-canário, marfim, creme, rubi, *gris*, verde muito claro, gema de ovo, palha e pêssego".

Competindo com o colete *docloresse*, surge anúncio de mme. Agnes Scherer Gonçalves, estabelecida nos primeiros anos do século XX à Rua do Ouvidor nº 145, no Rio de Janeiro, em que destaca as virtudes do colete *devant droit* não só como criador de uma elegância, antes dele desconhecida, e de uma "comodidade inexcedível" como recomendado por ilustres higienistas brasileiros: as doutoras Ermelinda de Sá e Ephigênia Veiga e os doutores Arlindo de Souza e Eduardo Santiago. Seria, portanto, o *devant droit* espartilho rigorosamente científico: mito já então contestado por outros cientistas. Dona, no Rio de Janeiro, da "única casa especial de coletes", mme. Scherer Gonçalves ufanava-se de "estar em correspondência com as primeiras fábricas da Europa" de onde recebia, além de coletes de novo tipo, "tecidos de alta qualidade e apurado gosto".

Ao tomo I, do referido *Ordem e progresso*, não faltam reproduções de anúncios da época brasileira considerada socioantropologicamente pelo autor, inclusive este, de brasileira do Recife abolicionista então quase tão famosa como Joaquim Nabuco, dona Leonor Porto: "Continua a executar os mais difíceis figurinos recebidos de Londres, Paris, Lisboa e Rio de Janeiro". Bela combinação, a de abolicionista com modista.

É preciso assinalar, em anúncios encontrados na época considerada no livro *Ordem e progresso*, que, às glorificações de artigos de modas de mulher, vindas da Europa, começam a juntar-se ufanismos de produtos nacionais. Típicos desse ufanismo, em torno de produtos brasileiros para usos pessoais dos dois sexos, são o da fábrica de camisas Esperança, do Rio de Janeiro, e o da também fábrica de tecidos de lã Rink, igualmente do Rio, ambas enfatizando, nas suas pioneiras criações nesse setor, uma qualidade e um apuro que permitiam aos fabricantes competirem com os artigos europeus.

Cabe destacar, de alguns desses produtos nacionais de artigos de modas para os dois sexos – tecidos, calçados, adornos –, o afã de fabricantes mais esclarecidos em adaptarem tais produtos ao que hoje chamaríamos ecologia: ecologia brasileira. Clima quente. Que seja apresentado, como exemplo, pioneiro fabricante anglo-brasileiro de calçado: o calçado Clark, tanto para mulher e criança como para homem. Ao inaugurar novo estabelecimento, no Rio de Janeiro, à Rua do Ouvidor nº 67 B, numa segunda-feira, 13 de maio de 1901, essa já então indústria muito brasileira inaugurou uma "seção para senhoras", destacando dos calçados que fabricavam, em suas oficinas da Escócia, que eram diferentes dos continentalmente europeus e fabricados "expressamente para o clima do Brasil". Talvez atendessem também ao fato socioantropológico de serem as brasileiras do tipo sinhá, mulheres de pés pequenos em comparação com os das europeias do norte da Europa.

Nacionalismo e modas

Aspecto – o socioantropológico – desatendido por não poucos industriais brasileiros ao se acentuar o surto, no País, de fabrico não só de calçados como de roupas feitas para homens e mulheres. Talvez o alerta mais incisivo, a esse respeito, tenha sido o que partiu do primeiro professor brasileiro de Antropologia Sociocultural: o da Universidade do Distrito Federal – quando ainda no Rio de Janeiro –, segundo inovadora iniciativa do insigne educador Anísio Teixeira. Não se sabe, até hoje, de universidade brasileira que tenha ultrapassado a corajosamente criada por esse educador ilustre – coragem que lhe valeu ser indiscriminadamente considerado antibrasileiro – em sua conciliação de arrojos de modernidade com preocupações de adaptação desses arrojos a situações especificamente nacionais. Dentro dessas conciliações, a preocupação do seu pioneiríssimo professor – como ele, com mestrado pela Universidade de Columbia –, quer de Sociologia, quer de Antropologia Sociocultural. Talvez o pioneiro, esse antropólogo-sociólogo, na América do Sul, desse tipo de ensino universitário, dado que é possível o ter precedido, quanto à América Latina, no México, o também antropólogo mexicano Manuel Gamio, como o brasileiro, discípulo de Franz Boas na Universidade de Columbia.

Repita-se desse brasileiro ter pioneiramente sugerido, como professor de Antropologia do antigo Distrito Federal, a necessidade de orientação antropológica para indústrias brasileiras de calçados e de roupas feitas. É que as predominâncias, além de formas de corpo, de preferências de cor, de brasileiros e de brasileiras, precisavam – e continuam a precisar – ser consideradas, nesses fabricados, sob pena de resultarem seus produtos inadequados a essas predominâncias. Não só nacionalismo. Também ecologia.

A preponderância de modas antiecológicas de mulher, parisienses, no Brasil, coincidiu com a importação de roupas feitas, nem sempre ajustáveis às formas de corpo de mulher predominantes na população brasileira. O que parece explicar que a essa preponderância de modelos parisienses passasse a corresponder – insista-se neste ponto – a voga de modistas ou costureiras francesas no Brasil. O que significou, em grande parte, trazer-se Paris para o Brasil.

Talvez se possa supor das mulheres elegantes do Brasil do século XIX, quando jovens, que, no íntimo, pensassem com o brasileiro Joaquim Amaral Jansen de Faria, nascido no Rio de Janeiro em 1883, ao responder o inquérito *Ordem e progresso*: "No tempo da minha mocidade a Europa era Paris, sonho de todos os moços". Ou com esse outro brasileiro ilustre, nascido em 1873 em Pernambuco, Cláudio da Costa Ribeiro: "A Europa de que a Paris sedutora era o centro apresentava-se aos olhos do brasileiro dos fins do século XIX e dos princípios do XX como motivo de grande curiosidade, porque de lá nos mandavam tudo, desde o velocípede aos bombons". Ou, ainda, com aquele Raimundo Dias de Freitas, nascido no Piauí em 1874, para quem, desde sua infância, era "motivo imperioso para a melhor recomendação ou aceitação de um objeto, de uma moda, de uma ideia ou de uma teoria científica, o dizer-se que os objetos, as modas, os princípios científicos eram de origem francesa". Ou – mais ainda – com o escritor paulista Leo Vaz, nascido em 1890, pensar, como bom discípulo de Eça de Queirós, ser Paris, tanto para ele como para Eça, "único sítio habitável da Terra, o resto sendo paisagem".

Enquanto para Armando Sieneyra, nascido no Rio Grande do Sul, em 1887, o Rio não era senão sucursal de Paris pelas "modas, livros, mulheres". Muito pelas mulheres.

Mas é bom ouvirem-se as próprias mulheres brasileiras da época dizerem, como dona Isabel Henriqueta de Souza e Oliveira, nascida na Bahia em 1853, que fora, quando moça, uma brasileira desejosa de ser francesa e, em Paris, "conhecer as modas de perto". E dona Ângela Correia de Mello, nascida no Rio Grande do Sul em 1875, ufanar-se de ter-se empenhado para, em Paris, onde estava, acompanhar Santos Dumont, triunfador glorioso, num dos seus voos. Só em Paris isso teria sido possível.

Qual dos nossos escritores, da época das sinhazinhas, ou de dias posteriores, que se voltou especificamente, como artista literário, para vestidos por elas usados, penteados que realçaram seus encantos, para adornos de suas preferências? Talvez o que mais se deixou tocar por essa preocupação, ligada a modas de mulher, tenha sido José de Alencar. E, em dias menos remotos, o já referido Paulo Barreto (João do Rio).

Seminovelista dos nossos dias, em seminovela que faz, imaginativamente, acontecer em momentos de transição de Monarquia para República – a intitulada *O outro amor do dr. Paulo* –, tenta uma espécie de glorificação de um tipo, também de transição, de mulher brasileira jovem, dessa época, anterior à do seminovelista. Mulheres ainda com alguma coisa de sinhazinha e já pós-sinhazinha, nas suas antecipações de modernidade de brasileirinha tocada – tanto quanto o próprio Paulo com quem se casa – por contactos um tanto aventurosos com novas artes e novas tendências europeias. Com Gauguin. Com Débussy. Com o balé russo de Diaghilev. E – é claro – com novas modas de mulher.

Essa brasileirinha jovem, na mesma época em que o muito afrancesado Eduardo Prado morre de febre amarela no Brasil, é vítima da mesma traição do trópico brasileiro ao seu empenho de se modernizar em novo tipo de brasileira euro-tropical tanto nas suas modas como nos seus modos. Um fracasso de personagem de seminovela, com o *semi* significando ser a história que o livro conta só metade, ficção: a outra metade, história íntima. Intimíssima, até. História ou Antropologia, dado que prescinde de datas convencionalmente exatas e pretende fixar transfatos nos seus essenciais socioantropológicos.

Dentro de um contexto principalmente dessa espécie – socioantropológico – é que parece mais apropriado vir a escrever-se, além da antecipação representada por esse livro, uma reconstituição mais detalhada do que vem vendo, ou parecendo ser, a alguns, tendências para o Brasil constituir-se num centro de irradiação de modas euro-tropicais de mulher. Uma impossibilidade? Vários os indícios de tratar-se não só de uma possibilidade, como de uma probabilidade. E probabilidade das que como que começam a se deixar apalpar por dedos de céticos.

Volte-se, porém, a considerar outro antecedente a não ser esquecido. Esse antecedente, o de, a certa altura, expressões de maior vitalidade cultural, em termos urbanos, do Brasil, ter-se tornado São Paulo, através de um vigoroso começo do seu progresso e de uma sua participação superior às das demais partes do Brasil – em alguns setores, o próprio Rio de Janeiro – no processo de uma mais moderna e mais acelerada europeização do complexo sociocultural brasileiro, iniciado nas cidades e, nas cidades, não tendo essa aceleração tardado a atingir incisivamente as modas de trajo. De trajo masculino e de trajo feminino. Europeização sem inteiro desapreço por brasileirismos.

Pode-se sugerir dessa reeuropeização, visível e, até, ostensiva, em modas e modos urbanos, que permite ao intérprete de hoje que aplique modernas caracterizações, além de socioantropológicas, sociológicas, a comportamentos de brasileiros de períodos historicamente importantes, que o modo de ser, ou de parecer, do brasileiro e da brasileira do século XIX – período ainda brasileiramente patriarcal e escravocrata – ao se tornarem, brasileiro e brasileira, os dois, quando de categorias sociais altas, reeuropeizados, concluir, desse comportamento, que foi, principalmente, apolíneo. O que, a ser exato, teria sufocado ou reprimido ou moderado, em não poucos desses brasileiros e dessas brasileiras, possíveis predisposições dionisíacas. Repressão – o termo é empregado no sentido psicossocial e não no estritamente freudiano – através de moda de trajar que, a ter se verificado o aqui sugerido, teria sido contrária não só a essas possíveis predisposições como à ecologia tropical. Pode-se, entretanto, acrescentar das modas europeias de trajo com as quais o Brasil se reeuropeizou no século XIX, que, na própria Europa – sobretudo na que sofreu o grande impacto vitoriano –, teriam sido modas de não pouca repressão daquelas inclinações senão dionisíacas, paradionisíacas, que parecem ser próprias do ser humano na sua maioria. Do feminino como do masculino e não apenas desse ser, quando ainda criança.

Modas brasileiras de mulher de hoje: mais ecológicas

Ao brasileiro e à brasileira de hoje, que estão sendo favorecidos, nesse particular, por modas de trajar descontraídas, talvez não seja fácil imaginar quanto sofreram seus antepassados dos dois sexos ao terem de se conformar, no século XIX, com modas de trajar de tendências, por vezes, tão apolíneas, em várias de suas expressões, e tão antiecológicas, em quase todas essas expressões. O século, por excelência, da reeuropeização, no Brasil – o XIX em sua grande parte –, o Brasil já Império, trouxe ao País, através dessa reeuropeização, não poucos positivos socioculturais, no tocante à higiene pública, e a certos aspectos da privada, a meios de transporte, a meios de comunicação. Mas, no setor do trajo, forçou os brasileiros de categoria socialmente alta, em alguns casos, ou média, noutros casos, a não pequenos martírios, como o das luvas e, no caso da mulher elegante, o espartilho europeu – difícil de ser tolerado pela mulher europeia na França e dificílimo pela europeizada, ou reeuropeizada, no trópico. E, no caso do homem, esses equivalentes do espartilho que foram a sobrecasaca e a cartola pretas, hieráticas, solenes, usadas, num Brasil subeuropeu, liturgicamente, quer em manhãs e tardes de sol, quer à noite.

E não pode deixar de merecer reparo outro tormento psicológico imposto aos brasileiros e às brasileiras do século XIX pelas modas de trajo importadas de uma Europa quase de todo ditatorial nesse setor. Esse outro tormento, a repressão de gostos possivelmente quase instintivos, nesses brasileiros e nessas brasileiras, por cores vivas e tropicalmente vibrantes e sensuais. Gostos que lhes vinham de dentro, senão deles próprios, de suas próprias integrações, em alguns, já profundas, com vivências em espaços e convivências com naturezas tropicais.

Pelo que é de supor que, nesse particular, alguns dos brasileiros e das brasileiras senhoris tenham invejado nos servis aquelas liberdades de trajo que lhes permitiam ser mais instintiva ou ecológica e teluricamente tropicais. Daí mais de um observador estrangeiro, dentre os mais perspicazes, ter observado, no Brasil patriarcal e escravocrata, contrastes entre solenidades e gravidades de brasileiros senhoris, com espontaneidades, alegrias, à-vontades, de brasileiros de condição servil. Um desses observadores estrangeiros, certa senhora austríaca, a já recordada mme. Ida Pfeiffer, que esteve no Brasil do tempo de Pedro II imperador. Mas dos primeiros anos do reinado do tão solene, grave, vitorianamente europeizado, nos modos de trajar e nos modos de ser, Pedro II.

Um Pedro II do qual é lícito anotar que, nos seus modos de amar, ao escolher amante que o compensasse do dever, por ele vitorianamente seguido, de ser bom esposo de imperatriz virtuosa, porém, ao que parece, europeia burguesamente insípida e apolineamente correta, escolheu, para amante, certa, depois, condessa de Barral, filha de ilustre brasileiro de cor e com encantos de mulher bonita, acentuados por primores de trajos atraentemente elegantes, mistos, talvez, de apolíneos e dionisíacos. Mulher bonita e bem-educada, em cujo convívio Pedro II parece ter se aprofundado no seu modo de ser brasileiro sem ter lhe faltado o aspecto apolíneo vitoriano de sua condição de imperador da época vitoriana.

Quem escreve estas notas ouviu diretamente de outra titular da época – esta brilhantemente educada na Europa – da Corte de Pedro II, o reparo de, segundo ela – a loura e muito afrancesada baronesa de Estrela, de família ilustre do Rio de Janeiro, mas de longa residência em

Paris –, ter faltado elegância à mesma corte. Um reparo ou uma crítica talvez à base de não ter sido uma corte mais afrancesada ou com uma imperatriz que, mais mundana, e de algum charme, tivesse concorrido para maior brilho de modas parisienses no Rio de Janeiro de então.

Entretanto, esse afrancesamento nas modas e nos modos da corte vinha já se fazendo sentir no Rio de Janeiro desde os começos do reinado de Pedro II. Em *Brazil viewed though a naval glass* (Londres, 1856), o inglês Edward Wilberforce registra, da Rua do Ouvidor de então, que era quase uma rua de Paris. Com "*handsome shops after the pattern of the boulevards*". Lojas que brilhavam nos esplendores das modas que anunciavam. Destaca certa francesa, mme. Dubois, sucessora de uma famosa mme. Finot, vendedora de flores e pássaros tropicais artisticamente empalhados: o trópico tornado moda francesa. E observa das *dames de comptoir* de loja tão elegantemente europeia que eram genuínas brasileiras. Mme. Dubois a cercar-se de brasileiras que, já afrancesadas, sabiam lidar, de modo atraente, com europeus dos mais finos. O que parece ter ocorrido noutras lojas elegantes e afrancesadas da Rua do Ouvidor: as caixeirinhas, jovens brasileiras de cor que, afrancesadas, sabiam vender, a brasileiras ilustres, artigos de modas francesas, chegados de Paris. Elas próprias, caixeirinhas, mulatas claras, ao que parece, modelos de vestidos das últimas modas francesas. Não era preciso que esses modelos fossem jovens louras. Era, talvez, mais inteligente, da parte das Dubois e das Finot, expô-las em modelos não só brasileiros como brasileiramente tropicalizados. Isso a despeito de a moda, em matéria de bonecas, introduzida pelas madames francesas no Brasil ter sido a de louríssimas e cor-de-rosíssimas imitações de crianças ou bebês franceses.

O impacto da boneca loura

Ao realizar um inquérito – fato já mencionado – entre brasileiros e brasileiras sobreviventes do período de transição entre trabalho escravo e trabalho livre e Monarquia e República, no Brasil, para o livro que viria a ser publicado com o título de *Ordem e progresso*, o autor deste texto constatou, da parte de brasileiras que responderam ao inquérito, o impacto como que racista, recebido por algumas senhoras, quando meninas, desse tipo etnocêntrico de boneca loura e cor-de-rosa. Era um tipo de bebê que glorificava, em crianças, a alvura do corpo e o louro do cabelo. Uma das senhoras inquiridas chegou a confessar-me que, tendo sido como criança, descendente de Wanderleys, endogâmicos, e, portanto, quase modos, alvos e louros – ela inclusive –, a boneca, recebida em pequena, como presente de aniversário, foi, para sua sensibilidade infantil, a glorificação do alvo e louro como insígnias de um tipo superior de pessoa.

Talvez por aí se explique a voga, em certa época, da oxigenação do cabelo e do excesso no uso do chamado *rouge*, por brasileiras ciosas de suas aparências o mais possível europeias ou arianas ou caucásicas. Para o que era preciso, também, que evitassem o sol. O sol amorenizante. Brasileirizante. Nacionalizante e não apenas tropicalizante.

Quando se diz nacionalmente, a referência aqui é sobretudo a uma consciência: a do brasileiro sentir-se nacionalmente brasileiro. Nacionalmente brasileiro não só como uma figura política ou uma figura jurídica ou uma figura cívica. Mas nacional em seu modo vivente e convivente de ser.

Essa consciência, no setor das modas de mulher, sofreu durante algum tempo de uma repressão: a da moda de mulher que, para ser chique, ter de constituir-se não numa assimilação, mas numa passiva imitação de modas importadas da Europa. Principalmente da França. Particularmente de Paris.

É certo que o Brasil, ao tornar-se politicamente independente de Portugal, precisou valer-se, sob a orientação de precisar de interações e apoios europeus não-portugueses para um seu novo tipo de vida – o desejavelmente nacional – de aumentar e intensificar seus contactos com europeus não-portugueses ou não-ibéricos. Essas inspirações e esses apoios tornaram-se principalmente os ingleses – por algum tempo quase senhores metropolitanos, em assuntos essenciais, do novo intitulado Império – e os franceses. Estes, com a vantagem desta afinidade psicocultural: a de ser a França nação europeia líder de cultura latina à qual, pelas suas raízes e características, pela língua e pelas tradições literárias, pelas suas elites e pela sua religião católica, pertencia, o Brasil colonial. Por essa afinidade, sucedeu, após aquela independência política, uma intensificação de relações culturais com a França, tornando-se a língua francesa a segunda língua dos brasileiros instruídos. Houve um aumento de contacto com livros franceses, com literatura francesa, com teatro francês, com arte francesa, com Paris passando, aos olhos de brasileiros instruídos, a ser o símbolo de letras, artes e saberes superiores. Por conseguinte, um aliado do Brasil, em fase de nacionalismo.

Um nacionalismo, o do Brasil de então, que importou numa mais acentuada aliança do Brasil com inspirações britânicas e francesas. No setor de modas de mulher, de tal maneira, que essa aliança tomou aspecto de subordinação: subordinação com evidentes aspectos antiecológicos, acentue-se sempre. Era o afrancesamento da moda de mulher – volte-se a enfatizar esse ponto – a importar no uso, pela mulher brasileira, de modas francesas inadaptadas ao clima, à natureza, ao que hoje se chamaria ecologia brasileira. Uma ecologia em grande parte tropical, numas áreas, e paratropical, nas outras: essas outras, sob influências socioculturais das tropicais.

Faltou, então, uma mediação lúcida, estratégica, como diriam alguns sociólogos, entre a moda francesa de mulher, o padrão francês de elegância simbolizado pela palavra-chave *chic*, e o Brasil. O Brasil ecológico. O Brasil natureza, clima, ambiente.

Lembre-se de um brasileiro injustamente esquecido, Emílio Cardoso Ayres, que, pintor admirável e como caricaturista, talvez homem de gênio, ter sido colaborador, durante sua residência na França, de revistas parisienses de elegância. Ele poderia ter sido um excelente mediador plástico entre a França e o Brasil no setor da arte da moda de mulher. Não foi. Ainda jovem, talvez devido a dissabor de homossexual brasileiro apaixonado por sueco, suicidou-se.

Vicente do Rego Monteiro, um precursor

É pena ter faltado a Emílio maior sensibilidade a um futuro brasileiro que quase não chegou a existir para ele. Existiu para o seu conterrâneo, Vicente do Rego Monteiro, precursor de um modernismo, inspirado por Paris, em arte, do qual os campeões da célebre Semana de 22, em São Paulo, se apoderaram, sem reconhecerem precursores de outras origens brasileiras. Ele foi precursor quer de europeísmos em arte, quer, também, em arte de glorificação de indianismos. Precedeu ao Mário de Andrade de *Macunaíma*.

Emílio poderia ter lançado as bases de uma arte de modas de vestir para a mulher brasileira que, à inspiração francesa, juntasse a capacidade do artista de valorizar característicos euro-tropicais de morenas e de formas de tipo tropicalmente feminino, nos seus dias, apenas emergente. Mulher brasileira que fosse moderna sem lhe faltar o *background* da sinhazinha da época patriarcal.

No Brasil, faltou a essa antecipação de um tipo caracteristicamente brasileiro de beleza feminina um brasileiro que fosse o que Henry James foi para uma emergente "American Girl". Ou um Henry James que lhe fixasse a graça especialíssima em páginas de literatura psicológica ou um Gibson que lhe surpreendesse as formas provocadoras de novas modas de mulher, em desenhos quase geniais, como os desse admirável anglo-americano.

No momento, ao Brasil apresentam-se possibilidades de passar de importador de modas ligadas à pessoa – ao homem, à mulher, à criança – a exportador. Para tanto não lhe falta matéria-prima da melhor qualidade, sob a forma de fibras, linhos, algodões, couros, essências para perfumes, tinturas, ouros, pratas, peles e dentes de animais.

Será que a modas de vestir, de calçar, de pentear, vêm correspondendo modas da pessoa ou da família abrigar-se, reunir-se, afirmar-se, definir-se? Pode-se responder que sim.

É um setor em que igualmente o Brasil tem importado do estrangeiro, modelos ou feito, de certos modelos importados, modas correspondentes a expressões regionais ou nacionais de *status* de indivíduos, de famílias, de grupos ou de classes sociais. Mas sem terem deixado de haver, desde o século XVI, tendências a adaptações tais de modelos, em vez de propriamente importados, lembrados ou guardados na memória e trazidos, por colonos de maior poder econômico, a condições encontradas por eles em terras ainda selvagens ou agrestes ou incivilizadas.

O que parece ter acontecido pioneiramente, mais na chamada Nova Lusitânia que em São Vicente: as duas vanguardas de colonização lusitana do Brasil em que aconteceram, em maior número, ou de modo mais significativo, pioneirismos de adaptação de colonizadores madrugadores a espaços quase de todo virgens de presenças civilizadas.

O exemplo arquitetônico da casa-grande

Daí poder-se falar de uma casa-grande brasileira constituída, no século XVII, em clássico de arquitetura residencial na área onde madrugou, no Brasil, com o êxito da agricultura da cana e do fabrico de açúcar exportável. A primeira sociedade colonial econômica e socialmente estável. Pois os começos em São Vicente de experimentos no mesmo sentido foram bem menos significativos.

O que é clássico em arquitetura? Há uma arquitetura que, pela sua duração, permanência, funcionalidade, mereça como tal ser distinguida das arrogante e efemeramente experimentais e podendo, assim, ser considerada clássica? Admitida tal possibilidade, pode-se considerar clássica, como arquitetura, uma casa-grande brasileira. A residência dos responsáveis pela produção de açúcar, em casas-grandes patriarcais, acompanhou pragmaticamente esse rendimento. Era uma ostentação de prosperidade.

Especifique-se: importante a substituição, verificada sem demora, para o trabalho de campo, do braço indígena, precário por excessivamente móvel, instável, nômade, pelo braço afro-negro, da consolidação dessa substituição essencial resultou a construção de acréscimo indispensável às casas-grandes: as senzalas, para abrigo dos escravos afro-negros. Ao desenvolvimento de uma e outra, impôs-se – pormenorize-se – dado o caráter religiosamente católico da emergente civilização luso-tropical, a construção de outro acréscimo, este de caráter tanto ético como místico: a já referida capela. A capela como parte do complexo casa-grande-senzala. Como parte do que, nesse complexo, viria a ser uma interpenetração entre senhores e escravos, em termos não apenas sexuais e materiais como imateriais ou espirituais.

De onde, com o avanço dessa interpenetração, à arquitetura da casa-grande, em vários casos, completada por vasta senzala, ter se passado a acrescentar a construção de uma capela, sob a invocação de santo protetor do complexo. Daí, não só engenhos de açúcar e, com eles, casas-grandes e as senzalas complementares, com nomes de santos. E, junto a esse fenômeno não-econômico, capelas de engenhos tornadas obras de arte arquitetônica de um tipo particularmente artístico. Arquitetura em formas arquitetônicas das próprias casas-grandes, embora, no seu conjunto, superadas em suas variantes, com elas tendo passado não só a simbolizar como a constituir alguma coisa de socioeconomicamente importante, na formação brasileira: expressão da força da iniciativa privada em face de poderes oficiais e de poderes eclesiásticos.

Até aqui a casa-grande patriarcalmente brasileira como um tipo inicial, não só social como ecológico – duplo, portanto –, expressivo de um empenho corajoso: o de estabilização de civilização europeia em espaço não-europeu. Ponto de partida a que viriam a seguir-se empenhos de complementação de esforço inicial, tendo, na casa-grande patriarcal, sua primeira expressão arquitetônica, não só material como, pelo seu desempenho social, transmaterial. Ao que se acrescentou sua continuação como definição de um empenho socialmente ou socioeconomicamente consolidador: o que veio a constituir-se numa sociedade luso-tropical brasileira, pioneiramente euro ou lusa, nas suas origens. Mas crescentemente brasileira. E desde suas origens, não criação oficial de reis ou da teológica e clerical da Igreja Católica, e, sim, expressões de uma quase autocolonização, apoiada, em grande parte, no que casas-grandes patriarcais começaram a representar de criatividade pré-nacional. Inclusive projeção de poder político não-oficial. Não-metropolitano. Tendente a autônomo.

De onde vir se sugerindo, desde o livro *Casa-grande & senzala*, ter esse complexo socioarquitetônico, como expressão de uma economia privada e não-estatal, constituído base de desenvolvimento, no Brasil, de dupla formação ibérica, de um como que neocapitalismo. De uma economia criativamente neocapitalista. Iniciativas, suas construções, em grande parte, particulares, em vez de dependências passivas de governos ou de instituições paternalmente metropolitanas.

A base de tal sistema representado por casas-grandes canavieiras, repita-se que quase, elas próprias, foram autocolonizadoras de um futuro Brasil, dado que, ao seu número, rapidamente multiplicado no Brasil canavieiro-açucareiro, não tardaria a virem acrescentar-se construções mais que residenciais, do mesmo tipo socialmente arquitetônico, correspondentes a outras bases ecológicas e econômicas: gado e algodão, entre elas. Isso até o fim do século XVIII, quando o açúcar brasileiro começou a ser substituído pelo café, depois de já ter tido competidor valioso – repita-se – no gado e, a certa altura e por algum tempo, no algodão, além da mineração ocorrida nas Gerais.

Iniciativa particular na formação brasileira

Sugestões saídas do livro *Casa-grande & senzala*, e aplicadas a toda uma reinterpretação globalmente socioeconômica da formação brasileira, resultaram numa teoria dessa formação enfatizadora do que nela foi iniciativa particular: uma teoria familista. Reinterpretação que passou a verificar-se ter, paradoxalmente, se assemelhado mais, através do que houve nela de autocolonização – processo simbolizado pela criatividade representada pelas casas-grandes patriarcais e, nos seus inícios e na sua consolidação, inevitavelmente escravocratas: daí a importância assumida pelas senzalas – ao processo colonizador britânico que ao espanhol. Ao processo colonizador britânico, em operação nas colônias desse tipo social, estabelecidas e vantajosamente desenvolvidas na América do Norte, do que a processos, tão fortemente estatais como fortemente teocráticos, em operação na América espanhola mais submetida a reis e a bispos do que o Brasil. Assemelhou-se, paradoxalmente, o processo brasileiro, neste particular, ao anglo-americano, pelo vigor da iniciativa privada.

Católicas e obedientes a reis, as duas Américas, portuguesa e espanhola, o Brasil o foi, muito menos. Menos passivo nessa submissão, que oficialmente caracterizou de tal modo a América espanhola que, sobre ela, foi marcante a ação dos politicamente dominadores reis, ao lado da ação teológica da Igreja, através de poderosas autoridades e de tentativas de tentaculares controles eclesiásticos. Através de catedrais magníficas em suas expressões quer artisticamente arquitetônicas, quer funcionais, na América espanhola. Mas não na portuguesa.

Daí, este fenômeno arquitetônico característico do Brasil quando ainda colônia: o de nele terem surgido, desde o século XVII, casas-grandes, nas suas dimensões físicas de construções para residências de famílias, por vezes, monumentais. Ou como a de Garcia d'Ávila, na Bahia, ou a de Megaípe, em Pernambuco, com características esteticamente notáveis a juntarem-se a expressões de grandeza ou amplitude física.

Enquanto, dentro das assinaladas semelhanças entre o processo colonizador dominante na América de língua inglesa e o dominante na América de língua portuguesa, desta última – isto é, do Brasil – é que pode-se dizer ter desenvolvido um mais notável tipo socioarquitetônico de residência senhorialmente rural. Tipo arquitetônico de residência que se constituiu numa moda de alcance social.

Na obra complexa que é *History of the English speaking peoples* (Nova York, Londres, Toronto, 1943), os eruditos autores, o professor R. B. Mourat, da Universidade de Bristol, e o professor Preston Silosson, da Universidade de Michigan, concluem, da arquitetura doméstica na América colonial de língua inglesa, não ter apresentado formas de arte merecedoras de apreço, pela sua americanidade. Teriam sido imitações passivas das europeias. Não se constituiu, tampouco, numa moda seguida significativamente. Surgiram construções de pequenas casas de residência de madeira, em lugar de pedra.

Observe-se, entretanto, de mansões de plantadores de algodão e de tabaco do sul da América inglesa terem tomado, a certa altura, como construções em material durável, aspectos de sobranceria arquitetônica patriarcal ou familial, comparáveis aos de casas-grandes do tipo grandioso, características do Brasil: algumas, as brasileiras, desde os começos coloniais como a do citado Garcia d'Ávila e a citada Megaípe, com torres, no século XVII, semelhantes às de castelos pelos seus arrojos heráldicos.

Para o que foram afirmações arquitetônicas em residências do Sul aristocrático dos Estados Unidos, veja-se *The founding of American civilization*, de Thomas Jefferson Wertenbaker (Nova York, 1942). Interessantíssimo o capítulo "Manor-house and cottage". Contraste-se com o que se diz, nesse capítulo, a abordagem do assunto habitação, por aqueles outros observadores: Mourat e Silosson.

Sabe-se o sulista Thomas Jefferson ter dispensado atenção especial à sua residência patriarcal de Monticello, onde parece ter seguido hábitos ou modos senhoriais – a despeito do seu liberalismo político – semelhantes aos de senhores rurais brasileiros. Inclusive quanto a ligações, dele próprio, com mulheres de cor, escravas, das quais estudos recentes sugerem ter ele tido filhos mestiços. Modos senhoriais, enfatize-se.

Em vez de catedrais, casas-grandes monumentais

É do livro *Casa-grande & senzala* a observação de terem faltado, ao Brasil, catedrais da grandiosidade das da América espanhola. Expressão do fato de nunca ter havido, no Brasil colonial, um domínio eclesiástico, partido de sedes de bispados e arcebispados, de abadias, de mosteiros, de colégios de padres, semelhante ao que ocorreu na América espanhola. Pode-se sugerir que um dos obstáculos a essa espécie de domínio oficialmente teocrático, no Brasil colonial, foi o representado por capelas particulares de casas-grandes, com capelães mais ligados a esse sistema ou a esse complexo socioeconômico – o de casas-grandes completadas por senzalas – que, submetidos a bispos, arcebispos, abades ou, mesmo, jesuítas. Com esses poderes religiosos tão poderosos, pode-se sugerir ter chegado o sistema casa-grande-senzala a medir forças, no setor educacional, através de um alcance, além de econômico, pelo uso de escravos, de educação de meninos brasileiros, de várias origens étnico-culturais, por intermédio de capelães de engenhos: educação de todo diferente da jesuítica. Um exemplo: os jesuítas foram, no Brasil, adeptos da separação, em sua educação, de filhos de senhores e filhos de escravos afro-negros, tendo chegado a ser advertidos, por insigne rei de Portugal, contra esse, para o rei, desvio de inspirações cristãs seguidas por Portugal. É o que documenta o livro *Casa-grande & senzala*. Quanto a não ter havido, em casas-grandes brasileiras, quando cristãmente patriarcais, rígidas separações entre crianças brancas e crianças de cor, sabe-se de capelães terem ensinado a ler e a escrever, a contar e a rezar e até iniciado no estudo de latim e de outras matérias meninos não só brancos como pretos e pardos. Daí, desde dias coloniais, pretos e pardos, no Brasil, filhos de escravos – que o digam exemplos magníficos como o de Teodoro Sampaio, filho de escrava de senzala –, terem se destacado por inteligências e por saberes superiores, consagrados pelas comunidades que souberam honrá-los e valorizá-los.

Quanto a grandezas físicas de expressão arquitetônica ter a casa-grande patriarcal, em parte, substituído a falta de esplendores, no Brasil, como os da Catedral do México, o da Catedral do Peru e outras notáveis catedrais da América espanhola, esteticamente imponentes em suas aparências e, socialmente, em suas funções, repita-se, de, ao Brasil colonial, não terem faltado casas-grandes completadas por senzalas e por capelas, nos conjuntos arquitetônicos que formaram, de dimensões monumentais. Que o diga a imensa casa-grande do Engenho Noruega, de Pernambuco. Que o digam casas-grandes fluminenses igualmente monumentais, além de senhoriais residências de grandes estancieiros do Rio Grande do Sul, rivais, nesse particular, de senhores de engenho do Recôncavo Baiano e da "mata" pernambucana e do Rio de Janeiro. Um Rio de Janeiro, desde dias remotamente coloniais, já notável por casas-grandes do tipo monumental.

Os estadunidenses estão começando como que a descobrir a importância arquitetônica dos equivalentes, naquela parte do continente americano de formação inglesa, de casas-grandes brasileiras, a seu modo, patriarcais e escravocratas. Não faltaram elas ao seu Sul aristocraticamente agrário nos grandes dias do algodão e do tabaco. É recente a publicação de álbum que documenta o que chegou a ser, em certos casos, a opulência dessa arquitetura numa civilização, com pendores aristocráticos, semelhante à brasileira. Pendores que o Norte superou, ao terminar sangrenta guerra, pela eficiência do seu ânimo antiagrário e pela sua opção por começos de arrojos industriais com projeções sociais especificamente burguesas-proletárias, em começos que só fizeram se desenvolver.

No Brasil, está por aparecer apresentação graficamente excelente do que chegou a ser, em dias agrariamente criativos de sua economia, um tanto devastada por um quase não sangrento equivalente da guerra civil dos Estados Unidos, casas-grandes patriarcais não só do tipo monumental como do médio e até do pequeno – mas simbolicamente "grandes" – de significativas expressões arquitetônicas. E criativamente brasileiras por terem representado, em expressões arquitetônicas, um processo de quase autocolonização superior, em vários pontos, ao de colonização especificamente metropolitana. Uma arquitetura, a dessas casas, expressiva de uma brasileiridade, sob alguns aspectos, mais social e culturalmente significativa que a somente afirmada em termos arquitetonicamente artísticos. Entretanto, sem arquitetos heroicos. Sem arquitetos geniais. Talvez mais realizada por bons mestres de obras do que por arquitetos ostensivamente acadêmicos.

Mesmo admirando-se, nas significativas casas-grandes brasileiras do tipo monumental – como que compensações da ausência de catedrais do porte das da América Espanhola – deficiências de apuro ou primor estético, sua monumentalidade situa-as como quase equivalentes dessas catedrais, dado terem sido afirmações de uma grandeza, no Brasil, desde dias coloniais, expressiva – repita-se – de um vigor de iniciativa privada que teve neles, além de expressão, afirmação de vigor, a princípio pré-nacional, de certa altura em diante, já nacional.

Arte arquitetônica e sedentariedade

Será que esse vigor pré-nacional – expressão, como o dos bandeirantes, de um constante movimento horizontal, de uma insistente busca de espaço mais amplo, embora quase sempre ecologicamente tropical e desdenhoso, o movimento bandeirante, de formas fixas de habitação – teve a negação de sua dinâmica, na sedentariedade, representada tanto vertical como horizontalmente por construtores senhoriais de casas-grandes fixas e, também elas, ecologicamente tropicais em suas predominâncias? O assunto "sedentariedade" é amplamente considerado no livro – tradução – *Etnobiologia, bases para el estudio biologico de los pueblos y el desarollo de las sociedades*, por Ilse Schwidetzky (México, s.d.). Obra escrita originariamente em 1956, em que se acentua a capacidade do homem de modificar – modo de homem – condições de ambiente físico, adaptando-as à sua existência e aos seus desígnios, não se deixando de reconhecer o vigor das ecologias como fator condicionante.

Das casas-grandes patriarcais brasileiras como expressões de sedentariedade, criativa, pode-se observar terem se tornado válidas em diferentes condições de clima dos característicos do espaço pré--nacional e, depois, nacional, do Brasil. Teriam, portanto, corrigido, em povoadores de várias áreas desse espaço, exageros de mobilidade e de furor migratório e até nômade, de bandeirantes e equivalentes de bandeirantes como cearenses mais nômades. Daí a glorificação do tipo heroico do bandeirante – notável em seus modos de homem – caber, contrapondo-se o reconhecimento do valor do ânimo sedentário dos que se fixaram, por vezes verticalmente – verticalidade de sobrados rurais monumentais –, em casas-grandes patriarcais, como a referida casa-grande de Noruega. Foram expressões do que houve, nesses sedentários, de positivo, de construtivo, de criativo. Foram expressões do que pode haver de positivo, de construtivo, de criativo, numa vocação e em ânimos antes sedentários do que aventurosamente migrantes. Ânimos sedentários favoráveis a modas de mulher.

Oscar Niemeyer e o modelo arquitetônico das casas-grandes

De quem a maior consagração, em termos os mais modernos, do modelo de arquitetura constituído pela casa-grande brasileira susceptível de modernização? De Oscar Niemeyer, quando, em Brasília, quis construir e construiu residência, a seu ver, ecológica, para ele e para sua família. Com o que afastou-se da Semana de Arte Moderna, de São Paulo, e aproximou-se do Movimento Regionalista, Tradicionalista e, a seu modo, Modernista, do Recife, da mesma década de 1920. Afastou-se de modos de homem e aproximou-se de moda de mulher: a casa patriarcal.

Fato significativo. Não deve passar sem registro. O modernista, adepto de importação de modelo centro-europeu, de nova arquitetura –, aliás quase de todo impróprio para uma Brasília monumental nas suas construções públicas, oficiais e também para as grandiosamente particulares –, ao ter de construir, na mesma Brasília, casa própria de residência, repudiou a moda arbitrariamente importada e optou pela tradicional e ecológica.

Lembre-se que à casa-grande, pioneiramente patriarcal, constituída em moda de residência, em termos brasileiros – residência nobre, hospitaleira, senhorial, dominante e, decerto, tendente a ecológica –, não faltou acompanhante, como expressão de extremo social oposto: o ecologíssimo mucambo, pioneiro de uma moda, rusticamente brasileira, de habitação de brasileiro pobre, que vem sobrevivendo e encontra-se no Brasil atual.

É digno de registro o fato de que, fundado no Brasil, no governo Getúlio Vargas, um chamado, no seu início, Serviço de Patrimônio Histórico e Artístico Nacional, tendo por organizador e primeiro diretor homem competente e íntegro, Rodrigo Mello Franco de Andrade, sua primeira publicação foi estudo sobre o mucambo – então demagogicamente detratado. Nesse estudo é o mucambo, de modo cientificamente social, reabilitado, com suas virtudes ecológicas, higiênicas e, a seu modo, estéticas, postas em relevo. Estudo – *Mucambos do Nordeste* (Rio de Janeiro, 1937) –, enriquecido por excelentes ilustrações de D. Ismailovitch e M. Bandeira, orientadas pelo autor – o mesmo autor de *Casa-grande & senzala* (Rio de Janeiro, 1933) – e que concorreu para o caráter de pioneiridade como que absoluta do livro.

Diz-se, no livro *Sobrados e mucambos* (Rio de Janeiro, 1936), ser o mucambo construção tipicamente primitiva na sua expressão – ameríndia e, depois, também afro-negra – sociologicamente cultural, mas ter recebido influência europeizante: a de choupanas campesinas do próprio Portugal. Sendo, porém, quando mais ortodoxo, de material teluricamente brasileiro: palha, fibra, capim. Ecológico. Higiênico quando construído sobre solo saudável. Susceptível de ser melhorado em sua condição higiênica, por piso que resguarde o morador de solos, quando cruamente naturais, desfavoráveis ao seu bem-estar.

Pode-se dizer do mucambo – pioneiramente estudado por mestre Bezerra Coutinho – ter se constituído, no Brasil, em moda de habitação popular, superior, ecologicamente, a construções rudimentarmente europeias. Superior em suas vantagens de adaptação a condições tropicais.

Compreende-se uma consagração, pela boca do povo, do mucambo do tipo mais ecologicamente higiênico ou mais higienizado, a justificar uma exaltação de sua posse, relativamente fácil, como casa de pobre. É como se tendesse a haver uma glorificação, em termos populares, dessa posse, que significasse uma espécie de lirismo em torno da residência em mucambo como casa própria. Pelo que chegou a ser moda ufanar-se o brasileiro modesto, dono de casa própria, de chamá-la, liricamente, mesmo quando menos de palha que de taipa, mucambo. Pelo que pode-se generalizar ter se tornado moda brasileira morar-se dignamente em mucambo.

Modas de residências brasileiras

Quanto a modas de residências, alta e mediamente burguesas, em torno de específicos tipos de arquitetura importada, destaque-se a voga que chegou a ter o chalé. Voga que, de urbana, estendeu-se a espaços rurais, conseguindo substituir, como moda arquitetônica, o modelo tradicional de casa-grande patriarcal: o que Euclides da Cunha chegou a desdenhar como sendo, segundo frase enfática que se tornou oralmente célebre, de estilo "terrivelmente chato". O chalé parece ter impressionado donos de casas dessa forma tradicional e honesta de arquitetura, como substituto com tendência a vertical. Daí não terem sido poucos os casos, no século XIX, dessa substituição de estilo honestamente tradicional e ecológico de arquitetura doméstica, pelo importado da Suíça. O qual se tornou moda, ao que parece, partida principalmente do Recife, onde, em 1839, a chamado do então presidente da província, Francisco do Rego Barros, chegou missão técnica, com operários especializados em construções, dirigidos por certo Augusto Koersting. Tal missão técnica introduziu, no Brasil, não só o chalé para residências com andares térreo e primeiro, como estilos pretensiosamente estéticos, na sua maneira de serem novas e inovadoras modas arquitetônicas, como o toscano e, até, o gótico. O que criou situações críticas para os já acomodados estilos tradicionais de casas e de sobrados patriarcais. Casas de quatro águas, os beirais com as pontas orientalmente arrebitadas em asas de pombo ou em cornos de lua.

A nova moda consagrou, em sobrados urbanos de residência, cornijas construídas a molde, o estuque, as vergas de alvenaria. Mas chegou a afetar casas-grandes patriarcais de engenhos. Como exemplo dessa extensão de influência de novas modas de arquitetura doméstica e espaços rurais e a casas-grandes tradicionalmente características desses espaços, recorde-se a modernização sofrida, em Pernambuco, no meado do século XIX, de antiga residência já de todo harmonizada com o ambiente: a do Engenho Gaipió.

Mas a resistência das casas-grandes patriarcais de estilo tradicional foi notável e preponderante. A sobrevivência, em Megaípe, do que vinha sendo sua arquitetura de solar com torres, desde o século XVII, continuou a dominar a paisagem. Continuaram o que eram as casas-grandes mais tradicionais de Pernambuco: Noruega, a mais importante dentre elas. O "Escorial rústico", de caracterização célebre de Luís Cedro Carneiro Leão, para acentuar o que, nesse vasto solar, eram tradição e monumentalidade. Monumentalidade já característica da casa-grande do Engenho Moreno. Da do Engenho de Sebastião (Wanderley). Da do Engenho Monjope. Da do Engenho Morim. Casas-grandes patriarcais caracterizadas por uma privacidade que as modas arquitetônicas introduzidas por Koersting e seus técnicos norte-europeus tendem a substituir por um aspecto de edifícios públicos dado a residências patriarcais. Aspecto até de teatros, de tão vistosas.

Entretanto, não foram de todo raras as casas-grandes rurais, substituídas, no Brasil mais antigo, por chalés de dois vistosos andares. Verticais em vez de predominantemente horizontais.

Novos tipos brasileiros de residências

Quase na mesma época, começou a verificar-se no sul do Brasil, já enriquecido por valiosas presenças alemã e italiana, o aparecimento de novas modas de residências. Principalmente a de origem germânica, em Santa Catarina.

Compreensível que destoassem da tradicionalmente brasileira de casas-grandes e sobrados patriarcais. Que se utilizassem, dentro de tradições alemãs, de madeiras brasileiras para suas construções. Que inovassem, como modas de construção de residências no Brasil. O que também fizeram brasileiros de origem polonesa, húngara, japonesa.

Inovações arquitetônicas que ocorreram, também no Rio de Janeiro, com a chegada da Missão Francesa nos dias de Dom João VI. E sob a influência – quanto a novas modas de arquitetura – de Grandjean de Montigny. Inovações arquitetônicas que não se verificam isoladas de outras inovações. Várias as modas que, nesses dias de transição sociocultural, se verificaram em outros setores.

Novos tipos de edifícios e novos tipos de móveis

Às novas modas francesas de construção de edifícios, juntaram-se novas modas de móvel e – como já se observou – de trajo. Novas modas de transporte: as carruagens inglesas vindas de Londres juntamente com o vidro e com o ferro para novos tipos de construção. O crescente desaparecimento de palanquins e de redes para o transporte aristocrático de pessoas. Novas modas de móvel e de alimentação domésticos. Muitas as novas modas de alimentação das classes altas através de importações de alimentos elegantemente europeus. Manteiga inglesa. Queijos e cervejas inglesas. Presuntos também ingleses. Vinhos franceses. Biscoitos enlatados. Pinturas para barbas de homem e cabelos de mulheres. Remédios, também europeus, com suas modas dependendo de anúncios nas gazetas da época. Moda de porcelanas europeias – principalmente francesas – para jantares. Para chás. Porque a moda à inglesa do chá à maneira britânica juntou-se ao que era, já, gosto luso-brasileiro pelo chá chamado da Índia. Moda semelhante à de fumo inglês a que, entretanto, resistiram charutos e rapés de origem principalmente baiana. Moda do gelo. Moda do sorvete. Mais modas de mulher que modos de homem.

Modos de uso de produtos de fábricas europeias, sob uma mística de extrema idealização do que fosse mecânico, tecnológico, fabril, sobre o que sobrevivesse como artesanal. Mas com o vinho de caju, o fumo caboclamente picado, o tamanco, a culinária tradicional, resistindo – como modas – através de não poucos brasileiros apegados a tradições, a avalanche de modas favoráveis ao uso de artigos importados.

Pode-se observar que, na produção de móveis, o Brasil, a certa altura – o meado do século XIX –, tomou notável impulso, como modo e como moda. O móvel brasileiro, de jacarandá, de vinhático, de outras madeiras brasileiras nobres, passou a competir vantajosamente com o importado, tendo se tornado moda um tanto patriótica ostentá-lo em casas elegantes. Os próprios marceneiros estrangeiros, dentre os mais magistrais, como os franceses Béranger, pai e filho, e o alemão Spieler, capitulando diante das virtudes das madeiras tropicalmente brasileiras, juntaram-se aos nativistas leigos na devoção pelos móveis de todo nacionais. Sabe-se de Spieler ter se tornado um quase caboclo nesse particular. Tanto que deu inteiro apoio a leis que proibissem a importação de móveis europeus.

Verificou-se não pouca saída de móveis brasileiros de jacarandá e de vinhático para a Europa. Também ingleses que, tendo em alto apreço relógios britânicos de uso doméstico, juntaram a ânimo patriótico a admiração pelo jacarandá brasileiro. E tornaram-se possuidores de relógios ingleses colocados dentro de caixas do mais nobre jacarandá.

O que ensinam anúncios de leilões

Anúncios de leilões de móveis domésticos brasileiros ocorridos na segunda metade do século XIX acusam a presença, neles, como inícios de modas, de inovadoras máquinas de cortar presunto, facas e garfos europeus, colheres europeias, ferros de engomar, para a época requintadamente modernos, máquinas disto, máquinas daquilo, mas deixando claro dos estrangeiros que regressavam à Europa o fato de levarem consigo, além de móveis de madeiras nobres, redes das tecidas por mãos de artistas femininas segundo modelos, algumas delas, ortodoxamente indígenas. Daí a presença de redes brasileiras em elegantes residências de europeus, por algum tempo residentes no Brasil, ter se tornado um requinte da parte desses europeus. Um requinte e, para alguns, uma saudade. Inclusive, para certo inglês, por algum tempo gerente, em cidade brasileira, de importante banco britânico, que, tendo sido obrigado a regressar às névoas do seu país, para procurar defender-se delas, levou consigo – era um solteirão um tanto erótico – rede rendilhada de recordações, para ele, de amores com brasileiras de cor pelas quais se deixara encantar de modo o mais volutuoso. Mas verificou que a rede não bastava para matar saudades tão específicas. Fez o possível para voltar ao Brasil. Recorreu a amigos brasileiros para que encontrassem, para ele, função comercial brasileira. Mas não tendo tido êxito nessa pretensão, confessou, em Londres, a amigo brasileiro, ter tido de valer-se de mulher britânica de cor, de Barbados, para participar com ele de embalos da rede, tornada objeto de fixação quase freudiana de sua saudade do Brasil.

Veio a caber a suíços a arte ou a ciência de redução da rede a uma senhora cadeira, confortável e quase de balanço, que eu próprio encontrei à venda em vitrine de loja alemã. Não se subestime o que a rede passou a adquirir de valor simbólico aos olhos de estrangeiros por algum tempo residentes no trópico brasileiro. Do poeta João Cabral de Mello Neto são versos magníficos de exaltação do embalo da rede, em termos como que patrioticamente brasileiros. Poderia ter escrito outros, falando enfaticamente por europeus que se deixaram empolgar, no Brasil, pela doçura volutuosa oferecida a homens, vítimas do *slogan* de que "*time is money*", por outros embalos, ritmos, carícias, através dos quais a rede parece dizer a tais homens para repousarem nela, esquecendo-se das horas marcadas pelos relógios.

A rede está ligada à brasileiríssima volúpia do cafuné. Volúpia estudada, sob critério psicanalítico, pelo insigne mestre francês Roger Bastide, em livro que revela quanto esse europeu, mestre da Sorbonne, se aprofundou no estudo de intimidades do sentir brasileiro. Nunca é demais louvar-se nele a análise que realizou do cafuné brasileiro. Seus *Estudos de sociologia estética brasileira* (Curitiba, 1914) são verdadeiramente magistrais.

Rede e cafuné: brasileirismos

Diga-se do cafuné que foi moda intimamente brasileira que merecia a atenção cientificamente social que lhe dedicou o professor Roger Bastide, segundo ele, inspirado pela leitura do livro *Casa-grande & senzala*. O que mostra quanto a história íntima é valiosa ao debruçar-se sobre aparentes pequenas modas, cujas vogas ou modas têm seus significados dignos de atenção. Se houve uma moda de cafuné, é que tinha um desempenho de relacionamento volutuoso – ou particularmente amistoso – entre quem sabia dá-lo com arte e quem se deliciava em recebê-lo com extrema receptividade.

Embora a moda do cafuné tenha vigorado, principalmente, através de especial relacionamento de mucama com senhor deitado em rede, teve outras expressões no Brasil: o cafuné dado em mãe por filha; por neta, em avô. O cafuné acompanhado do carinho de pessoa jovem por pessoa querida, a tornar-se idosa, ao tirar-lhe os primeiros cabelos brancos.

Intimismo característico de um relacionamento interfamilial brasileiro, que parece ter sido dos mais carinhosos nesse tipo de convivência tipicamente patriarcal. Tipicamente patriarcal e, talvez, tipicamente luso-brasileiro. Aos exatos equivalentes dele, noutras sociedades patriarcais da parte espanhola do vasto mundo ibérico, faltam testemunhos de suas origens étnico-culturais.

Um observador francês que, cem anos antes de Roger Bastide, poderia nos ter deixado testemunho pessoal do que observou de aspectos íntimos da vivência brasileira, de que ele participou em Pernambuco, foi Louis Léger Vauthier. Um Vauthier que, na década terceira do século XIX, criou novas perspectivas para serviços de modernização da então província do Império, na qual, recém-formado pela Escola Politécnica de Paris, assumiu o cargo de diretor das Obras Públicas. Substituiu militar brasileiro ilustre que nunca se conformou em ceder a um estrangeiro responsabilidade tão importante. Mas a designação do presidente da província, Francisco do Rego Barros, foi para valer. Vauthier tornou-se um quase ditador no desempenho de suas funções. Iniciou reformas que importaram na criação de novas modas de administração, ligadas a novas visões tecnológicas. Muito ferro a substituir madeira. Nada menos que uma revolução, ao mesmo tempo que administrativa, técnica e, até, científica.

Arte e engenharia

Descobriu de bom na arquitetura tradicionalmente portuguesa que encontrou em parte tão tropical da América, não poucas virtudes. Bom justamente como adaptação de tradições portuguesas ao trópico. A arquitetura à moda antiga significava uma engenharia física que o lúcido inovador francês logo sentiu constituir uma sensata arte de adaptação de construções europeias a espaços não-europeus merecedora do seu apreço. Cabia-lhe lançar novas modas europeias de Engenharia Física em espaço já europeizado lusitanamente. Suas novas modas seriam francesas. Refletiriam saber por ele adquirido numa Politécnica – a de Paris – na época, talvez, no gênero; o mais primoroso centro europeu de moderníssimas técnicas.

De Vauthier sabe-se com certeza ter criado uma moda de edifício público segundo plano por ele próprio traçado para a Cadeia da Vila do Brejo. É um plano em que são aproveitados usos portugueses de construção e no qual o material utilizado foi o local. Mas acrescentando-se ferro a madeiras. Trabalho técnico. Um exemplo por ele deixado foi o máximo escrúpulo quanto à qualidade do material. Exemplo de uma preocupação ética nem sempre, na época, e ainda hoje, de construtores de prédios públicos.

Daí o uso de barro do melhor. Também de pedra da melhor. E nada de areia de água salgada. Vauthier foi rigorosíssimo em servir-se de areia de rios, evitando, assim, umidade nas paredes.

Com relação a casas de residência elegante, de que Vauthier parece ter sido mais inspirador que puro construtor – como a depois dos Correia de Araújo no depois Parque Amorim –, quebrou-se a moda rigidamente patriarcal das alcovas internas, seguida num como excesso de prudência ou cautela quanto a raptos de sinhazinhas donzelas por don-juáns inescrupulosos. Vauthier teria assim estendido as novas modas de construção de residência de que teria sido inspirador, da pura técnica, a uma modernização de perspectiva social. Teria construído para a moda de alcovas para sinhazinhas, dotadas de janelas, em vez de segregadas.

Vauthier e o Brasil

A Vauthier está ligada à introdução, no Recife, de novas modas e de novos modos de higiene pública, de saneamento e não apenas de novas técnicas de construção de estradas que passaram a ligar o litoral com o interior. Também a ele se devem novas modas, no Brasil, de distribuição de água às casas.

Tendo regressado Vauthier à Europa, depois de seis anos no Brasil, sua ausência não significou alheamento a coisas brasileiras. Foi sob sua direção que o Recife foi dotado de mercado em edifício de ferro, pré-fabricado. E relatório da Comissão de Higiene Pública de Pernambuco, publicado em 1955, acusava influência de ideias modernizantes de Vauthier, ao insistir na necessidade de novos modos e de novas modas não só de despejos das casas como de maior aproveitamento de luz solar e de ventilação. Que se acabasse de vez com a prática anti-higiênica de deitarem-se nas ruas não só lixo como excremento. Que se deixasse de permitir a instalação de estrebarias junto a residências. Que se localizassem fora das cidades cocheiras, padarias, oficinas de caldeireiros e ferreiros, com ruídos que perturbavam os moradores. Ideias tanto dele como do médico brasileiro formado em Medicina na França, Joaquim de Aquino Fonseca, de zoneamento urbano, desde que em Pernambuco, como em todo o Brasil, continuavam abusos e desapreços criminosos contra a saúde pública.

Foram inovações, reformas, modos e modas de modernização, trazidas por Vauthier ao Brasil, não menos importantes que as que já haviam notabilizado a presença de Grandjean de Montigny no começo do século. Modas francesas. A França a comunicar ao Brasil isoladamente lusitano francesismos que trouxeram a esta parte do mundo aplicações de saberes desenvolvidos pela Escola Politécnica de Paris.

E com esses saberes Vauthier introduziu no Brasil um tipo de Socialismo tipicamente francês no seu modo de procurar ser melhorista: o de Fourier. Não se deixe de assinalar em Vauthier o propagador, entre brasileiros, de ideias de Fourier. Curioso que essa propagação fosse realizada por técnico trazido ao Brasil por um conservador como Francisco do Rego Barros, aliás, conde da Boa Vista, de educação francesa. Mas realizada aberta e ativamente. Com brasileiros ilustres como Nabuco de Araújo, atingido por essa catequese socialista.

De onde ser possível sugerir-se das ideias de Fourier, propagadas por Vauthier, terem tocado Joaquim Nabuco ainda menino e lhe aberto os olhos a perspectivas sociais que ele seria dos que, no Brasil, como parlamentar, se anteciparam a juntar a programas tendentes a criarem novos modos e novas modas de ação política. Novas modas de ação social.

O fato de Vauthier, como engenheiro formado pela Politécnica de Paris, ter inspirado ao Brasil novas modas de arquitetura urbanamente doméstica, com janelas, não em salas de frente, mas nas próprias alcovas, indica como sua atuação foi além da de reformador de normas no setor público: na de normas de higiene doméstica. De modo que o construtor do belo Teatro Santa Isabel fez sentir sua preocupação pelo bem-estar brasileiro, em setores nada teatrais: os íntimos, os domésticos, os caseiros.

Nunca é demais insistir-se, da História Íntima de um povo, que vem tendendo a ser, por vezes, mais importante que a grandiosamente pública, oficial, realizada principalmente por governos através de atos de todo públicos. A História Íntima vem, por vezes, condicionando a pública. O que importa em modificação do que seja importância histórica.

Também modificando o conceito do que seja importância de modas menos ostensivas em face das mais grandiosas. Da moda de substituir-se o remédio importado pelo nativo, tão ridicularizada quando apareceu, tendo por adeptos uns quase anônimos, pode-se dizer que é exemplo do que aqui se sugere. É uma moda que talvez tenda a crescer. O próprio fato de o remédio importado estar a tornar-se cada vez mais caro parece favorecer a substituição.

Mas não só isso vai influir num provável aumento do consumo de remédio nativo. A favor dele, parece começarem a agir os efeitos favoráveis desses remédios. É também o reduto, ainda virgem, de outros possíveis remédios nativos, atualmente já conhecidos não só por caboclos da Amazônia, como de Mato Grosso.

Se os entusiastas de tais remédios – expressões de formas terapêuticas ou profiláticas – são considerados, por gente sofisticada, lamentáveis ingênuos, não é essa a maneira por que estão sendo crescentemente recebidos remédios nativos, hoje científica e academicamente consagrados, em modas ou vogas. Modas ou vogas que, em seus começos, não impressionaram o público. Mas que acabaram se impondo pelos valores que passaram a atender.

Moda brasileira e ecologia

A Psicologia Social, por trás dos por vezes chamados caprichos das modas, é das mais complexas. A moda de calças para mulheres que o diga: vitória de unissex. Como vitória da mulher é direito da brasileira moderna para vestir-se de acordo com o exercício de funções outrora só de homens. Já a moda de saiotes para homens fracassou, embora apresentada – insista-se em destacar – pelo bravo, além de inteligentíssimo, atuante, Flávio de Carvalho.

Flávio de Carvalho: seu nome está voltando à tona como renovador tanto de letras como de artes brasileiras. Pintor dos mais originais que tem tido o Brasil. Criador de uma nova moda de retratos que superou, em originalidade, tanto a criada por Portinari como a seguida por Ismailovitch. Gaba-se o autor de uma coisa: de ter sido convocado por ele para prefaciar um dos seus vibrantes livros: *Os ossos do mundo* (Rio, 1936). É já um clássico, entre anticlássicos.

Porque há este paradoxo: artistas, escritores, pensadores, que se tornam clássicos, através de arrojos anticlássicos. O exemplo de Flávio de Carvalho, além dos de Oswald e Mário de Andrade. O do próprio Guimarães Rosa, que criou uma moda de escrever diferente da clássica, sendo ele próprio doutor em gramática e em escrever correto. Houve, certa vez, no Conselho Federal de Cultura, debate em que o ponto de vista do autor foi o de não ser necessário ao escritor criativo saber gramática. E o dele, imprevistamente, o de defensor extremado da pureza de saber gramatical.

Assunto, a expressão literária, em que as modas têm, no Brasil, como noutros países, chegado a choques violentos, com opções intransigentes. Célebre, nesse setor, o choque de Joyce e do seu modo novíssimo de tratar a língua inglesa, com modas de escrever a língua inglesa já consagradas: inclusive as de um moderno do prestígio de G. B. Shaw. Na língua portuguesa, não foi facilmente que Eça de Queirós, em Portugal, e, antes dele, José de Alencar, no Brasil, criaram novos modos e novas modas literárias de escrever, vencendo as quase religiosamente consagradas. Vencendo consagrações de português ilustre como, em Portugal, a de Alexandre Herculano e, no Brasil, a do grande Padre Antônio Vieira.

Até que vieram, nas décadas de 1920 e 1930, modas tão inovadoras de escrever-se a língua portuguesa que o próprio Alencar e o próprio Eça foram ultrapassados por elas. Inclusive pela nova expressão literária de José Lins do Rego, pelas dos dois Andrade, de São Paulo – sobretudo o de *Macunaíma* – e, posteriormente, por Guimarães Rosa. Isso sem deixar de haver quem duvide ter Guimarães Rosa verdadeiramente criado uma nova moda brasileira de prosa artisticamente literária. Seria uma espécie de equivalente da admirável inovação, sempre magnificamente experimental, nunca de todo consagrada, da prosa revolucionária de Joyce em língua inglesa. Mas triunfalmente seguros vêm sendo, no Brasil ou em língua portuguesa, sucessivos triunfos de novas modas de expressão poemática sobre as antigas. Que poeta de hoje, no Brasil, insiste em seguir o por algum tempo tão seguido – uma moda literária – Olavo Bilac? Nenhum.

Manuel Bandeira e Carlos Drummond de Andrade criaram, no Brasil, modas de expressão poemática, quase de todo triunfantes. As variantes são várias. Várias, dentro de modelos que vêm desses dois grandes renovadores de modas de expressão poemática.

Modas de expressão poemática em parte coincidentes com novas modas em música – Villa-Lobos o grande renovador – e com novas modas em artes plásticas: da arquitetura à pintura. Da arquitetura estética de Oscar Niemeyer – com obras-primas como a Catedral e o Itamaraty de Brasília – à pintura de Portinari, à de Cícero Dias, à de Di Cavalcanti, à de Tarsila do Amaral, à de Lula Cardoso Ayres, à de João Câmara, à de Francisco Brennand.

O que nos faz passar à consideração das modas de cores no Brasil. As modas de cores na pintura de casas. As modas de cores na decoração de interiores dessas casas. As modas de cores em automóveis. Às modas de cores em trajos, já se fez alusão. Com relação a móveis, lembre-se ter havido época brasileira em que foi moda pintar móveis de jacarandá.

Observe-se da pintura de móveis domésticos vir variando, entre brasileiros, das suaves às vibrantes. Também das graves às como que musicalmente agudas.

Isso ao lado de um apreço que se constituiu em moda quase liturgicamente elegante, pelos jacarandás, vinháticos e outras madeiras nobres, nas suas cores naturais.

Quanto a cores de trajos, já se tocou no assunto. Observe-se apenas que passou-se, por decisões elegantes não de todo aceitas pelas *societies*, a quebrar ortodoxias de preto no trato masculino solene, no qual vem se admitindo o *smoking* de cor. Mas com a casaca intocavelmente tão preta quanto a cartola: exceto a cinzenta, britânica, em certas ou especiais ocasiões.

As modas de cor de gravatas de homens são hoje várias e até contraditórias. Efêmeras, quase sempre. Simbólicas, por vezes. Personalíssimas, também, quase sempre. O que tem sido certo também de cores de meias, de sapatos, de mantilhas, à parte das de trajos.

Quando na sempre sábia *The Encyclopaedia Britannica* se diz – o autor está a repetir-se – de *fashion*, que, partindo do que é "*the action of making, hence the shape or form, which anything takes in the process of making*" torna-se "*the common or customary way in which a thing is done and so is applied to the manner of custom prevalent characteristic of a particular period*", chega-se a uma síntese perfeita de definição de um termo, a um tempo, complexo e flutuante. Sobretudo quando se refere a certos usos, certos artigos, certas coisas ou a inclassificáveis transcoisas. Entre as transcoisas, cores.

Mas entre as transcoisas – sentimentos, sensações, estados de espírito – há alguns dos quais também talvez se possa dizer estarem em moda ou terem passado da moda. Diz-se de certo brasileiro da família Wanderley, famoso como má-língua, que costumava dizer, a propósito dos que falavam mal dele: "Agora está em moda falar mal de mim". E um falar mal, com relação a pessoas tanto quanto a instituições, teorias, pensadores, ideias, livros, autores, artes, artistas, do qual se pode dizer que tem se manifestado em modas mais ou menos efêmeras umas, mais ou menos duradouras outras. Houve época, no Brasil, em que foi moda falar-se mal de Rui Barbosa, sucedida por período de tendência oposta: o da sua glorificação. Outra em que foi moda tão insistente falar-se mal, também no Brasil, de Pinheiro Machado. Tanto que, sob a pressão dessa moda, um neurótico foi levado a assassiná-lo. Também chegou a ser moda, na França, falar-se mal de Clemenceau. Moda, na Grã-Bretanha, falar-se mal de Churchill. Moda, na Espanha, falar-se mal de Afonso XIII. Moda, em grande parte do mundo, falar-se mal da Turquia. Moda, no Brasil, falar-se mal de Portugal e de português. Modas, as dessa espécie, quase sempre seguidas por modas em sentido oposto. A de falar-se mal, seguida pela de falar-se bem.

O mundo tem atravessado impactos contraditórios, sob a forma de modas, quanto a crer-se em Deus ou descrer-se de Deus. Quanto a crer-se em Cristo e descrer-se de Cristo. Quanto a crer-se na Virgem Maria e descrer-se da Virgem Maria. Quanto a ser-se católico romano e ser-se anticatólico romano.

Viu-se, há pouco, no nosso país, explosão de fervor religioso tal, em torno da doença do presidente Tancredo Neves, que o observador estrangeiro podia facilmente chegar a concluir ser moda, entre os brasileiros, manifestar-se explosivamente religioso. Na verdade, essa explosão parece ter correspondido a uma indiscutível religiosidade, a que só faltava motivo para explodir, como explodiu: quase violentamente.

O que parece suceder com outras explosões de sentimento que se têm constituído, em várias partes do mundo, em modas mais ou menos ostensivas, umas e outras, mais ou menos duradouras. Inclusive abusos de excitantes. Há sentimentos, instintos, repressões à espera de desafios para responderem a esses desafios, como que toynbianos, expressando-se não só em modos como em modas de reação violenta a proibições a comportamentos efusivos. Um exemplo, a própria moda dos Beatles na Inglaterra. Uma Inglaterra onde a própria arte cômica de um inglês de gênio, Chaplin, parece ter criado uma moda de entusiasmo por esse artista socialmente revolucionário, com esse entusiasmo constituindo uma expressão de solidariedade ao protesto envolvido nessa espécie de arte, além de cômica, irônica. Arte socialmente revolucionária que acabou com o artista muito britanicamente consagrado *sir* pela rainha Elizabeth II.

Talvez se possa dizer vir ocorrendo coisa um pouco semelhante com solidariedades, da parte de não pequeno público nacional, com a arte cômica do popular "O gordo", através da qual são permanentes as críticas sociais de um tipo que se constitui numa espécie de moda, ao lado da criada pelo cearense Chico Anysio – seu nome de guerra –, através de uma série de personagens críticos ou simbólicos, de críticas a instituições ou a costumes.

Várias, no Brasil, as modas de timbre de voz, de expressão fisionômica, de gesticulação, derivadas de homens públicos, como foi, de maneira, nesse particular, marcante, da popularidade de Getúlio Vargas. Ou da que vem caracterizando a maneira de ser líder, entre religioso e político, durante anos, sempre em evidência por si próprio procurada, dom Hélder Câmara. Getúlio Vargas sabe-se que, menos por gosto próprio que através de um modelo criado inteligentemente para ele pelo seu assessor Lourival Fontes. Deu-lhe Lourival Fontes, aos olhos dos brasileiros, uma aparência de alegria exuberante, de bom humor comunicativo, de otimismo permanente, que passaram a ser uma moda de expressão pública de homem, por temperamento, reservado, sóbrio e, até, triste. Na verdade, trágico.

Tais modas de aparências populares de personalidades ilustres têm sido, algumas delas, antes criadas por assessores do que expressões das próprias personalidades, como foi a que veio a caracterizar Joaquim Nabuco como apolíneo elegante. A de imitar-se um também apolíneo Santos Dumont, por alguns dos seus entusiastas, até no chapéu e no colarinho. Admiradores absolutos, esses entusiastas. Curioso não se ter verificado exatamente o mesmo com o glorificado campeão de futebol brasileiro, Edson Arantes do Nascimento, Pelé, talvez por não haver tendência, entre os cada vez em menor número de brasileiros de saudável origem afro-negra, que sejam pretos, pretíssimos, tendência para negritudes ostensivas.

Negritudes ostensivas que tampouco vêm inspirando artes plásticas ou composições musicais brasileiras em que a figura do negro puro – ou da negra pura – seja especificamente exaltada ou idealizada. Entretanto, é evidente a glorificação, como artista brasileiro, do afro-brasileiro já dissolvido em brasileiro ou brasileira, em quem a origem afro-negra se faz sentir como presença inconfundível mas não absoluta. Nem absoluta nem segregadora.

Vem sendo evidente o pendor do brasileiro para estimar e, até, superestimar curvas, tendendo a repudiar retas. Daí, da arquitetura de Brasília, sob tantos aspectos admirável – a do grande Oscar Niemeyer – poder dizer-se não ter correspondido, ao surgir com audácias inovadoras, através de uma moda importada da Europa central, a gosto caracteristicamente brasileiro por curvas. O gosto por curvas de sugestões femininas a que, aliás, o Niemeyer pós-Brasília, parece vir se chegando, numa como sua reconciliação com aquele evidente pendor brasileiro.

É um gosto que se exprime na predileção do brasileiro por formas de mulher em que predominam curvas de corpo. Explica-se, assim, a valorização, dentro desse gosto, de ancas flexivelmente femininas, como opção estética por aquela "*feminine softness*" que, em livro magistral, e já clássico, *Search for form* (Nova York, 1948), Eliel Saarinen destaca ter vindo a ser, em dias recentes, contrariado por outra moda. Essa outra moda, segundo ele, pelo menos no seu começo, "*too chilly mechanized, straight lined, hard, uncomfortable*".

Moda que, como fator modernizante, logo se projetou em modas femininas de vestidos – estilos de origens norte-europeias e norte-americanas – quase furiosamente inclinadas a reduzirem a presença de ancas em corpos de mulher. Espécie de ascetismo ou de calvinismo que enxergasse nesses característicos de formas femininas excitações sexuais merecedoras de serem contidas ou moderadas, talvez menos puritanamente que unissexualmente. Vitória, nada puritana, para o machismo, em importante setor: o de modas de mulher submetidas, através de consagrações do unissex, a masculinizações que culminariam no abuso de calças como moda feminina desfavorável à valorização de ancas.

Pois parece certo dizer-se, das ancas de mulher, sobretudo quando ondulantes, que vêm provocando, em certos homens, reações por vezes libidinosas, mas, quase sempre, em vez de libidinosas, esteticamente consagradoras de formas de mulher através de sublimações de apreços sexuais por elas. Reações a aparências a que vinham, há longos tempos, juntando-se conexões com formas constituídas por curvas de ancas e motivações tendentes a fazer delas característicos superiormente estéticos. Superiores a modas dos seios e a dos pés, destacados de outras partes do corpo de mulher, objetos de fetichismo. Fetichismo que não faltou, entre escritores brasileiros mais castiços, a José de Alencar.

Saarinen, no seu notável livro, alonga-se em considerações acerca de curvas e retas em modernismos, por algum tempo, tão incisivos e triunfantes em formas arquitetônicas verticalmente urbanas, com os *skyscrapers* masculinoides de Nova York, à frente desses triunfos. Triunfos, atualmente, sob reações desfavoráveis nada insignificantes, na própria Nova York: reações contra as "*glass boxes*" verticalmente machonas e, até, fálicas, em desacordo com o seu sexo gramatical em língua portuguesa: o de caixas.

Pelo que, pode-se sugerir, estar havendo uma revalorização, em formas arquitetônicas, de curvas femininas e parafemininas, através de ressurgências, nelas, de graças ou encantos com que os olhos dos homens são levados a subconscientemente voltarem a associar opções ou entusiasmos sexuais. Pois é revalorização que poderá vir a envolver um novo apreço por ancas de mulher. Apreço estético e apreço sexual.

Apreços que não estão faltando à escultura genialmente moderna de Henry Moore. Teve o autor a fortuna de, em Sussex, após termos sido, os dois, doutorados pela inovadora Universidade de Sussex, almoçar – foi isso há poucos anos – a sós, com o grande escultor. Ao *campus* da Universidade de Sussex não faltam esculturas do mestre admirável. São esculturas – mais que as de Sussex, as que o autor veio a admirar na exposição realizada com amplitude magnífica na

Fundação Gulbenkian, de Lisboa – a cujas figuras de mulher não faltam curvas, a lhe acentuarem o sexo provocante ou a lhe arredondarem a dignidade materna, o sexo apoiado em ancas tranquilamente amplas de mãe.

Ouviu o autor em Sussex, do próprio Moore, que os olhos do escultor, para criarem esculturas, precisavam não só ver, como, pelo olhar, apalpar o que viam com vontade de esculpir. O que evidentemente reforça a sensualidade das esculturas, quando de mulheres nuas, dando-lhes maior apelo sexual: o de uma intensidade que não chega a ser lúbrica, para ser *sexy*. Impressionista, Moore? Para lá desse *ismo*. Mais expressionista que impressionista. Mas, na verdade, indo além desse outro *ismo*.

Para Saarinen, nenhum desses *ismos* pioneiramente destruidores de convenções das chamadas naturalistas deixou de representar impulsos de criatividade diferentes em artistas inovadores. Diferença, inclusive, de perspectivas do nu de mulher, como desafio, quer de forma, quer de cor. O que inevitavelmente veio a tocar em morenidades ecológicas, condicionadas por sóis e calores tropicais. E a produzir pintores especializados em dar destaques a ancas de mulheres morenas, com a herança afro-negra a juntar-se, nessas mulheres, à herança sul-europeia. Um deles, de modo notável, Emiliano Di Cavalcanti.

Ancas porque, mais do que faces ou partes superiores de corpos, elas permitem ao pintor dar ênfase estética a curvas femininas, sem atentar, em particular, a origens especificamente étnicas de suas portadoras. É em ancas que essas curvas esplendem, irradiando suas maiores provocações, além de estéticas, sensuais. Foi pioneiro em fixá-las o exotista ou tropicalista Gauguin. De onde outros *ismos* em criações pictóricas em torno de corpos de mulheres, isto é, de formas diferentes das olimpicamente, apolineamente, estaticamente clássicas. Inclusive o muito dionisíaco Primitivismo, pretendendo juntar à apresentação de ancas como partes aliciantemente belas de corpos de mulher, uma perspectiva como que – paradoxo! – maliciosamente inocente.

As ancas das mulatas célebres de Di Cavalcanti não estão nesse caso. Nem elas nem as das pinturas criativamente inclassificáveis como *istas*, do grande Cícero Dias, de que emergem mulheres nuas ostentando mais seus nus desacompanhados de pelos do que sexos com pentelhos ramalhudos. Aliás, a miscigenação brasileira tornou-se tão vasta que as ancas de mulheres do Brasil constituem, talvez, a mais variada expressão antropológica de uma moderna variedade de formas de corpos de mulher, com as protuberantes é possível que avantajando-se às menos ostensivas.

O homem médio brasileiro não pode deixar de ser sensível a essa imensidade de provocações que o rodeiam, não tanto ao vivo, como através de anúncios de revistas ilustradas, que se vêm esmerando na utilização de reproduções coloridas de mulheres nuas, como atrativos para uma diversidade de artigos à venda. Há, no Brasil de hoje, uma enorme comercialização de imagens de formas de mulher, através de anúncios atraentes. Estéticos, uns. Alguns lúbricos. Também se vem fazendo esse uso na televisão. E, sonoramente, em músicas apologéticas de beleza de formas de mulher. O sexo, isto é, o da mulher, vem, através dessa sua comercialização em anúncios, quase dominando, em publicidade apologética, glorificações de corpos de mulher.

Por algum tempo foi chamariz, da parte de mulheres da vida, do tipo chamado indistintamente polaco, em ruas de ostensiva prostituição comercial, a homens, ao alcance de suas vozes – homens que elas consideravam cansados de coitos conjugais, monotonamente normais – anúncios de anormalidades eróticas.

Assinale-se que, ao começar a haver em mangues tais ofertas, parece ter havido não pouca repulsa, da parte de mulatas mais castiçamente brasileiras, a homens que lhes propusessem facilitar-lhes tais substitutos de coitos convencionais. Que fossem se acanalhar com polacas!

Inclinadas a tal, sob que influências vindas de longe? A esse respeito é bom recorrer-se à fonte de informação do madrugador século XVI, suprida pela própria Igreja, através de pesquisas realizadas então, como se estivessem concorrendo para saberes cientificamente sociais, pelo Santo Ofício, através de atividades investigadoras no Brasil. Supõe o autor ter sido o livro *Casa-grande & senzala* o primeiro a utilizar os resultados de tais pesquisas, em obra acessível ao grande público.

Constam essas informações da *Primeira visitação do Santo Ofício a partes do Brasil pelo licenciado Heitor Furtado de Mendonça*. Surgem, nessas indagações secretas, homens casados amigando-se com mulatas, decerto do tipo da mulher tornada conhecida como *arde-lhe o rabo*, talvez, por haver se extremado em furor anal. Também adultos europeus, ou de procedência europeia, pecando contra a natureza, em coitos anais, ou através de luxúrias de felação, com efebos, quer da terra, quer da Guiné, participantes, alguns deles, com tal volúpia, desses amplexos, que de um deles se registra a exclamação: "Quero mais!". A participação, nesses coitos, da gente da terra parece indicar, de ameríndios, presentes em contactos madrugadores com europeus, terem sido, eles próprios, dados à sodomia ou à pederastia, com abusos já então praticados, quer por europeus em não-europeus, quer – é possível – em reciprocidades volutuosas euro-tropicais: euro-ameríndias e euro-afro-negras. Pode-se concluir de mulheres indígenas, desde esses dias, terem revelado preferências, para contatos sexuais, com portugueses, por aqueles motivos priápicos, já alegados pelo severo Varnhagen: os portugueses, em confronto com machos indígenas, teriam se revelado mais ardorosamente potentes. Sabe-se que, por algumas observações antropológicas confiáveis de homens de culturas primitivas precisarem, em vários casos, para efeitos de procriação tribal, de festas excitantemente sexuais, que os levem a atos procriadores, é claro que acompanhados de gozos. Atos e gozos, entretanto, mais provocados que espontâneos, embora as investigações do Santo Ofício documentem ocorrências de receptividade de indígenas e práticas, já por indígenas conhecidas, em que o coito anal teria se verificado.

Entretanto, não há evidência alguma de mulheres indígenas, no Brasil, terem se feito notar, como aconteceria com mulheres de origem afro-negra, introduzidas na colônia, desde o século XVI, por formas notavelmente protuberantes ou salientemente volumosas de corpo. E, por essas saliências, sexualmente provocantes do seu uso e, até, do seu abuso, em coitos de intenções mais volutuosas. Ao tamanho de formas de corpo, desenvolveu-se, é de supor, a tendência, quase folclórica, entre brasileiros, de associarem-se outros característicos, já presentes em referências em registros das investigações do Santo Ofício.

Entretanto, é preciso não resvalar-se na simplificação de atribuir-se a presença, entre mulheres brasileiras, de formas protuberantes, à herança de afro-negras, notáveis por tais excessos de físico. Os anúncios de jornais que uma como que anunciologia sistemática, partida do Recife, viria revelar serem fonte valiosa de informação antropológica, tanto física como sociocultural, documentam a existência de tais protuberâncias entre escravas afro-negras ou dessa origem. Quer afro-negras, quer delas descendentes, imediatas ou recentes.

Mas é preciso atentar-se no fato de mulheres tipicamente ibéricas, inclusive portuguesas, presentes na colonização do Brasil, terem quase rivalizado, por vezes, com afro-negras, em tais protuberâncias. Num livro notável, pelo que nele é analiticamente físico e socioantropológico, antes de tornar-se magistralmente sintético – *The soul of Spain* (Londres, 1908) –, um mestre em sexologia, Havelock Ellis, lembra de as mulheres classificadas como do tipo antropológico iberoide, serem, em geral, morenas de uma pigmentação e de um encanto estético chamado por Gautier, referindo-se especificamente às telas espanholas de Malaga, de um "dourado pálido". Poucas variantes de índice cefálico. E traços físicos que, para Ellis, indicam origens africanas, aos quais podiam juntar-se característicos socioantropológicos primitivos, por vezes, quase próximos de traços selvagens. Primitividade à base da energia, da coragem, da criatividade ibéricas.

Mulheres, de modo geral, superiores aos homens, afirma Ellis. O que viria sendo confirmado pela sua maior autenticidade como expressões de tipos nacionalmente ibéricos. E especificando seus característicos antropologicamente físicos à base dos sociais: quando jovens, tendentes a delgadas, embora com bustos e ancas já desenvolvidos. Protuberâncias acentuadas com a idade madura. À idade, em mulher bonita, associando-se à gordura. E a gordura a juntar-se, segundo Ellis, "maior amplitude e acentuação de ancas em relação com as demais partes do corpo".

Terá sido do tipo dessa mulher ibérica, a portuguesa que, desde o século XVI, começou a estar presente no Brasil como esposa de colonizador e como fundadora de família tropical. E, ao mesmo tempo, maternalmente brasileira. Exemplo: dona Brites de Albuquerque

que, em Pernambuco, chegou a ser governadora, no impedimento do marido, Duarte Coelho.

Pode-se sugerir de as próprias fidalgas da espécie de dona Brites terem sido presenças femininas – poucas, aliás – no Brasil, correspondentes à douta caracterização de Havelock Ellis, de mulheres tipicamente ibéricas. Isto é, de certa idade em diante, de ancas amplas, em relação com outras partes do corpo. Relevos salientíssimos.

Para o ideal feminino, predominante no Brasil patriarcal, através da moda de "gorda e bonita", é de supor ter concorrido influência árabe, contra a qual teriam se oposto, no século XIX, influências romanticamente europeias: os romances de Sir Walter Scott vieram a ter considerável número de entusiastas brasileiros.

Influência árabe que, de Portugal, transmitiu-se ao Brasil e muito presente tanto na culinária como em ritos de reclusão e tendências à inferiorização de mulheres. Tais extremos, por vezes, se encontraram.

Parece lícito supor ter se verificado, no Brasil patriarcal, surpreendente equilíbrio de antagonismos com relação a tipos ideais, dentro de tendência ibérica, segundo a já recordada e sábia observação de Havelock Ellis, de formas de corpo de mulher. Um ideal muito brasileiro tornou-se, por influência do Romantismo, o de sinhazinha adolescente, quase menina e, de tão delgada, quase de seios virginalmente discretíssimos e de mãos e pés ostensivamente pequenos. Contraste com aquele outro ideal: o de sinhá-dona de meia-idade, gorda, ostensivamente bem nutrida, apta ao desempenho de mulher mãe de sucessivos filhos e a cujo físico não faltaram ancas mais dignamente maternas que provocantemente sexuais. Pois, para a satisfação de ardores sexuais, o macho patriarcal brasileiro tinha, a seu dispor – por vezes defrontando-se com ciúmes de esposas altivamente ciosas de seus direitos conjugais –, escravas, mucamas, mulatas. Morenidades em vários graus, a moda tendo se tornado a de certa liberdade do homem para, à ligação conjugal juntar ligações irregulares. *Modas* ligadas a *modos*: ao modo de o homem afirmar-se masculino, através de pouca lealdade a compromissos monogâmicos.

Biobibliografia de Gilberto Freyre

1900 Nasce no Recife, em 15 de março, na antiga Estrada dos Aflitos (hoje Avenida Rosa e Silva), esquina da Rua Amélia (o portão da hoje residência da família Costa Azevedo está assinalado por uma placa), filho do dr. Alfredo Freyre educador, juiz de direito e catedrático de Economia Política da Faculdade de Direito do Recife e de Francisca de Mello Freyre.

1906 Tenta fugir de casa, abrigando-se na materna Olinda, desde então, cidade muito de seu amor e da qual escreveria, em 1939, *Olinda, 2º guia prático, histórico e sentimental de cidade brasileira*.

1908 Entra no jardim de infância do Colégio Americano Gilreath. Lê as *Viagens de Gulliver* com entusiasmo. Não consegue aprender a escrever, fazendo-se notar pelos desenhos. Tem aulas particulares com o pintor Telles Júnior, que reclama contra sua insistência em deformar os modelos. Começa a aprender a ler e escrever em inglês com Mr. Williams, que elogia seus desenhos.

1909 Primeira experiência da morte: a da avó materna, que muito o mimava por supor que o neto tinha *deficit* de aprendizado, pela dificuldade em aprender a escrever. Temporada no engenho São Severino do Ramo, pertencente a parentes seus. Primeiras experiências rurais de menino de engenho. Mais tarde escreverá sobre essa temporada uma das suas melhores páginas, incluída em *Pessoas, coisas & animais*.

1911 Primeiro verão na Praia de Boa Viagem, onde escreve um soneto camoniano e enche muitos cadernos com desenhos e caricaturas.

1913 Dá as primeiras aulas no colégio. Lê José de Alencar, Machado de Assis, Gonçalves Dias, Castro Alves, Victor Hugo, Emerson, Longfellow, alguns dramas de Shakespeare, Milton, César, Virgílio, Camões e Goethe.

1914 Ensina latim, que aprendeu com o próprio pai, conhecido humanista recifense. Toma parte ativa nos trabalhos da sociedade literária do colégio. Torna-se redator-chefe do jornal impresso do colégio *O Lábaro*.

1915 Tem lições particulares de francês com Madame Meunieur. Lê La Fontaine, Pierre Loti, Molière, Racine, *Dom Quixote*, a Bíblia, Eça de Queirós, Antero de Quental, Alexandre Herculano, Oliveira Martins.

1916 Corresponde-se com o jornalista paraibano Carlos Dias Fernandes, que o convida a proferir palestra na capital do estado vizinho. Como o dr. Freyre não apreciava Carlos Dias Fernandes, pela vida boêmia que levava, viaja autorizado pela mãe e lê no Cine-Teatro Pathé sua primeira conferência pública, dissertando sobre Spencer e o problema da educação no Brasil. O texto foi publicado no jornal *O Norte*, com elogios de Carlos Dias Fernandes. Influenciado pelos mestres do colégio e pela leitura do *Peregrino,* de Bunyan, e de uma biografia do dr. Livingstone, toma parte em atividades evangélicas e visita a gente miserável dos mucambos recifenses. Interessa-se pelo socialismo cristão, mas lê, como espécie de antídoto a seu misticismo, autores como Spencer e Comte. É eleito presidente do Clube de Informações Mundiais, fundado pela Associação Cristã de Moços do Recife. Lê ainda, nesse período, Rui Barbosa, Joaquim Nabuco, Oliveira Lima, Nietzsche e Sainte-Beuve.

1917 Conclui o curso de Bacharel em Ciências e Letras do Colégio Americano Gilreath, fazendo-se notar pelo discurso que profere como orador da turma, cujo paraninfo é o historiador Oliveira Lima, daí em diante seu amigo (ver referência ao primeiro encontro com Oliveira Lima no prefácio à edição de suas *Memórias*, escrito a convite da viúva e do editor José Olympio). Leitura de Taine, Renan, Darwin, Von Ihering, Anatole France, William James, Bergson, Santo Tomás de Aquino, Santo Agostinho, São João da Cruz, Santa Teresa, Padre Vieira, Padre Bernardes, Fernão Lopes, São Francisco de Assis, São Francisco de Sales e Tolstói. Começa a estudar grego. Torna-se membro da Igreja Evangélica, desagradando a mãe e a família católica.

1918 Segue, no início do ano, para os Estados Unidos, fixando-se em Waco (Texas) para matricular-se na Universidade de Baylor. Começa a ler Stevenson, Pater, Newman, Steele e Addison, Lamb, Adam Smith, Marx, Ward, Giddings, Jane Austen, as irmãs Brönte, Carlyle, Mathew Arnold,

Pascal, Montaigne, Euclides da Cunha e Monteiro Lobato. Inicia sua colaboração no *Diário de Pernambuco*, com a série de cartas intituladas "Da outra América".

1919 Ainda na Universidade de Baylor, auxilia o geólogo John Casper Branner no preparo do texto português da *Geologia do Brasil*. Ensina francês a jovens oficiais norte-americanos convocados para a guerra. Estuda Geologia com Pace, Biologia com Bradbury, Economia com Wright, Sociologia com Dow, Psicologia com Hall e Literatura com A. J. Armstrong, professor de Literatura e crítico literário especializado na filosofia e na poesia de Robert Browning. Escreve os primeiros artigos em inglês publicados por um jornal de Waco. Divulga suas primeiras caricaturas.

1920 Conhece pessoalmente, por intermédio do professor Armstrong, o poeta irlandês William Butler Yeats (ver, no livro *Artigos de jornal*, um capítulo sobre esse poeta), os "poetas novos" dos Estados Unidos: Vachel Lindsay, Amy Lowell e outros. Escreve em inglês sobre Amy Lowell. Como estudante de Sociologia, faz pesquisas sobre a vida dos negros de Waco e dos mexicanos marginais do Texas. Conclui, na Universidade de Baylor, o curso de Bacharel em Artes, mas não comparece à solenidade da formatura: contra as praxes acadêmicas, a Universidade envia-lhe o diploma por intermédio de um portador. Segue para Nova York e ingressa na Universidade de Colúmbia. Lê Freud, Westermarck, Santayana, Sorel, Dilthey, Hrdlicka, Keith, Rivet, Rivers, Hegel, Le Play, Brunhes e Croce. Segundo notícia publicada no *Diário de Pernambuco* de 5 de junho, a Academia Pernambucana de Letras, por proposta de França Pereira, elege-o sócio-correspondente.

1921 Segue, na Faculdade de Ciências Políticas (inclusive as Ciências Sociais Jurídicas) da Universidade de Colúmbia, cursos de graduação e pós-graduação dos professores Giddings, Seligman, Boas, Hayes, Carl van Doren, Fox, John Basset Moore e outros. Conhece pessoalmente Rabindranath Tagore e o príncipe de Mônaco (depois reunidos no livro *Artigos de jornal*), Valle-Inclán e outros intelectuais e cientistas famosos que visitam a Universidade de Colúmbia e a cidade de Nova York. A convite de Amy Lowell, visita-a em Boston (ver, sobre essas visitas, artigos incluídos no livro *Vida, forma e cor*). Segue, na Universidade de Colúmbia, o curso do professor Zimmern, da Universidade de Oxford, sobre a escravidão na Grécia. Visita a Universidade de Harvard e o Canadá. É hóspede da Universidade de Princeton, como representante dos estudantes da América Latina que ali se reúnem em congresso. Lê Patrick Geddes, Ganivet, Max Weber, Maurras, Péguy, Pareto, Rickert, William Morris, Michelet, Barrès, Huysmans, Verlaine, Rimbaud, Baudelaire, Dostoiévski, John Donne, Coleridge, Xenofonte, Homero, Ovídio, Ésquilo, Aristóteles e Ratzel. Torna-se editor associado da revista *El Estudiante Latinoamericano*, publicada mensalmente em Nova York pelo Comitê de Relações Fraternais entre Estudantes Estrangeiros. Publica diversos artigos no referido periódico.

1922 Defende tese para o grau de M. A. (*Magister Artium* ou *Master of Arts*) na Universidade de Colúmbia sobre *Social life in Brazil in the middle of the 19th century*, publicada em Baltimore pela *Hispanic American Historical Review* (v. 5, n. 4, nov. 1922) e recebida com elogios pelos professores Haring, Shepherd, Robertson, Martin, Oliveira Lima e H. L. Mencken, que aconselha o autor a expandir o trabalho em livro. Deixa de comparecer à cerimônia de formatura, seguindo imediatamente para a Europa, onde recebe o diploma, enviado pelo reitor Nicholas Murray Butler. Vai para a França, a Alemanha, a Bélgica, tendo antes passado pela Inglaterra, estabelecendo-se em Oxford. Vai para a França, atravessa a Espanha e conhece Portugal, onde se fixa. Lê Simmel, Poincaré, Havelock Ellis, Psichari, Rémy de Gourmont, Ranke, Bertrand Russell, Swinburne, Ruskin, Blake, Oscar Wilde, Kant e Gracián. Tem o retrato pintado pelo modernista brasileiro Vicente do Rego Monteiro. Convive com ele e com outros artistas modernistas brasileiros, como Tarsila do Amaral e Brecheret. Na Alemanha conhece o Expressionismo; na Inglaterra, estabelece contato com o ramo inglês do Imagismo, já seu conhecido nos Estados Unidos. Na França, conhece o anarcossindicalismo de Sorel e o federalismo monárquico de Maurras. Convidado por Monteiro Lobato a quem fora apresentado por carta de Oliveira Lima –, inicia sua colaboração na *Revista do Brasil* (n. 80, p. 363-371, agosto de 1922).

1923 Continua em Portugal, onde conhece João Lúcio de Azevedo, o Conde de Sabugosa, Fidelino de Figueiredo, Joaquim de Carvalho e Silva Gaio. Regressa ao Brasil e volta a colaborar no *Diário de Pernambuco*. Da Europa escreve artigos para a *Revista do Brasil* (São Paulo), a pedido de Monteiro Lobato.

1924 Reintegra-se no Recife, onde conhece José Lins do Rego, incentivando-o a escrever romances, em vez de artigos políticos (ver referências ao encontro e início da amizade entre o sociólogo e o futuro romancista do Ciclo da Cana-de-Açúcar no prefácio que este escreveu para o livro *Região e tradição*). Conhece José Américo de Almeida através de José Lins do Rego. Funda-se no Recife, a 28 de abril, o Centro Regionalista do Nordeste, com Odilon Nestor, Amaury de Medeiros, Alfredo Freyre, Antônio Inácio, Morais Coutinho, Carlos Lyra Filho, Pedro Paranhos, Júlio Bello e outros. Excursões pelo interior do estado de Pernambuco e pelo Nordeste com Pedro Paranhos, Júlio Bello (que a seu pedido escreveria as *Memórias de um senhor de engenho*) e seu irmão, Ulysses Freyre. Lê, na capital do estado da Paraíba, conferência publicada no mesmo ano: Apologia pro generatione sua (incluída no livro *Região e tradição*).

1925 Encarregado pela direção do *Diário de Pernambuco*, organiza o livro comemorativo do primeiro centenário de fundação do referido jornal, *Livro do Nordeste*, onde foi publicado pela primeira vez o poema modernista de Manuel Bandeira "Evocação do Recife", escrito a seu pedido (ver referências no capítulo sobre Manuel Bandeira no livro *Perfil de Euclides e outros perfis*). O *Livro do Nordeste* consagra, também, o até então desconhecido pintor Manuel

Bandeira e publica desenhos modernistas de Joaquim Cardoso e Joaquim do Rego Monteiro. Lê na Biblioteca Pública do Estado de Pernambuco uma conferência sobre Dom Pedro II, publicada no ano seguinte.

1926 Conhece a Bahia e o Rio de Janeiro, onde faz amizade com o poeta Manuel Bandeira, os escritores Prudente de Morais Neto (Pedro Dantas), Rodrigo M. F. de Andrade, Sérgio Buarque de Holanda, o compositor Villa-Lobos e o mecenas Paulo Prado. Por intermédio de Prudente, conhece Pixinguinha, Donga e Patrício e se inicia na nova música popular brasileira em noitadas boêmias. Escreve um extenso poema, modernista ou imagista e ao mesmo tempo regionalista e tradicionalista, do qual Manuel Bandeira dirá depois que é um dos mais saborosos do ciclo das cidades brasileiras: "Bahia de todos os santos e de quase todos os pecados" (publicado no Recife, no mesmo ano, em edição da *Revista do Norte*, reeditado em 20 de junho de 1942, na revista *O Cruzeiro* e incluído no livro *Talvez poesia*). Segue para os Estados Unidos como delegado do *Diário de Pernambuco*, ao Congresso Panamericano de Jornalistas. Convidado para redator-chefe do mesmo jornal e para oficial de gabinete do governador eleito de Pernambuco, então vice-presidente da República. Colabora (artigos humorísticos) na *Revista do Brasil* com o pseudônimo de J. J. Gomes Sampaio. Publica-se no Recife a conferência lida, no ano anterior, na Biblioteca Pública do Estado de Pernambuco: A propósito de Dom Pedro II (edição da *Revista do Norte*, incluída, em 1944, no livro *Perfil de Euclides e outros perfis*). Promove no Recife o 1º Congresso Brasileiro de Regionalismo.

1927 Assume o cargo de oficial de gabinete do novo governador de Pernambuco, Estácio de Albuquerque Coimbra, casado com a prima de Alfredo Freyre, Joana Castelo Branco de Albuquerque Coimbra. Conhece Mário de Andrade no Recife e proporciona-lhe um passeio de lancha no rio Capibaribe.

1928 Dirige, a pedido de Estácio Coimbra, o jornal *A Província*, onde passam a colaborar os novos escritores do Brasil. Publica no mesmo jornal artigos e caricaturas com diferentes pseudônimos: Esmeraldino Olímpio, Antônio Ricardo, Le Moine, J. Rialto e outros. Lê Proust e Gide. Nomeado pelo governador Estácio Coimbra, por indicação do diretor A. Carneiro Leão, torna-se professor da Escola Normal do Estado de Pernambuco: primeira cadeira de Sociologia que se estabelece no Brasil com moderna orientação antropológica e pesquisas de campo.

1930 Acompanhando Estácio Coimbra ao exílio, visita novamente a Bahia, conhece parte do continente africano (Dacar, Senegal) e inicia, em Lisboa, as pesquisas e os estudos em que se basearia *Casa-grande & senzala* ("Em outubro de 1930 ocorreu-me a aventura do exílio. Levou-me primeiro à Bahia; depois a Portugal, com escala pela África. O tipo de viagem ideal para os estudos e as preocupações que este ensaio reflete", como escreverá no prefácio do mesmo livro).

1931 A convite da Universidade de Stanford, segue para os Estados Unidos, como professor extraordinário daquela universidade. Volta, no fim do ano, para a Europa, permanecendo algum tempo na Alemanha, em novos contatos com seus museus de antropologia, de onde regressa ao Brasil.

1932 Continua, no Rio de Janeiro, as pesquisas para a elaboração de *Casa-grande & senzala* em bibliotecas e arquivos. Recusando convites para empregos feitos pelos membros do novo governo brasileiro um deles José Américo de Almeida –, vive, então, com grandes dificuldades financeiras, hospedando-se em casas de amigos e em pensões baratas do Distrito Federal. Estimulado pelo seu amigo Rodrigo M. F. de Andrade, contrata com o poeta Augusto Frederico Schmidt então editor a publicação do livro por 500 mil-réis mensais, que recebe com irregularidades constantes. Regressa ao Recife, onde continua a escrever *Casa-grande & senzala*, na casa do seu irmão, Ulysses Freyre.

1933 Conclui o livro, enviando os originais ao editor Schmidt, que o publica em dezembro.

1934 Aparecem em jornais do Rio de Janeiro os primeiros artigos sobre *Casa-grande & senzala,* escritos por Yan de Almeida Prado, Roquette-Pinto, João Ribeiro e Agrippino Grieco, todos elogiosos. Organiza no Recife o 1º Congresso de Estudos Afro-Brasileiros. Recebe o prêmio da Sociedade Felipe d'Oliveira pela publicação de *Casa-grande & senzala*. Lê na mesma sociedade conferência sobre O escravo nos anúncios de jornal do tempo do Império, publicada na revista *Lanterna Verde* (v. 2, fev. 1935). Regressa ao Recife e lê, no dia 24 de maio, na Faculdade de Direito e a convite de seus estudantes, conferência publicada, no mesmo ano, pela Editora Momento: O estudo das ciências sociais nas universidades americanas. Publica-se no Recife (Oficinas Gráficas The Propagandist, edição de amigos do autor, tiragem de apenas 105 exemplares em papel especial e coloridos a mão por Luís Jardim) o *Guia prático, histórico e sentimental da cidade do Recife*, inaugurando, em todo o mundo, um novo estilo de guia de cidade, ao mesmo tempo lírico e informativo e um dos primeiros livros para bibliófilos publicados no Brasil. Nomeado em dezembro diretor do *Diário de Pernambuco*, cargo que exerceu por apenas quinze dias por causa da proibição, por Assis Chateaubriand, da publicação de uma entrevista de João Alberto Lins de Barros.

1935 A pedido dos alunos da Faculdade de Direito do Recife e por designação do ministro da Educação, inicia na referida escola superior um curso de Sociologia com orientação antropológica e ecológica. Segue, em setembro, para o Rio de Janeiro, onde, a convite de Anísio Teixeira, dirige na Universidade do Distrito Federal o primeiro Curso de Antropologia Social e Cultural da América Latina (ver texto das aulas no livro *Problemas brasileiros de antropologia*). Publica-se no Recife (Edições Mozart) o livro *Artigos de jornal*. Profere, a convite de estudantes paulistas de Direito, no Centro XI de Agosto, da Faculdade de Direito de São Paulo, a conferência Menos doutrina, mais análise, tendo sido saudado pelo estudante Osmar Pimentel.

1936 Publica-se no Rio de Janeiro (Companhia Editora Nacional, volume 64 da Coleção Brasiliana) *Sobrados e mucambos,* livro que é uma continuação da série iniciada com *Casa-grande & senzala*. Viaja à Europa, permanecendo algum tempo na França e em Portugal.

1937 Viaja de novo à Europa, dessa vez como delegado do Brasil ao Congresso de Expansão Portuguesa no Mundo, reunido em Lisboa. Lê conferências nas Universidades de Lisboa, Coimbra e Porto e na de Londres (King's College), publicadas no Rio de Janeiro no ano seguinte. Regressa ao Recife e lê conferência política no Teatro Santa Isabel, a favor da candidatura de José Américo de Almeida à presidência da República. A convite de Paulo Bittencourt, inicia colaboração semanal no *Correio da Manhã*. Publica-se no Rio de Janeiro (José Olympio) o livro *Nordeste: aspectos da influência da cana sobre a vida e a paisagem do Nordeste do Brasil*.

1938 É nomeado membro da Academia Portuguesa de História pelo presidente Oliveira Salazar. Segue para os Estados Unidos como lente extraordinário da Universidade de Colúmbia, onde dirige seminário sobre sociologia e história da escravidão. Publica-se no Rio de Janeiro (Serviço Gráfico do Ministério da Educação e Saúde) o livro *Conferência na Europa*.

1939 Faz sua primeira viagem ao Rio Grande do Sul. Segue, depois, para os Estados Unidos, como professor extraordinário da Universidade de Michigan. Publica-se no Rio de Janeiro (José Olympio) a primeira edição do livro *Açúcar* e no Recife (edição do autor, para bibliófilos) *Olinda, 2º guia prático, histórico e sentimental de cidade brasileira*. Publica-se em Nova York (Instituto de las Españas en los Estados Unidos) a obra do historiador Lewis Hanke *Gilberto Freyre, vida y obra*.

1940 A convite do governo português, lê no Gabinete Português de Leitura do Recife a conferência (publicada no Recife, no mesmo ano, em edição particular) Uma cultura ameaçada: a luso-brasileira. E, em Aracaju, na instalação da 2ª Reunião da Sociedade de Neurologia, Psiquiatria e Higiene Mental do Nordeste, lê conferência publicada no ano seguinte pela mesma sociedade; no dia 29 de outubro, na Biblioteca do Ministério das Relações Exteriores e a convite da Casa do Estudante do Brasil, profere conferência sobre Euclides da Cunha, publicada no ano seguinte; no dia 19 de novembro, na Biblioteca do Estado do Rio Grande do Sul, faz uma conferência por ocasião das comemorações do bicentenário da cidade de Porto Alegre, publicada em 1943. Participa do 3º Congresso Sul-Rio-Grandense de História e Geografia, ao qual apresenta, a pedido do historiador Dante de Laytano, o trabalho Sugestões para o estudo histórico-social do sobrado no Rio Grande do Sul, publicado no mesmo ano pela Editora Globo e incluído, posteriormente, no livro *Problemas brasileiros de antropologia*. Publica-se em Nova York (Columbia University Press) o opúsculo Some aspects of the social development on Portuguese America, separata da obra coletiva *Concerning Latin American culture*. Publicam-se no Rio de Janeiro (José Olympio) os livros *Um engenheiro francês no Brasil* e *O mundo que o* *português criou*, com longos prefácios, respectivamente, de Paul Arbousse-Bastide e Antônio Sérgio. Prefacia e anota o *Diário íntimo do engenheiro Vauthier*, publicado no mesmo ano pelo Serviço do Patrimônio Histórico e Artístico Nacional.

1941 Casa-se no Mosteiro de São Bento do Rio de Janeiro com a senhorita Maria Magdalena Guedes Pereira. Viaja ao Uruguai, Argentina e Paraguai. Torna-se colaborador de *La Nación* (Buenos Aires), dos *Diários Associados*, do *Correio da Manhã* e de *A Manhã* (Rio de Janeiro). Prefacia e anota as *Memórias de um Cavalcanti*, do seu parente Félix Cavalcanti de Albuquerque Melo, publicadas pela Companhia Editora Nacional (volume 196 da Coleção Brasiliana). Publica-se no Recife (Sociedade de Neurologia, Psiquiatria e Higiene Mental do Nordeste) a conferência Sociologia, psicologia e psiquiatria, depois ampliada e incluída no livro *Problemas brasileiros de antropologia*, contribuição para uma psiquiatria social brasileira que seria destacada pela Sorbonne ao conceder-lhe o título de doutor *honoris causa*. Publica-se no Rio de Janeiro (Casa do Estudante do Brasil) e em Buenos Aires a conferência Atualidade de Euclides da Cunha (incluída, em 1944, no livro *Perfil de Euclides e outros perfis*). Ao ensejo da publicação, no Rio de Janeiro (José Olympio), do livro *Região e tradição*, recebe homenagem de grande número de intelectuais brasileiros, com um almoço no Jóquei Clube, em 26 de junho, do qual foi orador o jornalista Dario de Almeida Magalhães.

1942 É preso no Recife, por ter denunciado, em artigo publicado no Rio de Janeiro, atividades nazistas e racistas no Brasil, inclusive as de um padre alemão a quem foi confiada, pelo governo do estado de Pernambuco, a formação de jovens escoteiros. Com seu pai reage à prisão, quando levado para "a imunda Casa de Detenção do Recife", sendo solto, no dia seguinte, por interferência direta de seu amigo general Góes Monteiro. Recebe convite da Universidade de Yale para ser professor de Filosofia Social, que não pôde aceitar. Profere, no Rio de Janeiro, discurso como padrinho de batismo de avião oferecido pelo jornalista Assis Chateaubriand ao Aeroclube de Porto Alegre. É eleito para o Conselho Consultivo da American Philosophical Association. É designado pelo Conselho da Faculdade de Filosofia da Universidade de Buenos Aires Adscrito Honorário de Sociologia e eleito membro correspondente da Academia Nacional de História do Equador. Discursa no Rio de Janeiro, em nome do sr. Samuel Ribeiro, doador do avião Taylor à campanha de Assis Chateaubriand. Publica-se em Buenos Aires (Comisión Revisora de Textos de Historia y Geografía Americana) a 1ª edição de *Casa-grande & senzala* em espanhol, com introdução de Ricardo Saenz Hayes. Publicam-se no Rio de Janeiro (José Olympio) o livro *Ingleses* e a 2ª edição de *Guia prático, histórico e sentimental da cidade do Recife*. A Casa do Estudante do Brasil divulga, em 2ª edição, a conferência Uma cultura ameaçada: a luso-brasileira, proferida no Gabinete Português de Leitura do Recife (1940).

1943 Visita a Bahia, a convite dos estudantes de todas as escolas superiores do estado, que lhe prestam excepcionais homenagens, às quais se associa quase toda a população de Salvador. Lê na

Faculdade de Medicina da Bahia, a convite da União dos Estudantes Baianos, a conferência Em torno de uma classificação sociológica e no Instituto Histórico da Bahia, por iniciativa da Faculdade de Filosofia do mesmo estado, a conferência A propósito da filosofia social e suas relações com a sociologia histórica (ambas incluídas, com os discursos proferidos nas homenagens recebidas na Bahia, no livro *Na Bahia em 1943*, que teve quase toda a sua tiragem apreendida, nas livrarias do Recife, pela Polícia do Estado de Pernambuco). Recusa, em carta altiva, o convite para ser catedrático de Sociologia da Universidade do Brasil. Inicia colaboração no *O Estado de S. Paulo* em 30 de setembro. Por intermédio do Itamaraty, recebe convite da Universidade de Harvard para ser seu professor, que também recusa. Publicam-se em Buenos Aires (Espasa-Calpe Argentina) as 1as edições, em espanhol, de *Nordeste* e de *Uma cultura ameaçada* e a 2ª, na mesma língua, de *Casa-grande & senzala*. Publicam-se no Rio de Janeiro (Casa do Estudante do Brasil) o livro *Problemas brasileiros de antropologia* e o opúsculo Continente e ilha (conferência lida, em Porto Alegre, no ano de 1940 e incluída na 2ª edição de *Problemas brasileiros de antropologia*). Publica-se também, no Rio de Janeiro (Livros de Portugal), uma edição de *As farpas*, de Ramalho Ortigão e Eça de Queirós, selecionadas e prefaciadas por ele, bem como a 4ª edição de *Casa-grande & senzala*, livro publicado a partir desse ano pelo editor José Olympio.

1944 Visita Alagoas e Paraíba, a convite de estudantes desses estados. Lê na Faculdade de Direito de Alagoas conferência sobre Ulysses Pernambucano, publicada no ano seguinte. Deixa de colaborar nos *Diários Associados* e em *La Nación*, em virtude da violação e do extravio constantes de sua correspondência. Em 9 de junho de 1944, comparece à Faculdade de Direito do Recife, a convite dos alunos dessa escola, para uma manifestação de regozijo em face da invasão da Europa pelos Exércitos Aliados. Lê em Fortaleza a conferência Precisa-se do Ceará. Segue para os Estados Unidos, onde profere, na Universidade do Estado de Indiana, seis conferências promovidas pela Fundação Patten e publicadas no ano seguinte, em Nova York, no livro *Brazil: an interpretation*. Publicam-se no Rio de Janeiro os livros *Perfil de Euclides e outros perfis* (José Olympio), *Na Bahia em 1943* (edição particular) e a 2ª edição do guia *Olinda*. A Casa do Estudante do Brasil publica, no Rio de Janeiro, o livro *Gilberto Freyre*, de Diogo Melo Menezes, com prefácio consagrador de Monteiro Lobato.

1945 Toma parte ativa, ao lado dos estudantes do Recife, na campanha pela candidatura do brigadeiro Eduardo Gomes à presidência da República. Fala em comícios, escreve artigos, anima os estudantes na luta contra a ditadura. No dia 3 de março, por ocasião do primeiro comício daquela campanha no Recife, começa a discursar, na sacada da redação do *Diário de Pernambuco*, quando tomba a seu lado, assassinado pela Polícia Civil do Estado, o estudante de Direito Demócrito de Sousa Filho. A UDN oferece, em sua representação na futura Assembleia Nacional Constituinte, um lugar aos estudantes do Recife, que preferem que seu representante seja o bravo escritor. A Polícia Civil do Estado de Pernambuco empastela e proíbe a circulação do *Diário de*

Pernambuco, impedindo-o de noticiar a chacina em que morreram o estudante Demócrito e um popular. Com o jornal fechado, o retrato de Demócrito é inaugurado na redação, com memorável discurso de Gilberto Freyre: Quiseram matar o dia seguinte (cf. *Diário de Pernambuco*, 10 de abril de 1945). Em 9 de junho, comparece à Faculdade de Direito do Recife como orador oficial da sessão contra a ditadura. Publicam-se no Recife (União dos Estudantes de Pernambuco) o opúsculo de sua autoria em apoio à candidatura de Eduardo Gomes: *Uma campanha maior do que a da abolição,* e a conferência lida, no ano anterior, em Maceió: Ulysses. Publica-se em Fortaleza (edição do autor) a obra *Gilberto Freyre e alguns aspectos da antropossociologia no Brasil*, de autoria do médico Aderbal Sales. Publica-se em Nova York (Knopf) o livro *Brazil: an interpretation.* A editora mexicana Fondo de Cultura Económica publica *Interpretación del Brasil*, com orelhas escritas por Alfonso Reyes.

1946 Eleito deputado federal, segue para o Rio de Janeiro, a fim de participar nos trabalhos da Assembleia Constituinte. Em 17 de junho, profere discurso de críticas e sugestões ao projeto da Constituição, publicado em opúsculo: Discurso pronunciado na Assembleia Nacional Constituinte (incluído na 2ª edição do livro *Quase política*). Em 22 de junho lê no Teatro Municipal de São Paulo, a convite do Centro Acadêmico XI de Agosto, conferência publicada no mesmo ano pela referida organização estudantil Modernidade e modernismo na arte política (incluída, em 1965, no livro *6 conferências em busca de um leitor*). Em 16 de julho, na Faculdade de Direito de Belo Horizonte, a convite de seus alunos, apresenta conferência publicada no mesmo ano: Ordem, liberdade, mineiralidade (incluída, em 1965, no livro *6 conferências em busca de um leitor*). Em agosto inicia colaboração no *Diário Carioca*. Em 29 de agosto profere na Assembleia Constituinte outro discurso de crítica ao projeto da Constituição (incluído na 2ª edição do livro *Quase política*). Em novembro, a Comissão de Educação e Cultura da Câmara dos Deputados indica, com aplauso do escritor Jorge Amado, membro da Comissão, o nome de Gilberto Freyre para o Prêmio Nobel de Literatura de 1947, com o apoio de numerosos intelectuais brasileiros. Publica-se no Rio de Janeiro a 5ª edição de *Casa-grande & senzala* e em Nova York (Knopf) a edição do mesmo livro em inglês, *The masters and the slaves*.

1947 Apresenta à Mesa da Câmara dos Deputados, para ser dado como lido, discurso sobre o centenário de nascimento de Joaquim Nabuco, publicado no ano seguinte. Em 22 de maio, lê no auditório da Associação Brasileira de Imprensa, a convite da Sociedade dos Amigos da América, conferência sobre Walt Whitman, publicada no ano seguinte. Trabalha ativamente na Comissão de Educação e Cultura da Câmara dos Deputados. É convidado para representar o Brasil no 19º Congresso dos Pen Clubes Mundiais, reunido em Zurique. Publica-se em Londres a edição inglesa de *The masters and the slaves*, em Nova York, a 2ª impressão de *Brazil: an interpretation* e no Rio de Janeiro, a edição brasileira deste livro, em tradução de Olívio Montenegro: *Interpretação do Brasil* (José Olympio). Publica-se em Montevidéu a obra *Gilberto Freyre y la sociología brasileña*, de Eduardo J. Couture.

1948 A convite da Unesco, toma parte, em Paris, no conclave de oito notáveis cientistas e pensadores sociais (Gurvitch, Allport e Sullivan, entre eles), reunidos pela referida Organização das Nações Unidas por iniciativa do então diretor Julian Huxley para estudar as Tensões que afetam a compreensão internacional, trabalho em conjunto depois publicado em inglês e francês. Lê, no Ministério das Relações Exteriores, a convite do Instituto Brasileiro de Educação, Ciência e Cultura (Comissão Nacional da Unesco), conferência sobre o conclave de Paris. Repete na Escola de Comando do Estado-Maior do Exército a conferência lida no Ministério das Relações Exteriores. Inicia em 18 de setembro sua colaboração em *O Cruzeiro*. Em dezembro, profere na Câmara dos Deputados discurso justificando a criação do Instituto Joaquim Nabuco de Pesquisas Sociais, com sede no Recife (incluído na 2ª edição do livro *Quase política*). Lê no Museu de Arte de São Paulo duas conferências: uma sobre Emílio Cardoso Ayres e outra sobre d. Veridiana Prado. Apresenta mais uma conferência na Escola de Comando do Estado-Maior do Exército. Publicam-se no Rio de Janeiro (José Olympio) o livro *Ingleses no Brasil* e os opúsculos O camarada Whitman (incluído, em 1965, no livro *6 conferências em busca de um leitor*), Joaquim Nabuco (incluído, em 1966, na 2ª edição do livro *Quase política*) e *Guerra, paz e ciência* (este editado pelo Ministério das Relações Exteriores). Inicia sua colaboração no *Diário de Notícias*.

1949 Segue para os Estados Unidos, a fim de participar, na categoria de ministro, como delegado parlamentar do Brasil, na 4ª Conferência Internacional da Organização das Nações Unidas. Lê conferências na Universidade Católica da América (Washington, D.C.) e na Universidade de Virgínia. Profere, em 12 de abril, na Associação de Cultura Franco-Brasileira do Recife, conferência sobre Emílio Cardoso Ayres (apenas pequeno trecho foi publicado no *Bulletin* da Associação). Em 18 de agosto, apresenta na Faculdade de Direito do Recife conferência sobre Joaquim Nabuco, na sessão comemorativa do centenário de nascimento do estadista pernambucano (incluída no livro *Quase política*). Em 30 de agosto, profere na Câmara dos Deputados discurso de saudação ao Visconde Jowitt, presidente da Câmara dos Lordes do Reino Unido da Grã-Bretanha e Irlanda do Norte (incluído em *Quase política*). No mesmo dia, lê, no Instituto Histórico e Geográfico Brasileiro, conferência sobre Joaquim Nabuco. Publica-se, no Rio de Janeiro (José Olympio), a conferência apresentada no ano anterior, na Escola de Comando do Estado-Maior do Exército: Nação e Exército (incluída, em 1965, no livro *6 conferências em busca de um leitor*).

1950 Profere na Câmara dos Deputados, em 17 de janeiro, discurso sobre o pernambucano Joaquim Arcoverde, primeiro cardeal da América Latina, por ocasião da passagem do primeiro centenário de seu nascimento (incluído em *Quase política*). Apresenta na Câmara dos Deputados, em 5 de abril, discurso sobre o centenário de nascimento de José Vicente Meira de Vasconcelos, constituinte de 1891 (incluído em *Quase política*). Profere na Câmara dos Deputados, em 28 de abril, discurso de definição de atitude na vida pública (incluído em *Quase política*).

Discursa na Câmara dos Deputados, em 2 de maio, sobre o centenário da morte de Bernardo Pereira de Vasconcelos (incluído em *Quase política*). Profere na Câmara dos Deputados, em 2 de junho, discurso contrário à emenda parlamentarista (incluído em *Quase política*). Apresenta na Câmara dos Deputados, em 26 de junho, discurso no qual transmite apelo que recebeu de três parlamentares ingleses, em favor de um governo supranacional (incluído em *Quase política*). Discursa na Câmara dos Deputados, em 8 de agosto, sobre o centenário de nascimento de José Mariano (incluído em *Quase política*). Profere no Parque 13 de Maio, do Recife, discurso em favor da candidatura do deputado João Cleofas de Oliveira ao governo do estado de Pernambuco (incluído na 2ª edição de *Quase política)*. Em 11 de setembro inicia colaboração diária no *Jornal Pequeno*, do Recife, sob o título Linha de fogo, em prol da candidatura João Cleofas ao governo do estado de Pernambuco. Profere, em 8 de novembro, na Câmara dos Deputados, discurso de despedida por não ter sido reeleito para o período seguinte (incluído na 2ª edição de *Quase política*). Publica-se em Urbana (University of Illinois Press) a obra coletiva *Tensions that cause wars*, em Paris, em 1948, tendo como contribuição de Gilberto Freyre: Internationalizing social sciences. Publicam-se no Rio de Janeiro (José Olympio) a 1ª edição do livro *Quase política* e a 6ª de *Casa-grande & senzala*.

1951 Publicam-se no Rio de Janeiro (José Olympio) a seguinte edição de *Nordeste* e de *Sobrados e mucambos* (esta refundida e acrescida de cinco novos capítulos). A convite da Universidade de Londres, escreve, em inglês, estudo sobre a situação do professor no Brasil, publicado, no mesmo ano, pelo *Year book of education*. Publica-se em Lisboa (Livros do Brasil) a edição portuguesa de *Interpretação do Brasil*.

1952 Lê, na sala dos capelos da Universidade de Coimbra, em 24 de janeiro, conferência publicada, no mesmo ano, pela Coimbra Editora: Em torno de um novo conceito de tropicalismo. Publica-se em Ipswich (Inglaterra) o opúsculo editado pela revista *Progress* de Londres com o ensaio Human factors behind Brazilian development. Publica-se no Recife (Edições Região) o *Manifesto regionalista de 1926*. Publicam-se no Rio de Janeiro (Serviço de Documentação do Ministério da Educação e Cultura) o opúsculo *José de Alencar* (José Olympio) e a 7ª edição de *Casa-grande & senzala* em francês, organizada pelo professor Roger Bastide, com prefácio de Lucien Fèbvre: *Maîtres et esclaves* (volume 4 da Coleção La Croix du Sud, dirigida por Roger Caillois). Viaja a Portugal e às províncias ultramarinas. Em 16 de abril, inicia colaboração no *Diário Popular* de Lisboa e no *Jornal do Comércio* do Recife.

1953 Publicam-se no Rio de Janeiro (José Olympio) os livros *Aventura e rotina* (escritos durante a viagem a Portugal e às províncias luso-asiáticas, "à procura das constantes portuguesas de caráter e ação") e *Um brasileiro em terras portuguesas* (contendo conferências e discursos proferidos em Portugal e nas províncias ultramarinas, com extensa "Introdução a uma possível luso-tropicologia").

1954 Escolhido pela Comissão das Nações Unidas para o estudo da situação racial na união sul-africana como o antropólogo estrangeiro mais capacitado a opinar sobre essa situação, visita o referido país e apresenta à Assembleia Geral da ONU um estudo publicado pela organização nessa nação em: *Elimination des conflits et tensions entre les races*. Publica-se no Rio de Janeiro a 8ª edição de *Casa-grande & senzala*; no Recife (Edições Nordeste), o opúsculo Um estudo do prof. Aderbal Jurema e, em Milão (Fratelli Bocca), a 1ª edição, em italiano, de *Interpretazione del Brasile*. Em agosto é encenada no Teatro Santa Isabel a dramatização de *Casa-grande & senzala*, feita por José Carlos Cavalcanti Borges. O professor Moacir Borges de Albuquerque defende, em concurso para provimento efetivo de uma das cadeiras de português do Instituto de Educação de Pernambuco, tese sobre *Linguagem de Gilberto Freyre*.

1955 Lê, na sessão inaugural do 4º Congresso Brasileiro de Neurologia, Psiquiatria e Higiene Mental, conferência sobre Aspectos da moderna convergência médico-social e antropocultural (incluída na 2ª edição de *Problemas brasileiros de antropologia*). Em 15 de maio profere no encerramento do curso de treinamento de professores rurais de Pernambuco discurso publicado no ano seguinte. Comparece, como um dos quatro conferencistas principais (os outros foram o alemão Von Wreie, o inglês Ginsberg e o francês Davy) e na alta categoria de convidado especial, ao 3º Congresso Mundial de Sociologia, realizado em Amsterdã, no qual apresenta a comunicação, publicada em Louvain, no mesmo ano, pela Associação Internacional de Sociologia: *Morals and social change*. Para discutir *Casa-grande & senzala* e outras obras, ideias e métodos de Gilberto Freyre, reúnem-se em Cerisy-La-Salle os escritores e professores M. Simon, R. Bastide, G. Gurvitch, Leon Bourdon, Henri Gouhier, Jean Duvignaud, Tavares Bastos, Clara Mauraux, Nicolas Sombart e Mário Pinto de Andrade: talvez a maior homenagem já prestada na Europa a um intelectual brasileiro; os demais seminários de Cerisy foram dedicados a filósofos da história, como Toynbee e Heidegger. Publicam-se no Recife (Secretaria de Educação e Cultura) os opúsculos Sugestões para uma nova política no Brasil: a rurbana (incluído, em 1966, na 2ª edição de *Quase política*) e Em torno da situação do professor no Brasil; em Nova York (Knopf) a 2ª edição de *Casa-grande & senzala* em inglês: *The masters and the slaves*, e em Paris (Gallimard) a 1ª edição de *Nordeste* em francês: *Terres du sucre* (volume 14 da Coleção La Croix du Sud, dirigida por Roger Caillois).

1957 Lê, em 4 de agosto, na Escola de Belas Artes da Universidade Federal de Pernambuco, em solenidade comemorativa do 25º aniversário de fundação daquela instituição, conferência publicada no mesmo ano: Arte, ciência social e sociedade. Dirige, em outubro, curso sobre Sociologia da Arte na mesma escola. Colabora novamente no *Diário Popular* de Lisboa, atendendo a insistentes convites do seu diretor, Francisco da Cunha Leão. Publicam-se no Recife os opúsculos Palavras às professoras rurais do Nordeste (Secretaria de Educação e Cultura do Estado de Pernambuco) e Importância para o Brasil dos institutos de pesquisa científica (Instituto Joaquim Nabuco de Pesquisas Sociais); no Rio de Janeiro (José Olympio), a 2ª edição de *Sociologia*; no México

(Editorial Cultural), o opúsculo A experiência portuguesa no trópico americano; em Lisboa (Livros do Brasil), a 1ª edição portuguesa de *Casa-grande & senzala* e a obra *Gilberto Freyre's "lusotropicalism"*, de autoria de Paul V. Shaw (Centro de Estudos Políticos Sociais da Junta de Investigações do Ultramar).

1958 Lê, no Fórum Roberto Simonsen, conferência publicada no mesmo ano pelo Centro e Federação das Indústrias do Estado de São Paulo: Sugestões em torno de uma nova orientação para as relações intranacionais no Brasil. Publicam-se em Lisboa (Centro de Estudos Políticos e Sociais da Junta de Investigações do Ultramar) o livro, com texto em português e inglês, *Integração portuguesa nos trópicos/Portuguese integration in the tropics*, e no Rio de Janeiro (José Olympio), a 9ª edição brasileira de *Casa-grande & senzala*.

1959 Lê, em abril, conferências no Instituto Joaquim Nabuco de Pesquisas Sociais, iniciando e concluindo cursos de Ciências Sociais promovidos pelo referido órgão. Em julho, apresenta na Faculdade de Direito da Universidade Federal de Minas Gerais conferência publicada pela mesma universidade, no ano seguinte. Publicam-se em Nova York (Knopf) *New world in the tropics*, cujo texto contém, grandemente expandido e praticamente reescrito, o livro (publicado em 1945 pelo mesmo editor) *Brazil: an interpretation*; na Guatemala (Editorial de Ministério de Educación Pública José de Pineda Ibarra), o opúsculo Em torno a algunas tendencias actuales de la antropología; no Recife (Arquivo Público do Estado de Pernambuco), o opúsculo A propósito de Mourão, Rosa e Pimenta: sugestões em torno de uma possível hispano-tropicalologia; no Rio de Janeiro (José Olympio), a 1ª edição do livro *Ordem e progresso* (terceiro volume da Série Introdução à história patriarcal no Brasil, iniciada com *Casa-grande & senzala*, continuada com *Sobrados e mucambos* e finalizada com *Jazigos e covas rasas*, livro nunca concluído) e *O velho Félix e suas memórias de um Cavalcanti* (2ª edição, ampliada, da introdução ao livro *Memórias de um Cavalcanti*, publicado em 1940); em Salvador (Universidade da Bahia), o livro *A propósito de frades* e o opúsculo Em torno de alguns túmulos afrocristãos de uma área africana contagiada pela cultura brasileira; e em São Paulo (Instituto Brasileiro de Filosofia), o ensaio A filosofia da história do Brasil na obra de Gilberto Freyre, de autoria de Miguel Reale.

1960 Viaja pela Europa, nos meses de agosto e setembro, lendo conferências em universidades francesas, alemãs, italianas e portuguesas. Publicam-se em Lisboa (Livros do Brasil) o livro *Brasis, Brasil e Brasília*; em Belo Horizonte (edições da *Revista Brasileira de Estudos Políticos*), a conferência Uma política transnacional de cultura para o Brasil de hoje; no Recife (Imprensa Universitária), o opúsculo Sugestões em torno do Museu de Antropologia do Instituto Joaquim Nabuco de Pesquisas Sociais, e no Rio de Janeiro (José Olympio), a 3ª edição do livro *Olinda*.

1961 Em 24 de fevereiro recebe em sua casa de Apipucos a visita do escritor norte-americano Arthur Schlesinger Junior, assessor e enviado especial do presidente John F. Kennedy. Em 20 de abril profere na Faculdade de Medicina da Universidade Federal de Pernambuco uma conferência sobre Homem, cultura e trópico, iniciando as atividades do Instituto de Antropologia Tropical, criado naquela faculdade por sugestão sua. Em 25 de abril é filmado e entrevistado em sua residência pela equipe de televisão e cinema do Columbia Broadcasting System. Em junho viaja aos Estados Unidos, onde faz conferência no Conselho Americano de Sociedades Científicas, no Centro de Corning, no Centro de Estudos de Santa Bárbara e nas Universidades de Princeton e Colúmbia. De volta ao Brasil, recebe, em agosto, a pedido da Comissão Educacional dos Estados Unidos da América no Brasil (Comissão Fulbright), para uma palestra informal sobre problemas brasileiros, os professores norte-americanos que participam do II Seminário de Verão promovido pela referida comissão. Em outubro, lê, no Instituto Joaquim Nabuco de Pesquisas Sociais, quatro conferências sobre sociologia da vida rural. Ainda em outubro e a convite dos corpos docente e discente da Escola de Engenharia da Universidade Federal de Pernambuco, lê na mesma escola três conferências sobre Três engenharias inter-relacionadas: a física, a social e a chamada humana. Viaja a São Paulo e lê, em 27 de outubro, no auditório da Academia Paulista de Letras, sob os auspícios do Instituto Hans Staden, conferência intitulada Como e porque sou sociólogo. Em 1º de novembro, apresenta, no auditório da ABI e sob os auspícios do Instituto Cultural Brasil-Alemanha, conferências sobre Harmonias e desarmonias na formação brasileira. Em dezembro, segue para a Europa, permanecendo três semanas na Alemanha Ocidental, para participar, como representante do Brasil, no encontro germano-hispânico de sociólogos. Publicam-se em Tóquio (Ministério da Agricultura do Japão, série de Guias para os emigrantes em países estrangeiros), a edição japonesa de *New world in the tropics*, intitulada *Nettai no shin sekai*; em Lisboa (Comissão Executiva das Comemorações do V Centenário da Morte do Infante Dom Henrique) em português, francês e inglês –, o livro *O luso e o trópico*, *Les Portugais et les tropiques* e *The portuguese and the tropics* (edições separadas); no Recife (Imprensa Universitária), a obra *Sugestões de um novo contato com universidades europeias*; no Rio de Janeiro (José Olympio), a 3ª edição brasileira de *Sobrados e mucambos* e a 10ª edição brasileira (11ª em língua portuguesa) de *Casa-grande & senzala*.

1962 Em fevereiro, a Escola de Samba de Mangueira desfila, no Carnaval do Rio de Janeiro, com enredo inspirado em *Casa-grande & senzala*. Em março é eleito presidente do Comitê de Pernambuco do Congresso Internacional para a Liberdade da Cultura. Em 10 de junho, lê, no Gabinete Português de Leitura do Rio de Janeiro, a convite da Federação das Associações Portuguesas do Brasil, conferência publicada, no mesmo ano, pela referida entidade: *O Brasil em face das Áfricas negras e mestiças*. Em agosto reúne-se em Porto Alegre o 1º Colóquio de Estudos Teuto-Brasileiros, organizado por sugestão sua. Ainda em agosto é admitido pelo presidente da República como comandante do Corpo de Graduação da Ordem do Mérito Militar. Por iniciativa do Banco Interamericano de Desenvolvimento, o professor Leopoldo Castedo profere em Washington, D.C., no curso Panorama da Civilização Ibero-Americana, conferência sobre La valorización del tropicalismo en Freyre. Em outubro, torna-se editor associado do *Journal of Interamerican Studies*. Em novembro, dirige na Faculdade de Letras da Universidade de Coimbra um curso de seis lições sobre Sociologia da História. Ainda na Europa, lê conferências em universidades da França, da Alemanha Ocidental e da Espanha. Em 19 de novembro recebe o grau de doutor *honoris causa* pela Faculdade de Letras de Coimbra. Publicam-se no Rio de Janeiro (José Olympio) os livros *Talvez poesia* e *Vida, forma e cor*, a 2ª edição de *Ordem e progresso* e a 3ª de *Sociologia*; em São Paulo (Livraria Martins Editora), o livro *Arte, ciência e trópico*; em Lisboa (Livros do Brasil), as edições portuguesas de *Aventura e rotina* e de *Um brasileiro em terras portuguesas*; no Rio de Janeiro (José Olympio), a obra coletiva *Gilberto Freyre: sua ciência, sua filosofia, sua arte (ensaios sobre o autor de Casa-grande & senzala e sua influência na moderna cultura do Brasil, comemorativos do 25º aniversário de publicação desse seu livro)*.

1963 Em 10 de junho, inaugura-se no Teatro Santa Isabel do Recife uma exposição sobre *Casa-grande & senzala*, organizada pelo colecionador Abelardo Rodrigues. Em 20 de agosto, o governo de Pernambuco promulga a Lei Estadual nº 4.666, de iniciativa do deputado Paulo Rangel Moreira, que autoriza a edição popular, pelo mesmo estado, de *Casa-grande & senzala*. Publicam-se em *The American Scholar*, Chapel Hill (United Chapters of Phi Beta Kappa e University of North Caroline), o ensaio On the Iberian concept of time; em Nova York (Knopf), a edição de *Sobrados e mucambos* em inglês, com introdução de Frank Tannenbaum: *The mansions and the shanties (the making of modern Brazil)*; em Washington, D.C. (Pan American Union), o livro *Brazil*; em Lisboa, a 2ª edição do opúsculo Americanism and latinity in Latin America (em inglês e francês); em Brasília (Editora Universidade de Brasília), a 12ª edição brasileira de *Casa-grande & senzala* (13ª edição em língua portuguesa) e no Recife (Imprensa Universitária), o livro *O escravo nos anúncios de jornais brasileiros do século XIX* (reedição muito ampliada da conferência lida, em 1935, na Sociedade Felipe d'Oliveira). O professor Thomas John O'Halloran apresenta à Graduate School of Arts and Science, da New York University, dissertação sobre *The life and master writings of Gilberto Freyre*. As editoras A. A. Knopf e Random House publicam em Nova York a 2ª edição (como livro de bolso) de *New world in the tropics*.

1964 A convite do governo do estado de Pernambuco, lê na Escola Normal do mesmo estado, em 13 de maio, conferência como orador oficial da solenidade comemorativa do centenário de fundação daquela Escola. Recebe em Natal, em julho, as homenagens da Fundação José Augusto pelo trigésimo aniversário da publicação de *Casa-grande & senzala*. Recebe, em setembro, o Prêmio Moinho Santista para Ciências Sociais. Viaja aos Estados Unidos e participa, em dezembro, como conferencista convidado, do seminário latino-americano promovido pela Universidade de Colúmbia. Publicam-se em Nova York (Knopf) uma edição abreviada (*paperback*) de *The masters and the slaves*; em Madri (separata da *Revista de la Universidad de Madrid*) o opúsculo De lo regional a lo universal en la interpretación de los complejos socioculturales; no Recife (Instituto Joaquim Nabuco de Pesquisas Sociais), em tradução de Waldemar Valente, a tese universitária de 1922 *Vida social no Brasil nos meados do século XIX* e o opúsculo (Imprensa Universitária) O estado de Pernambuco e expressão no poder nacional: aspectos de um assunto complexo; no Rio de Janeiro (José Olympio), a seminovela *Dona Sinhá e o filho padre*, o livro *Retalhos de jornais velhos* (2ª edição, consideravelmente ampliada, de *Artigos de jornal*), o opúsculo A Amazônia brasileira e uma possível luso-tropicologia (Superintendência do Plano de Valorização Econômica da Amazônia) e a 11ª edição brasileira de *Casa-grande & senzala*. Recusa convite do presidente Castelo Branco para ser ministro da Educação e Cultura.

1965 Viaja a Campina Grande, onde lê, em 15 de março, na Faculdade de Ciências Econômicas, a conferência (publicada no mesmo ano pela Universidade Federal da Paraíba) *Como e porque sou escritor*. Participa no Simpósio sobre Problemática da Universidade Federal de Pernambuco (março/abril), com uma conferência sobre a conveniência da introdução, na mesma universidade, de "Um novo tipo de seminário (Tannenbaum)". Viaja ao Rio de Janeiro, onde recebe, em cerimônia realizada no auditório de *O Globo*, diploma com o qual o referido jornal homenageou, no seu quadragésimo aniversário, a vida e a obra dos Notáveis do Brasil: brasileiros vivos que, "por seu talento e capacidade de trabalho de todas as formas invulgares, tenham tido uma decisiva participação nos rumos da vida brasileira, ao longo dos quarenta anos conjuntamente vividos". Em 9 de novembro, gradua-se, *in absentia*, doutor pela Universidade de Paris (Sorbonne), em solenidade na qual também foram homenageados outros sábios de categoria internacional, em diferentes campos do saber, sendo a consagração por obra que vinha abrindo "novos caminhos à filosofia e às ciências do homem". A consagração cultural pela Sorbonne juntou-se à recebida das Universidades da Colúmbia e de Coimbra e às quais se somaram as de Sussex (Inglaterra) e Münster (Alemanha), em solenidade prestigiada por nove magníficos reitores alemães. Publicam-se em Berlim (Kiepenheuer & Witsch) a 1ª edição de *Casa-grande & senzala* em alemão: *Herrenhaus und sklavenhütte* (*ein bild der Brasilianischen gesellschaft*); no Recife (Imprensa Oficial do Estado de Pernambuco), o opúsculo Forças Armadas e outras forças, e no Rio de Janeiro (José Olympio), o livro *6 conferências em busca de um leitor*.

1966 Viaja ao Distrito Federal, a convite da Universidade de Brasília, onde lê, em agosto, seis conferências sobre Futurologia, assunto que foi o primeiro a desenvolver no Brasil. Por solicitação das Nações Unidas, apresenta ao United Nations Human Rights Seminar on Apartheid (realizado em Brasília, de 23 de agosto a 5 de setembro) um trabalho de base sobre Race mixture and cultural interpenetration: the Brazilian example, distribuído na mesma ocasião em inglês, francês, espanhol e russo. Por sugestão sua, inicia-se na Universidade Federal de Pernambuco o Seminário de Tropicologia, de caráter interdisciplinar e inspirado pelo seminário do mesmo tipo, iniciado na Universidade de Colúmbia pelo professor Frank Tannenbaum. Publicam-se em Barnet, Inglaterra, *The racial factor in contemporary politics*; no Rio de Janeiro (José Olympio), a 13ª edição do mesmo livro; e no Recife (governo do estado de Pernambuco), o primeiro tomo da 14ª edição brasileira (15ª em língua portuguesa) de *Casa-grande & senzala* (edição popular, para ser comercializada a preços acessíveis, de acordo com a Lei Estadual nº 4.666, de 20 de agosto de 1963).

1967 Em 30 de janeiro, lançamento solene, no Palácio do Governo do Estado de Pernambuco, do primeiro volume da edição popular de *Casa-grande & senzala*. Em julho, viaja aos Estados Unidos, para receber, no Instituto Aspen de Estudos Humanísticos, o Prêmio Aspen do ano (30 mil dólares e isento de imposto sobre a renda) "pelo que há de original, excepcional e de valor permanente em sua obra ao mesmo tempo de filósofo, escritor literário e antropólogo". Recebe o Nobel dos Estados Unidos na presença de embaixador, enviado especial do presidente Lyndon B. Johnson, que se congratula com Gilberto Freyre pela honraria na qual o autor foi precedido por apenas três notabilidades internacionais: o compositor Benjamin Britten, a dançarina Martha Graham e o urbanista Constantino Doxiadis por obras reveladoras de "criatividade genial". Em dezembro, lê, na Academia Brasileira de Letras, no Instituto Histórico e Geográfico Brasileiro e no Instituto Joaquim Nabuco de Pesquisas Sociais, conferências sobre Oliveira Lima, em sessões solenes comemorativas do centenário de nascimento daquele historiador (ampliadas no livro *Oliveira Lima, Dom Quixote gordo*). Publicam-se em Lisboa (Fundação Calouste Gulbenkian) o livro *Sociologia da medicina*; em Nova York (Knopf), a tradução da "seminovela" *Dona Sinhá e o filho padre*, intitulada *Mother and son: a Brazilian tale*; no Recife (Instituto Joaquim Nabuco de Pesquisas Sociais), a 2ª edição de *Mucambos do Nordeste* e a 3ª edição do *Manifesto Regionalista de 1926*; em São Paulo (Arquimedes Edições), o livro *O Recife, sim! Recife não!*, e no Rio de Janeiro (José Olympio), a 4ª edição de *Sociologia*.

1968 Em 9 de janeiro, lê, no Palácio do Governo do Estado de Pernambuco, a primeira da série de conferências promovidas pelo governador do estado para comemorar o centenário de nascimento de Oliveira Lima (incluída no livro *Oliveira Lima, Dom Quixote gordo*, publicado no mesmo ano pela Imprensa da Universidade de Recife). Viaja à Argentina, onde faz conferência sobre Oliveira Lima na Universidade do Rosário, e à Alemanha Ocidental, onde recebe o título de doutor *honoris causa* pela Universidade de Münster por sua obra comparada à de Balzac. Publicam-se em Lisboa (Academia Internacional da Cultura Portuguesa) o livro, em dois volumes, *Contribuição para uma sociologia da biografia (o exemplo de Luís de Albuquerque, governador de Mato Grosso no fim do século XVII)*; no Distrito Federal (Editora Universidade de Brasília), o livro *Como e porque sou e não sou sociólogo*, e no Rio de Janeiro (Record), as 2ªs edições dos livros *Região e tradição* e *Brasis, Brasil e Brasília*. Ainda no Rio de Janeiro, publicam-se (José Olympio) as 4ªs edições dos livros *Guia prático, histórico e sentimental da cidade do Recife* e *Olinda, 2º guia prático, histórico e sentimental de cidade brasileira*.

1969 Recebe o Prêmio Internacional de Literatura La Madonnina por "incomparável agudeza na descrição de problemas sociais, conferindo-lhes calor humano e otimismo, bondade e sabedoria", através de uma obra de "fulgurações geniais". Lê conferência, no Conselho Federal de Cultura, em sessão dedicada à memória de Rodrigo M. F. de Andrade. A Universidade Federal de Pernambuco lança os dois primeiros volumes do seminário de Tropicologia, relativos ao ano de 1966: *Trópico & colonização, nutrição, homem, religião, desenvolvimento, educação e cultura, trabalho e lazer, culinária, população.* Lê no Instituto Joaquim Nabuco de Pesquisas Sociais quatro conferências sobre Tipos antropológicos no romance brasileiro. Publicam-se no Recife (Instituto Joaquim Nabuco de Pesquisas Sociais) o ensaio Sugestões em torno da ciência e da arte da pesquisa social, e no Rio de Janeiro (José Olympio), a 15ª edição brasileira de *Casa-grande & senzala.*

1970 Completa setenta anos de idade residindo na província e trabalhando como se fosse um intelectual ainda jovem: escrevendo livros, colaborando em jornais e revistas nacionais e estrangeiros, dirigindo cursos, proferindo conferências, presidindo o conselho diretor e incentivando as atividades do Instituto Joaquim Nabuco de Pesquisas Sociais, presidindo o Conselho Estadual de Cultura, dirigindo o Centro Regional de Pesquisas Educacionais e o Seminário de Tropicologia da Universidade Federal de Pernambuco, comparecendo às reuniões mensais do Conselho Federal de Cultura e atendendo a convites de universidades europeias e norte-americanas, onde é sempre recebido como o embaixador intelectual do Brasil. A editora A. A. Knopf publica em Nova York *Order and progress*, com texto traduzido e refundido por Rod W. Horton.

1971 Recebe a 26 de novembro, em solenidade no Gabinete Português de Leitura, do Recife, e tendo como paraninfo o ministro Mário Gibson Barbosa, o título de doutor *honoris causa* pela Universidade Federal de Pernambuco. Discursa como orador oficial da solenidade de inauguração, pelo presidente Emílio Garrastazu Médici, do Parque Nacional dos Guararapes, no Recife. A rainha Elizabeth lhe confere o título de *Sir* (Cavaleiro Comandante do Império Britânico) e a Universidade Federal do Rio de Janeiro, o grau de doutor *honoris causa* em filosofia. Publicam-se a 1ª edição da *Seleta para jovens* (José Olympio) e a obra *Nós e a Europa germânica* (Grifo Edições). Continua a receber visitas de estrangeiros ilustres na sua casa de Apipucos, devendo-se destacar as de embaixadores do Reino Unido, França, Estados Unidos, Bélgica e as de Aldous Huxley, George Gurvitch, Shelesky, John dos Passos, Jean Duvignaud, Lincoln Gordon e Robert Kennedy, a quem oferece jantar a pedido desse visitante. A Companhia Editora Nacional publica em São Paulo, como volume 348 de sua Coleção Brasiliana, a 1ª edição brasileira de *Novo mundo nos trópicos.*

1972 Preside o Primeiro Encontro Inter-Regional de Cientistas Sociais do Brasil, realizado em Fazenda Nova, Pernambuco, de 17 a 20 de janeiro, sob os auspícios do Instituto Joaquim Nabuco de Pesquisas Sociais. Recebe o título de Cidadão de Olinda, conferido por Lei Municipal nº 3.774, de 8 de março de 1972, e em sessão solene da Assembleia Legislativa do Estado de Pernambuco, a Medalha Joaquim Nabuco, conferida pela Resolução nº 871, de 28 de abril de 1972. Em 14 de junho profere no Instituto Joaquim Nabuco de Pesquisas Sociais palestra sobre José Bonifácio e as duas primeiras conferências da série comemorativa do centenário de Estácio Coimbra. Em 15 de dezembro, inaugura-se na Praia de Boa Viagem, no Recife, o Hotel Casa-grande & senzala. A editora Giulio Einaudi publica em Turim a edição italiana de *Casa-grande & senzala*, intitulada *Case e catatecchie*.

1973 Recebe em São Paulo o Troféu Novo Mundo, "por obras notáveis em sociologia e história", e o Troféu Diários Associados, pela "maior distinção anual em artes plásticas". Realizam-se exposições de telas de sua autoria, uma no Recife, outra no Rio, esta na residência do casal José Maria do Carmo Nabuco, com apresentação de Alfredo Arinos de Mello Franco. Por decreto do presidente Médici, é reconduzido ao Conselho Federal de Cultura. Viaja a Angola, em fevereiro. A 10 de maio, a convite da Assembleia Legislativa do Estado de Pernambuco, profere discurso no Cemitério de Santo Amaro, diante do túmulo de Joaquim Nabuco, em comemoração ao Sesquicentenário do Poder Legislativo no Brasil. Recebe em setembro, em João Pessoa, o título de doutor *honoris causa* pela Universidade Federal da Paraíba. Profere na Câmara dos Deputados, em 29 de novembro, conferência sobre Atuação do Parlamento no Império e na República, na série comemorativa do Sesquicentenário do Poder Legislativo no Brasil, e na Universidade de Brasília, palestra em inglês para o corpo diplomático, sob o título de Some remarks on how and why Brazil is different. Em 13 de dezembro é operado pelo professor Euríclides de Jesus Zerbini, no Hospital da Beneficência Portuguesa de São Paulo.

1974 Faz sua primeira exposição de pintura em São Paulo, com quarenta telas adquiridas imediatamente. A 15 de março, o Instituto Joaquim Nabuco de Pesquisas Sociais comemora com exposição e sessão solene os quarenta anos da publicação de *Casa-grande & senzala*. Em 20 de julho profere no Instituto Joaquim Nabuco de Pesquisas Sociais conferência sobre a Importância dos retratos para os estudantes biográficos: o caso de Joaquim Nabuco. A 29 de agosto, a Universidade Federal de Pernambuco inaugura no saguão da reitoria uma placa comemorativa dos quarenta anos de *Casa-grande & senzala*. A 12 de outubro recebe a Medalha de Ouro José Vasconcelos, outorgada pela Frente de Afirmación Hispanista do México, para distinguir, a cada ano, uma personalidade dos meios culturais hispano-americanos. O cineasta Geraldo Sarno realiza documentário de cinco minutos intitulado *Casa-grande & senzala*, de acordo com uma ideia de Aldous Huxley. O editor Alfred A. Knopf publica em Nova York a obra *The Gilberto Freyre reader*.

1975 Diante da violência de uma enchente do rio Capibaribe, em 17 e 18 de julho, lidera com Fernando de Mello Freyre, diretor do Instituto Joaquim Nabuco, um movimento de estudo interdisciplinar sobre as enchentes em Pernambuco. Profere, em 10 de outubro, conferência no Clube Atlético

Paulistano sobre O Brasil como nação hispano-tropical. Recebe em 15 de outubro, do Sindicato dos Professores do Ensino Primário e Secundário de Pernambuco e da Associação dos Professores do Ensino Oficial, o título de Educador do Ano, por relevantes serviços prestados à comunidade nordestina no campo da educação e da pesquisa social. Profere em 7 de novembro, no Teatro Santa Isabel, do Recife, conferência sobre o Sesquicentenário do *Diário de Pernambuco*. O Instituto do Açúcar e do Álcool lança, em 15 de novembro, o Prêmio de Criatividade Gilberto Freyre, para os melhores ensaios sobre aspectos socioeconômicos da zona canavieira do Nordeste. Publicam-se no Rio de Janeiro suas obras *Tempo morto e outros tempos, O brasileiro entre os outros hispanos* (José Olympio) e *Presença do açúcar na formação brasileira* (IAA).

1976 Viaja à Europa em setembro, fazendo conferências em Madri (Instituto de Cultura Hispânica) e em Londres (Conselho Britânico). É homenageado com a esposa, em Londres, com banquete pelo embaixador Roberto Campos e esposa (presentes vários dos seus amigos ingleses, como Lord Asa Briggs). Em Paris, como hóspede do governo francês, é entrevistado pelo sociólogo Jean Duvignaud, na rádio e na televisão francesas, sobre Tendências atuais da cultura brasileira. É homenageado com banquete pelo diretor de *Le Figaro*, seu amigo, escritor e membro da Academia Francesa, Jean d'Ormesson, presentes Roger Caillois e outros intelectuais franceses. Em Viena, identifica mapas inéditos do Brasil no período holandês, existentes na Biblioteca Nacional da Áustria. Na Espanha, como hóspede do governo, realiza palestra no Instituto de Cultura Hispânica, presidido pelo Duque de Cadis. Em Lisboa é homenageado com banquete pelo secretário de estado de Cultura, com a presença de intelectuais, ministros e diplomatas. Em 7 de outubro, lê em Brasília, a convite do ministro da Previdência Social, conferência de encerramento do Seminário sobre Problemas de Idosos. A Livraria José Olympio Editora publica as 16ª e 17ª edições de *Casa-grande & senzala,* e o IJNPS, a 6ª edição do *Manifesto regionalista*. É lançada em Lisboa 2ª edição portuguesa de *Casa-grande & senzala*.

1977 Estreia em janeiro no Nosso Teatro (Recife) a peça *Sobrados e mucambos*, adaptada por Hermilo Borba Filho e encenada pelo Grupo Teatral Vivencial. Recebe em fevereiro, do embaixador Michel Legendre, a faixa e as insígnias de Comendador das Artes e Letras da França. Profere em março, no Seminário de Tropicologia, conferência sobre O Recife eurotropical e, na Câmara dos Deputados, em Brasília, conferência de encerramento do ciclo comemorativo do Bicentenário da Independência dos Estados Unidos. Exibição, na Biblioteca Municipal Mário de Andrade, em São Paulo, de um documentário cinematográfico sobre sua vida e obra, *Da palavra ao desenho da palavra*, com debates dos quais participam Freitas Marcondes, Leo Gilson Ribeiro, Osmar Pimentel e Egon Schaden. Profere conferências na Câmara dos Deputados, em Brasília, em 19 de agosto, sobre A terra, o homem e a educação, no Seminário sobre Ensino Superior, promovido pela Comissão de Educação e Cultura, e no Teatro José de Alencar de Fortaleza, em 24 de setembro, sobre O Nordeste visto através do tempo. Lançamento em São Paulo, em 10 de novembro, do álbum *Casas-grandes & senzalas*, com guaches de Cícero Dias.

Apresenta, no Arquivo Público Estadual de Pernambuco, conferência de encerramento do Curso sobre o Sesquicentenário da Elevação do Recife à Condição de Capital, sobre O Recife e a sua autobiografia coletiva. É acolhido como sócio honorário do Pen Clube do Brasil. Inicia em outubro colaboração semanal na *Folha de S.Paulo*. A Livraria José Olympio Editora publica *O outro amor do dr. Paulo*, seminovela, continuação de *Dona Sinhá e o filho padre*. A Editora Nova Aguilar publica, em dezembro, a *Obra escolhida*, volume em papel-bíblia que inclui *Casa-grande & senzala*, *Nordeste* e *Novo mundo nos trópicos*, com introdução de Antônio Carlos Villaça, cronologia da vida e da obra e bibliografia ativa e passiva, por Edson Nery da Fonseca. A Editora Ayacucho lança em Caracas a 3ª edição em espanhol de *Casa-grande & senzala*, com introdução de Darcy Ribeiro. As Ediciones Cultura Hispánica publicam em Madri a edição espanhola da *Seleta para jovens*, com o título de *Antología*. A Editora Espasa-Calpe publica, em Madri, *Más allá de lo moderno,* com prefácio de Julián Marías. A Livraria José Olympio Editora lança a 5ª edição de *Sobrados e mucambos* e a 18ª edição brasileira de *Casa-grande & senzala*.

1978 Viaja a Caracas para proferir três conferências no Instituto de Assuntos Internacionais do Ministério das Relações Exteriores da Venezuela. Abre no Arquivo Público Estadual, em 30 de março, ciclo de conferências sobre escravidão e abolição em Pernambuco, fazendo Novas considerações sobre escravos em anúncios de jornal em Pernambuco. Profere conferência sobre O Recife e sua ligação com estudos antropológicos no Brasil, na instalação da XI Reunião Brasileira de Antropologia, no auditório da Universidade Federal de Pernambuco, em 7 de maio. Em 22 de maio, abre em Natal a I Semana de Cultura do Nordeste. Profere em Curitiba, em 9 de junho, conferência sobre O Brasil em nova perspectiva antropossocial, numa promoção da Associação dos Professores Universitários do Paraná; em Cuiabá, em 16 de setembro, conferência sobre A dimensão ecológica do caráter nacional; na Academia Paulista de Letras, em 4 de dezembro, conferência sobre Tropicologia e realidade social, abrindo o 1º Seminário Internacional de Estudos Tropicais da Fundação Escola de Sociologia e Política. Publica-se *Recife & Olinda*, com desenhos de Tom Maia e Thereza Regina. Publicam-se as seguintes obras: *Alhos e bugalhos* (Nova Fronteira); *Prefácios desgarrados* (Cátedra); *Arte e ferro* (Ranulpho Editora de Arte), com pranchas de Lula Cardoso Ayres. O Conselho Federal de Cultura lança *Cartas do próprio punho sobre pessoas e coisas do Brasil e do estrangeiro*. A editora Gallimard publica a 14ª edição de *Maîtres et esclaves*, na Coleção TEL. A Livraria Editora José Olympio publica a 19ª edição brasileira de *Casa-grande & senzala*, e a Fundação Cultural do Mato Grosso, a 2ª edição de *Introdução a uma sociologia da biografia*.

1979 O Arquivo Estadual de Pernambuco publica, em março, a edição fac-similar do *Livro do Nordeste*. Participa, no auditório da Biblioteca Municipal de São Paulo, em 30 de março, da Semana do Escritor Brasileiro. Recebe em Aracaju, em 17 de abril, o título de Cidadão Sergipano, outorgado pela Assembleia Legislativa de Sergipe. É homenageado pelo 44º Congresso

Mundial de Escritores do Pen Clube Internacional, reunido no Rio de Janeiro, quando recebe a medalha Euclides da Cunha, sendo saudado pelo escritor Mário Vargas Llosa. Recebe o grau de doutor *honoris causa* pela Faculdade de Ciências Médicas da Fundação do Ensino Superior de Pernambuco Universidade de Pernambuco, em setembro. Viaja à Europa em outubro. Profere conferência na Fundação Calouste Gulbenkian, em 22 de outubro, sobre Onde o Brasil começou a ser o que é. Abre o ciclo de conferências comemorativo do 20º aniversário da Sudene, em dezembro, falando sobre Aspectos sociais do desenvolvimento regional. Recebe nesse mês o Prêmio Caixa Econômica Federal, da Fundação Cultural do Distrito Federal, pela obra *Oh de casa!*. Profere na Universidade de Brasília conferência sobre Joaquim Nabuco: um novo tipo de político. A Editora Artenova publica *Oh de casa!*. A Editora Cultrix publica *Heróis e vilões no romance brasileiro*. A MPM Propaganda publica *Pessoas, coisas & animais*, em edição não comercial. A Editora Ibrasa publica *Tempo de aprendiz*.

1980 Em 24 de janeiro, a Academia Pernambucana de Letras inicia as comemorações do octogésimo aniversário do autor, com uma conferência de Gilberto Osório de Andrade sobre Gilberto Freyre e o trópico. Em 25 de janeiro, a Codepe inicia seu Seminário Permanente de Desenvolvimento, dedicando-o ao estudo da obra de Gilberto Freyre. O Arquivo Público Estadual comemora a efeméride, em 26 e 27 de fevereiro, com duas conferências de Edson Nery da Fonseca. Recebe em São Paulo, em 7 de março, a medalha de Ordem do Ipiranga, maior condecoração do estado. Em 26 de março, recebe a medalha José Mariano, da Câmara Municipal do Recife. Por decreto de 15 de abril, o governador do estado de Sergipe lhe confere o galardão de Comendador da Ordem do Mérito Aperipê. Em homenagem ao autor, são realizados diversos eventos, como: missa cantada na Catedral de São Pedro dos Clérigos, do Recife, mandada celebrar pelo governo do estado de Pernambuco, sendo oficiante monsenhor Severino Nogueira e regente o padre Jayme Diniz. Inauguração, na redação do *Diário de Pernambuco*, de placa comemorativa da colaboração de Gilberto Freyre, iniciada em 1918. Almoço na residência de Fernando Freyre. *Open house* na vivenda Santo Antônio. Sorteio de bilhete da Loteria Federal da Praça de Apipucos. Desfile de clubes e blocos carnavalescos e concentração popular em Apipucos. Sessão solene do Congresso Nacional, em 15 de abril, às 15 horas, para homenagear o escritor Gilberto Freyre pelo transcurso do seu octogésimo aniversário. Discursos do presidente, senador Luís Viana Filho, dos senadores Aderbal Jurema e Marcos Freire e do deputado Thales Ramalho. Viaja a Portugal em junho, a convite da Câmara Municipal de Lisboa, para participar nas comemorações do Quarto Centenário da Morte de Camões. Profere conferência A tradição camoniana ante insurgências e ressurgências atuais. É homenageado, em 6 de julho, durante a 32ª Reunião Anual da Sociedade Brasileira para o Progresso da Ciência, realizada no Rio de Janeiro, e em 25 de julho, pelo XII Congresso Brasileiro de Língua e Literatura, promovido pelas universidades estaduais do Rio de Janeiro e Universidade Federal do Rio de Janeiro. Em 11 de agosto, recebe do embaixador

Hansjorg Kastl a Grã-Cruz do Mérito da República Federativa da Alemanha. Ainda em agosto, é homenageado pelo IV Seminário Paraibano de Cultura Brasileira. Recebe o título de Cidadão Benemérito de João Pessoa, outorgado pela Câmara Municipal da capital paraibana. Recebe o título do sócio honorário do Instituto Histórico e Geográfico da Paraíba. Em 2 de setembro, é homenageado pelo Pen Clube do Brasil com um painel sobre suas ideias, no auditório do Palácio da Cultura, no Rio de Janeiro. Encenação, no Teatro São Pedro de São Paulo, da peça de José Carlos Cavalcanti Borges *Casa-grande & senzala*, sob a direção de Miroel Silveira, pelo grupo teatral da Escola de Comunicação e Artes da USP. Em 10 de outubro, apresenta conferência da Fundação Luisa e Oscar Americano, de São Paulo, sobre Imperialismo cultural do Conde Maurício. De 13 a 17 de outubro, profere simpósio internacional promovido pela Universidade de Brasília e pelo Ministério da Educação e Cultura, com a participação, como conferencistas, do historiador social inglês Lord Asa Briggs, do filósofo espanhol Julián Marías, do poeta e ensaísta português David Mourão-Ferreira, do antropólogo francês Jean Duvignaud e do historiador mexicano Silvio Zavala. Recebe o Prêmio Jabuti, de São Paulo, em 28 de outubro. Recebe, em 11 de dezembro, o grau de doutor *honoris causa* pela Universidade Católica de Pernambuco. Em 12 de dezembro, recebe o Prêmio Moinho Recife. São publicadas diversas obras do autor, como: o álbum *Gilberto poeta*: algumas confissões, com serigrafias de Aldemir Martins, Jenner Augusto, Lula Cardoso Ayres, Reynaldo Fonseca e Wellington Virgolino e posfácio de José Paulo Moreira da Fonseca (Ranulpho Editora de Arte); *Poesia reunida* (Edições Pirata, Recife); 20ª edição brasileira de *Casa-grande & senzala*, com prefácio do ministro Eduardo Portella; 5ª edição de *Olinda*; 3ª edição da *Seleta para jovens*; 2ª edição brasileira de *Aventura e rotina* (todas pela José Olympio); e a 2ª edição de *O escravo nos anúncios de jornais brasileiros do século XIX* (Companhia Editora Nacional). A editora Greenwood Press, de Westport, Conn., publica, sem autorização do autor, a reimpressão de *New world in the tropics*.

1981 A Classe de Letras da Academia de Ciências de Lisboa reúne-se, em fevereiro, para a comunicação do escritor David Mourão-Ferreira sobre Gilberto Freyre, criador literário. Encenação, em março, no Teatro Santa Isabel, da peça-balé de Rubens Rocha Filho *Tempos perdidos, nossos tempos*. Em 25 de março, o autor recebe do embaixador Jean Beliard a *rosette* de Oficial da Legião de Honra. Inauguração de seu retrato, em 21 de abril, no Museu do Trem da Superintendência Regional da Rede Ferroviária Federal. Em 29 de abril, o Conselho Municipal de Cultura lança, no Palácio do Governo, um álbum de desenhos de sua autoria. Inauguração, em 7 de maio, no Museu Nacional da Quinta da Boa Vista, da edição quadrinizada de *Casa-grande & senzala*, numa promoção da Universidade Federal do Rio de Janeiro, Museu Nacional e Editora Brasil-América. Profere conferência, em 15 de maio, no auditório Benício Dias da Fundação Joaquim Nabuco, sobre Atualidade de Lima Barreto. Viaja à Espanha, em outubro, para tomar posse no Conselho Superior do Instituto de Cooperação Ibero-Americana, nomeado pelo rei João Carlos I.

1982 Recebe em janeiro a medalha comemorativa dos trinta anos do Conselho Nacional de Desenvolvimento Científico e Tecnológico (CNPq). Profere na Academia Pernambucana de Letras a conferência Luís Jardim Autodidata?, comemorativa do octogésimo aniversário do pintor e escritor pernambucano. Na abertura do III Congresso Afro-Brasileiro, em 20 de setembro, apresenta conferência no Teatro Santa Isabel. Em setembro, é entrevistado pela Rede Bandeirantes de Televisão, no programa *Canal Livre*. Recebe do embaixador Javier Vallaure, na Embaixada da Espanha em Brasília, a Grã-Cruz de Alfonso, El Sabio (outubro), e no auditório do Palácio da Cultura, em 9 de novembro, profere conferência sobre Villa-Lobos revisitado. Profere no Nacional Club de São Paulo, em 11 de novembro, conferência sobre Brasil: entre passados úteis e futuros renovados. A Editora Massangana publica *Rurbanização:* o que é? A editora Klett-Cotta, de Stuttgart, publica a 1ª edição alemã de *Das land in der stadt: die entwicklung der urbanen gesellschaft Brasiliens* (*Sobrados e mucambos*) e a 2ª edição de *Herrenhaus und sklavenhütte* (*Casa-grande & senzala*).

1983 Iniciam-se em 21 de março Dia Internacional das Nações Unidas Contra a Discriminação Racial as comemorações do cinquentenário da publicação de *Casa-grande & senzala*, com sessão solene no auditório Benício Dias, presidida pelo governador Roberto Magalhães e com a presença da ministra da Educação, Esther de Figueiredo Ferraz, e do diretor-geral da Unesco, Amadou M'Bow, que lhe entrega a medalha Homenagem da Unesco. Recebe em 15 de abril, da Associação Brasileira de Relações Públicas, Seção de Pernambuco, o Troféu Integração por destaque cultural de 1982. Em abril, expõe seus últimos desenhos e pinturas na Galeria Aloísio Magalhães. Viaja a Lisboa, em 25 de outubro, para receber, do ministro dos Negócios Estrangeiros, a Grã-Cruz de Santiago da Espada. Em 27 de outubro, participa de sessão solene da Academia de Ciências de Lisboa e da Academia Portuguesa de História, comemorativa do cinquentenário da publicação de *Casa-grande & senzala*. A Fundação Calouste Gulbenkian promove em Lisboa um ciclo de conferências sobre *Casa-grande & senzala* (2 de novembro a 4 de dezembro). É homenageado pela Feira Internacional do Livro do Rio de Janeiro, em 9 de novembro. O Seminário de Tropicologia reúne-se, em 29 de novembro, para a conferência de Edson Nery da Fonseca, intitulada Gilberto Freyre, cultura e trópico. Recebe em 7 de dezembro, no Liceu Literário Português do Rio de Janeiro, a Grã-Cruz da Ordem Camoniana. A Editora Massangana publica *Apipucos: que há num nome?*, a Editora Globo lança *Insurgências e ressurgências atuais* e *Médicos, doentes e contextos sociais* (2ª edição de *Sociologia da medicina*). Realiza-se na Fundação Joaquim Nabuco, de 19 a 30 de setembro, um ciclo de conferências comemorativo dos cinquenta anos de *Casa-grande & senzala*, promovido com apoio do governo do estado e de outras entidades pernambucanas (anais editados por Edson Nery da Fonseca e publicados em 1985 pela Editora Massangana: *Novas perspectivas em Casa-grande & senzala*). A José Olympio Editora publica no Rio de Janeiro o livro de Edilberto Coutinho *A imaginação do real: uma leitura da ficção de Gilberto Freyre*, tese de doutoramento defendida na Universidade Federal do Rio de Janeiro. A Editora Record lança no Rio de Janeiro *Homens, engenharias e rumos sociais*.

1984 Lançamento, em 20 de janeiro, de selo postal comemorativo do cinquentenário de *Casa-grande & senzala*. Viaja a Salvador, em 14 de março, para receber homenagem do governo do estado pelo cinquentenário de *Casa-grande & senzala*. Inauguração, no Museu de Arte Moderna da Bahia, da exposição itinerante sobre a obra. Conferência de Edson Nery da Fonseca sobre Gilberto Freyre, *Casa-grande & senzala* e a Bahia. Convidado pelo governador Tancredo Neves, profere em Ouro Preto, em 21 de abril, o discurso oficial da Semana da Inconfidência. Profere em 8 de maio, na antiga Reitoria da UFRJ, conferência sobre Alfonso X, o sábio, ponte de culturas. Recebe da União Cultural Brasil-Estados Unidos, em 7 de junho, a medalha de merecimento por serviços relevantes prestados à aproximação entre o Brasil e os Estados Unidos. Convidado pelo Conselho da Comunidade Portuguesa do Estado de São Paulo, lê no Clube Atlético Paulistano, em 8 de junho (Dia de Portugal), a conferência Camões: vocação de antropólogo moderno?, publicada no mesmo ano pelo conselho. Em setembro, o Balé Studio Um realiza no Recife o espetáculo de dança *Casa-grande & senzala*, sob a direção de Eduardo Gomes e com música de Egberto Gismonti. Recebe a Medalha Picasso da Unesco, desenhada por Juan Miró em comemoração do centenário do pintor espanhol. Em setembro, é homenageado por Richard Civita no Hotel 4 Rodas de Olinda, com banquete presidido pelo governador Roberto Magalhães e entrega de passaportes para o casal se hospedar em qualquer hotel da rede. Participa, na Arquidiocese do Rio de Janeiro, em outubro, do Congresso Internacional de Antropologia e Práxis, debatedor do tema *Cultura e redenção*, desenvolvido por D. Paul Poupard. É homenageado no Teatro Santa Isabel do Recife, em 31 de novembro, pelo cinquentenário do 1º Congresso Afro-Brasileiro, ali realizado em 1934. Lê no Museu de Arte Sacra de Pernambuco (Olinda) a conferência Cultura e museus, publicada no ano seguinte pela Fundação do Patrimônio Histórico e Artístico de Pernambuco (Fundarpe).

1985 Recebe da Fundarpe a Homenagem à Cultura Viva de Pernambuco, em 18 de março. Viaja em maio aos Estados Unidos, para receber, na Baylor University, o prêmio consagrador de notáveis triunfos (Distinguished Achievement Award). Profere em 21 de maio, na Harvard University, conferência sobre My first contacts with american intellectual life, promovida pelo Departamento de Línguas e Literaturas Românicas e pela Comissão de Estudos Latino-Americanos e Ibéricos. Realiza exposição na Galeria Metropolitana Aloísio Magalhães do Recife: Desenhos a cor: figuras humanas e paisagens. Recebe, em agosto, o grau de doutor *honoris causa* em Direito e em Letras pela Universidade Clássica de Lisboa. É nomeado em setembro, pelo presidente da República, para compor a Comissão de Estudos Constitucionais. Recebe o título de Cidadão de Manaus, em 6 de setembro. Profere, em 29 de outubro, conferência na inauguração do Instituto Brasileiro de Altos Estudos (Ibrae) de São Paulo, subordinada ao título À beira do século XX. Em 20 de novembro, é apresentado, no Cine Bajado, de Olinda, o filme de Kátia Mesel *Oh de casa!*. Em dezembro viaja a São Paulo, sendo hospitalizado no Incor para cirurgia de um divertículo de Zenkel (hérnia de esôfago). A José Olympio Editora publica a 7ª edição de *Sobrados e* *mucambos* e a 5ª edição de *Nordeste*. Por iniciativa do Centro de Estudos Latino-Americanos da Universidade da Califórnia em Los Angeles, a editora da universidade publica em Berkeley reedições em brochuras do mesmo formato de *The masters and the slaves, The mansions and the shanties* e *Order and progress*, com introduções de David H. E. Mayburt-Lewis e Ludwig Lauerhass Jr., respectivamente.

1986 Em janeiro, submete-se a uma cirurgia do esôfago para retirada de um divertículo de Zenkel, no Incor. Regressa ao Recife em 16 de janeiro, dizendo: "Agora estou em casa, meu Apipucos". Em 22 de fevereiro, retorna a São Paulo para uma cirurgia de próstata no Incor, realizada em 24 de fevereiro. Recebe em 24 de abril, em sua residência de Apipucos, do embaixador Bernard Dorin, a comenda de Grande Oficial da Legião de Honra, no grau de Cavaleiro. Em maio, é agraciado com o Prêmio Cavalo-Marinho, da Empitur. Em agosto, recebe o título de Cidadão de Aracaju. Em 24 de outubro, reencontra-se no Recife com a dançarina Katherine Dunhm. Em 28 de outubro é eleito para ocupar a cadeira 23 da Academia Pernambucana de Letras, vaga com a morte de Gilberto Osório de Andrade. Toma posse em 11 de dezembro na Academia Pernambucana de Letras. Recebe, em 16 de dezembro, o título de Pesquisador Emérito do Instituto de Pesquisas Sociais da Fundação Joaquim Nabuco. Publica-se em Budapeste a edição húngara de *Casa-grande & senzala, intitulada Udvarház és szolgaszállás*. A professora Élide Rugai Bastos defende na Pontifícia Universidade Católica de São Paulo (PUC) a tese de doutoramento *Gilberto Freyre e a formação da sociedade brasileira*, orientada pelo professor Octavio Ianni. A Áries Editora publica em São Paulo o livro de Pietro Maria Bardi *Ex-votos de Mário Cravo*, e a Editora Creficullo lança o livro do mesmo autor *40 anos de Masp*, ambos prefaciados por Gilberto Freyre.

1987 Instituição, em 11 de março, da Fundação Gilberto Freyre. Em 30 de março, recebe em Apipucos a visita do presidente Mário Soares. Em 7 de abril, submete-se a uma cirurgia para implantação de marca-passo no Incor do Hospital Português. Em 18 de abril, Sábado Santo, recebe de Dom Basílio Penido, OSB, os sacramentos da Reconciliação, da Eucaristia e da Unção dos Enfermos. Morre no Hospital Português, às 4 horas de 18 de julho, aniversário de Magdalena. Sepultamento no Cemitério de Santo Amaro, às 18 horas, com discurso do ministro Marcos Freire. Em 20 de julho, o senador Afonso Arinos ocupa a tribuna da Assembleia Nacional Constituinte para homenagear sua memória. Em 19 de julho, o jornal *ABC de Madri* publica um artigo de Julián Marías: Adiós a um brasileño universal. Em 24 de julho, missas concelebradas, no Recife, por Dom José Cardoso Sobrinho e Dom Heber Vieira da Costa, OSB, e em Brasília, por Dom Hildebrando de Melo e pelos vigários da catedral e do Palácio da Alvorada com coral da Universidade de Brasília. Missa celebrada no seminário, com canto gregoriano a cargo das Beneditinas de Santa Gertrudes, de Olinda. A Editora Record publica *Modos de homem e modas de mulher* e a 2ª edição de *Vida, forma e cor*; *Assombrações do Recife Velho* e *Perfil de Euclides e outros perfis*; a José Olympio Editora, a 25ª edição brasileira de *Casa-grande & senzala*. O Círculo do Livro lança nova edição de

Dona Sinhá e o filho padre, e a Editora Massangana publica *Pernambucanidade consagrada* (discursos de Gilberto Freyre e Waldemar Lopes na Academia Pernambucana de Letras). Ciclo de conferências promovido pela Fundação Joaquim Nabuco em memória de Gilberto Freyre, tendo como conferencistas Julián Marías, Adriano Moreira, Maria do Carmo Tavares de Miranda e José Antônio Gonsalves de Mello (convidado, deixou de vir, por motivo de doença, o antropólogo Jean Duvignaud). Ciclo de conferências promovido em Maceió pelo governo do estado de Alagoas, a cargo de Maria do Carmo Tavares de Miranda, Odilon Ribeiro Coutinho e José Antônio Gonsalves de Mello. Homenagem do Conselho Latino-Americano de Ciências Sociais, na abertura de sua XIV Assembleia Geral, realizada no Recife, de 16 a 21 de novembro. A editora mexicana Fondo de Cultura Económica publica a 2ª edição, como livro de bolso, de *Interpretación del Brasil*. A revista *Ciência e Cultura* publica em seu número de setembro o necrológio de Gilberto Freyre, solicitado por Maria Isaura Pereira de Queiroz a Edson Nery da Fonseca.

1988 Em convênio com a Fundação Gilberto Freyre e sob os auspícios do Grupo Gerdau, a Editora Record publica no Rio de Janeiro a obra póstuma *Ferro e civilização no Brasil*.

1989 Em sua 26ª edição, *Casa-grande & senzala* passa a ser publicada pela Editora Record, até a 46ª edição, em 2002.

1990 A Fundação das Artes e a Empresa Gráfica da Bahia publicam em Salvador *Bahia e baianos*, obra póstuma organizada e prefaciada por Edson Nery da Fonseca. A editora Klett-Cotta lança em Stuttgart a 2ª edição alemã de *Sobrados e mucambos* (*Das land in der Stadt*). Realiza-se na Fundação Joaquim Nabuco o seminário O cotidiano em Gilberto Freyre, organizado por Fátima Quintas (anais publicados no mesmo ano pela Editora Massangana).

1994 A Câmara dos Deputados publica, como volume 39 de sua Coleção Perfis Parlamentares, *Discursos parlamentares*, de Gilberto Freyre, texto organizado, anotado e prefaciado por Vamireh Chacon. A Editora Agir publica no Rio de Janeiro a antologia *Gilberto Freyre*, organizada por Edilberto Coutinho como volume 117 da Coleção Nossos Clássicos, dirigida por Pedro Lyra. A Editora 34 publica no Rio de Janeiro a tese de doutoramento de Ricardo Benzaquen de Araújo *Guerra e paz:* Casa-grande & senzala *e a obra de Gilberto Freyre nos anos 30*.

1995 Realiza-se na Fundação Joaquim Nabuco a semana de estudos comemorativos dos 95 anos de Gilberto Freyre, com conferências reunidas e apresentadas por Fátima Quintas na obra coletiva *A obra em tempos vários (Editora* Massangana*)*, publicada em 1999. A Fundação de Cultura da Cidade do Recife e a Imprensa Universitária da Universidade Federal de Pernambuco publicam no Recife *Novas conferências em busca de leitores*, obra póstuma organizada e prefaciada por Edson Nery da Fonseca. A Editora Massangana publica o livro de Sebastião Vila Nova *Sociologias e pós-sociologia em Gilberto Freyre*.

1996 Realiza-se na Fundação Joaquim Nabuco o simpósio Que somos nós?, organizado por Maria do Carmo Tavares de Miranda em comemoração aos sessenta anos de *Sobrados e mucambos* (anais publicados pela Editora Massangana em 2000).

1997 Comemorando seu septuagésimo quinto aniversário, a revista norte-americana *Foreign Affairs* publica o resultado de um inquérito destinado à escolha de 62 obras "que fizeram a cabeça do mundo a partir de 1922". *Casa-grande & senzala* é apontada como uma delas pelo professor Kenneth Maxwell. A Companhia das Letras publica em São Paulo a 4ª edição de *Açúcar*, livro reimpresso em 2002 por iniciativa da Usina Petribu.

1999 Por iniciativa da Fundação Oriente, da Universidade da Beira Interior e da Sociedade de Geografia de Lisboa, iniciam-se em Portugal as comemorações do centenário de nascimento de Gilberto Freyre, com o colóquio realizado na Sociedade de Geografia de Lisboa, de 11 e 12 de fevereiro, Lusotropicalismo revisitado, sob a direção dos professores Adriano Moreira e José Carlos Venâncio. A Fundação Oriente institui um prêmio anual de 1 milhão de escudos para "galardoar trabalhos de investigação na área da perspectiva gilbertiana sobre o Oriente". As comemorações pernambucanas são iniciadas em 14 de março, com missa solene concelebrada na Basílica do Mosteiro de São Bento de Olinda, com canto gregoriano pelas Beneditinas Missionárias da Academia Santa Gertrudes. Pelo Decreto nº 21.403, de 7 de maio, o governador de Pernambuco declara, no âmbito estadual, Ano Gilberto Freyre 2000. Pelo Decreto de 13 de julho, o presidente da República institui o ano 2000 como Ano Gilberto Freyre. A UniverCidade do Rio de Janeiro institui, por sugestão da editora Topbooks, o prêmio de 20 mil dólares para o melhor ensaio sobre Gilberto Freyre.

2000 Por iniciativa da TV Cultura de São Paulo, são elaborados os filmes *Gilbertianas I* e *II*, dirigidos pelo cineasta Ricardo Miranda com a colaboração do antropólogo Raul Lody. Em 13 de março, ocorre o lançamento nacional da produção, numa promoção do Shopping Center Recife/UCI Cinemas/Weston Táxi Aéreo. Em 21 de março são lançados na sala Calouste Gulbenkian da Fundação Joaquim Nabuco, no Núcleo de Estudos Freyrianos, no governo do estado de Pernambuco, na Sudene e no Ministério da Cultura. Por iniciativa do canal GNT, VideoFilmes e Regina Filmes, o cineasta Nelson Pereira dos Santos dirige quatro documentários intitulados genericamente de *Casa-grande & senzala*, tendo Edson Nery da Fonseca como corroteirista e narrador. Filmados no Brasil, em Portugal e na Universidade de Colúmbia em Nova York, o primeiro, *O Cabral moderno*, exibido pelo canal GNT a partir de 21 de abril. Os demais, *A cunhã: mãe da família brasileira*, *O português: colonizador dos trópicos* e *O escravo na vida sexual e de família do brasileiro*, são exibidos pelo mesmo canal, a partir de 2001. As editoras Letras e Expressões e Abregraph publicam a 2ª edição de *Casa-grande & senzala em quadrinhos*, com ilustrações de Ivan Wasth Rodrigues colorizadas por Noguchi. A editora Topbooks lança a 2ª edição brasileira de *Novo mundo nos trópicos*, prefaciada por Wilson Martins. A revista

Novos Estudos Cebrap, n. 56, publica o dossiê Leituras de Gilberto Freyre, com apresentação de Ricardo Benzaquen de Araújo, incluindo as introduções de Fernand Braudel à edição italiana de *Casa-grande & senzala*, de Lucien Fèbvre à edição francesa, de Antonio Sérgio a *O mundo que o português criou* e de Frank Tannenbaum à edição norte-americana de *Sobrados e mucambos*. Em 15 de março, realiza-se na Maison de Sciences de l'Homme et de la Science o colóquio Gilberto Freyre e a França, organizado pela professora Ria Lemaire, da Universidade de Poitiers. Nesse mesmo dia, o arcebispo de Olinda e Recife, José Cardoso, celebra missa solene na Igreja de São Pedro dos Clérigos, com cantos do coral da Academia Pernambucana de Música. Na tarde de 15 de março, é apresentada, na sala Calouste Gulbenkian, em projeção de VHF, a Biblioteca Virtual Gilberto Freyre, disponível imediatamente na internet. De 21 a 24 de março realiza-se na Fundação Gilberto Freyre o Seminário Internacional Novo Mundo nos Trópicos (anais publicados com título homônimo). De 28 a 31 de março é apresentado no Centro Cultural Banco do Brasil do Rio de Janeiro o ciclo de palestras A propósito de Gilberto Freyre (não reunidas em livro). De 14 a 16 de agosto realiza-se o seminário Gilberto Freyre: patrimônio brasileiro, promovido conjuntamente pela Fundação Roberto Marinho, pela UniverCidade do Rio de Janeiro, pelo Colégio do Brasil, pela Academia Brasileira de Letras, pela *Folha de S.Paulo* e pelo Instituto de Estudos Avançados da USP. Iniciado no auditório da Academia Brasileira de Letras e num dos *campi* da UniverCidade, é concluído no auditório da *Folha de S.Paulo* e na cidade universitária da USP. Em 18 de outubro, realiza-se no anfiteatro da História da USP o seminário multidisciplinar Relendo Gilberto Freyre, organizado pelo Centro Angel Rama da Faculdade de Filosofia, Letras e Ciências Humanas na mesma universidade. Em 20 de outubro realiza-se na embaixada do Brasil em Paris o seminário Gilberto Freyre e as ciências sociais no Brasil, promovido pelo Ministério das Relações Exteriores e Fundação Gilberto Freyre. Em 30 de outubro realiza-se em Buenos Aires o seminário À la busqueda de la identidad: el ensayo de interpretación nacional en Brasil y Argentina. De 6 a 9 de novembro é realizada no Sun Valley Park Hotel, em Marília (SP), a Jornada de Estudos Gilberto Freyre, organizada pela Faculdade de Filosofia e Ciências da Unesp. Em 21 de novembro, na Universidade de Essex, ocorre o seminário *The english in Brazil:* a study in cultural encounters, dirigido pela professora Maria Lúcia Pallares-Burke. Em 27 de novembro, realiza-se na Universidade de Cambridge o seminário Gilberto Freyre & história social do Brasil, dirigido pelos professores Peter Burke e Maria Lúcia Pallares-Burke. De 27 a 30 de novembro, acontece no Centro de Ciências Humanas, Letras e Artes da Universidade Federal da Paraíba o simpósio Gilberto Freyre: interpenetração do Brasil, organizado pela professora Elisalva Madruga Dantas e pelo poeta e multiartista Jomard Muniz de Brito (anais com título homônimo publicados pela editora Universitária em 2002). De 28 a 30 de novembro, ocorre na sala Calouste Gulbenkian da Fundação Joaquim Nabuco o seminário internacional Além do apenas moderno. De 5 a 7 de dezembro é apresentado no auditório João Alfredo da Universidade Federal de Pernambuco o seminário Outros Gilbertos, organizado pelo Laboratório de Estudos Avançados de Cultura Contemporânea do Departamento de Antropologia da mesma universidade. Publica-se em São Paulo, pelo Grupo Editorial Cone Sul, o ensaio de Gustavo Henrique Tuna *Gilberto Freyre: entre tradição & ruptura*, premiado na categoria "ensaio" do 3º Festival Universitário de Literatura, organizado pela Xerox do Brasil e pela revista *Livro Aberto*. Por iniciativa do deputado Aldo Rebelo a Câmara dos Deputados reúne no opúsculo Gilberto Freyre e a formação do Brasil, prefaciado por Luís Fernandes, ensaios do próprio deputado, de Otto Maria Carpeaux e de Regina Maria A. F. Gadelha. A Editora Comunigraf publica no Recife o livro de Mário Hélio *O Brasil de Gilberto Freyre: uma introdução à leitura de sua obra*, com ilustrações de José Cláudio e prefácio de Edson Nery da Fonseca. A Editora Casa Amarela publica em São Paulo a 2ª edição do ensaio de Gilberto Felisberto Vasconcellos *O xará de Apipucos*. A Embaixada do Brasil em Bogotá publica o opúsculo Imagenes, com texto e ilustrações selecionadas por Nora Ronderos.

2001 A Companhia das Letras publica em São Paulo a 2ª edição de *Interpretação do Brasil*, organizada e prefaciada por Omar Ribeiro Thomaz (nº 19 da Coleção Retratos do Brasil). A editora Topbooks publica no Rio de Janeiro a obra coletiva *O imperador das ideias: Gilberto Freyre em questão*, organizada pelos professores Joaquim Falcão e Rosa Maria Barboza de Araújo, reunindo conferências do seminário realizado no Rio de Janeiro e em São Paulo de 14 a 17 de agosto de 2000. A editora Topbooks e a UniverCidade publicam no Rio de Janeiro a 2ª edição de *Além do apenas moderno*, prefaciada por José Guilherme Merquior e as 3ªs edições de *Aventura e rotina*, prefaciada por Alberto da Costa e Silva, e de *Ingleses no Brasil*, prefaciada por Evaldo Cabral de Mello. A Editora da Universidade do Estado de Pernambuco publica, como nº 18 de sua Coleção Nordestina, o livro póstumo *Antecipações*, organizado e prefaciado por Edson Nery da Fonseca. A Editora Garamond publica no Rio de Janeiro o livro de Helena Bocayuva *Erotismo à brasileira: o excesso sexual na obra de Gilberto Freyre*, prefaciado pelo professor Luiz Antonio de Castro Santos. O *Diário Oficial da União* de 28 de dezembro de 2001 publica, à página 6, a Lei nº 10.361, de 27 de dezembro de 2001, que confere o nome de Aeroporto Internacional Gilberto Freyre ao Aeroporto Internacional dos Guararapes do Recife. O Projeto de Lei é de autoria do deputado José Chaves (PMDB-PE).

2002 Publica-se no Rio de Janeiro, em coedição da Fundação Biblioteca Nacional e Zé Mário Editor, o livro de Edson Nery da Fonseca *Gilberto Freyre de A a Z*. É lançada em Paris, sob os auspícios da ONG da Unesco Allca XX e como volume 55 da Coleção Archives, a edição crítica de *Casa-grande & senzala*, organizada por Guillermo Giucci, Enrique Rodríguez Larreta e Edson Nery da Fonseca.

2003 O governo instalado no Brasil em 1º de janeiro extingue, sem nenhuma explicação, o Seminário de Tropicologia criado em 1966 pela Universidade Federal de Pernambuco, por sugestão de Gilberto Freyre, e incorporado em 1980 à estrutura da Fundação Joaquim Nabuco. Gustavo Henrique Tuna defende, no Departamento de História do Instituto de Filosofia e Ciências Humanas da Unicamp, a dissertação de mestrado *Viagens e viajantes em Gilberto Freyre*. A Editora da Universidade de Brasília publica, em coedição com a Imprensa Oficial do Estado de São Paulo, as seguintes obras póstumas, organizadas por Edson Nery da Fonseca: *Palavras repatriadas* (prefácio e notas do organizador); *Americanidade e latinidade da América Latina e outros textos afins*, *Três histórias mais ou menos inventadas* (com prefácio e posfácio de César Leal) e *China tropical*. A Global Editora publica a 47ª edição de *Casa-grande & senzala* (com apresentação de Fernando Henrique Cardoso). No mesmo ano, lança a 48ª edição da obra-mestra de Freyre. A mesma editora publica a 14ª edição de *Sobrados e mucambos* (com apresentação de Roberto DaMatta). Publica-se pela Edusc, Editora Unesp e Fapesp o livro *Gilberto Freyre em quatro tempos* (organização de Ethel Volfzon Kosminsky, Claude Lépine e Fernanda Arêas Peixoto), reunindo comunicações apresentadas na Jornada de Estudos Gilberto Freyre, realizada em Marília (SP), em 2000. É lançado pela Edusc, Editora Sumaré e Anpocs o livro de Élide Rugai Bastos *Gilberto Freyre e o pensamento hispânico: entre Dom Quixote e Alonso El Bueno*.

2004 A Global Editora publica a 6ª edição de *Ordem e progresso* (apresentação de Nicolau Sevcenko), a 7ª edição de *Nordeste* (com apresentação de Manoel Correia de Oliveira Andrade), a 15ª edição de *Sobrados e mucambos* e a 49ª edição de *Casa-grande & senzala*. Em conjunto com a Fundação Gilberto Freyre, a editora lança o Concurso Nacional de Ensaios Prêmio Gilberto Freyre 2004/2005, destinado a premiar e a publicar ensaio que aborde "qualquer dos aspectos relevantes da obra do escritor Gilberto Freyre".

2005 Em 15 de março é premiado o trabalho de Élide Rugai Bastos intitulado *As criaturas de Prometeu: Gilberto Freyre e a formação da sociedade brasileira,* vencedor do Concurso Nacional de Ensaios Prêmio Gilberto Freyre 2004/2005, promovido pela Fundação Gilberto Freyre e pela Global Editora. Esta publica a 50ª edição (edição comemorativa) de *Casa-grande & senzala*, em capa dura. Em agosto, o grupo de teatro Os Fofos Encenam, sob a direção de Newton Moreno, estreia a peça *Assombrações do Recife Velho*, adaptação da obra homônima de Gilberto Freyre, no Casarão do Belvedere, situado no bairro Bela Vista, em São Paulo. Em 18 de outubro, na Livraria Cultura do Shopping Villa-Lobos, em São Paulo, é lançado *Gilberto Freyre: um vitoriano dos trópicos*, de Maria Lúcia Pallares-Burke, pela Editora Unesp, em mesa-redonda com a participação dos professores Antonio Dimas, José de Souza Martins, Élide Rugai Bastos e a autora do livro. A Global Editora publica a 3ª edição de *Casa-grande & senzala em quadrinhos*, com ilustrações de Ivan Wasth Rodrigues colorizadas por Noguchi.

2006 Realiza-se em 15 de março na 19ª Bienal Internacional do Livro de São Paulo, sediada no Pavilhão de Exposições do Anhembi, no salão A-Mezanino, a mesa de debate sobre os setenta anos de *Sobrados e mucambos*, de Gilberto Freyre, com a presença dos professores Roberto DaMatta, Élide Rugai Bastos, Enrique Rodríguez Larreta e mediação de Gustavo Henrique Tuna. No evento,

é lançado o 2º Concurso Nacional de Ensaios Prêmio Gilberto Freyre 2006/2007, organizado pela Global Editora e pela Fundação Gilberto Freyre, que aborda qualquer aspecto referente à obra *Sobrados e mucambos*. A Global Editora publica a 2ª edição, revista, de *Tempo morto e outros tempos*, prefaciada por Maria Lúcia Garcia Pallares-Burke. Realiza-se no auditório do Instituto de Filosofia e Ciências Humanas da Unicamp, nos dias 25 e 26 de abril, o Simpósio Gilberto Freyre: produção, circulação e efeitos sociais de suas ideias, com a presença de inúmeros estudiosos do Brasil e do exterior da obra do sociólogo pernambucano.
A Global Editora publica *As criaturas de Prometeu: Gilberto Freyre e a formação da sociedade brasileira*, de Élide Rugai Bastos, trabalho vencedor da 1ª edição do Concurso Nacional de Ensaios Prêmio Gilberto Freyre 2004/2005, promovido pela editora e pela Fundação Gilberto Freyre.

2007 Publicam-se em São Paulo, pela Global Editora: a 5ª edição do livro *Açúcar*, apresentada por Maria Lecticia Monteiro Cavalcanti; a 5ª edição revista, atualizada e aumentada por Antonio Paulo Rezende do livro *Guia prático, histórico e sentimental da cidade do Recife*; a 6ª edição revista e atualizada por Edson Nery da Fonseca do livro *Olinda: 2º guia prático, histórico e sentimental de cidade brasileira*. Publica-se no Rio de Janeiro, pela Civilização Brasileira, o primeiro volume da obra *Gilberto Freyre, uma biografia cultural*, dos pesquisadores uruguaios Enrique Rodríguez Larreta e Guillermo Giucci, em tradução de Josely Vianna Baptista. Publica-se no Recife, pela Editora Massangana, o livro de Edson Nery da Fonseca *Em torno de Gilberto Freyre*.

2008 O Museu da Língua Portuguesa de São Paulo encerra em 4 de maio a exposição, iniciada em 27 de novembro de 2007, *Gilberto Freyre intérprete do Brasil*, sob a curadoria de Élide Rugai Bastos, Júlia Peregrino e Pedro Karp Vasquez. Publicam-se em São Paulo, pela Global Editora: a 4ª edição revista do livro *Vida social no Brasil nos meados do século XIX*, com apresentação e índices de Gustavo Henrique Tuna; e a 6ª edição do livro *Assombrações do Recife Velho*, com apresentação de Newton Moreno, autor da adaptação teatral representada com sucesso em São Paulo. O editor Peter Lang de Oxford publica o livro de Peter Burke e Maria Lúcia Pallares-Burke *Gilberto Freyre: social theory in the tropics*, versão de *Gilberto Freyre, um vitoriano nos trópicos*, publicado em 2005 pela Editora Unesp, que em 2006 recebeu os Prêmios Senador José Ermírio de Moraes da ABL (Academia Brasileira de letras) e Jabuti, na categoria Ciências Humanas.
A Global Editora publica *Ensaio sobre o jardim*, de Solange de Aragão, trabalho vencedor da 2ª edição do Concurso Nacional de Ensaios Prêmio Gilberto Freyre 2006/2007, promovido pela editora e pela Fundação Gilberto Freyre.

2009 A Global Editora publica a 2ª edição de *Modos de homem & modas de mulher* com texto de apresentação de Mary Del Priore. A É Realizações Editora publica em São Paulo a 6ª edição do livro *Sociologia: introdução ao estudo dos seus princípios*, com prefácio de Simone Meucci e posfácio de Vamireh Chacon, e a 4ª edição de *Sociologia da medicina*, com prefácio de José Miguel Rasia. O Diário de Pernambuco edita a obra *Crônicas do cotidiano: a vida cultural de Pernambuco nos artigos de Gilberto Freyre*, antologia organizada por Carolina Leão e Lydia Barros. A Editora Unesp publica, em tradução de Fernanda Veríssimo, o livro de Peter Burke e Maria Lúcia Pallares-Burke *Repensando os trópicos: um retrato intelectual de Gilberto Freyre*, com prefácio à edição brasileira.

2010 Publica-se pela Global Editora o livro *Nordeste semita: ensaio sobre um certo Nordeste que em Gilberto Freyre também é semita*, de autoria de Caesar Sobreira, trabalho vencedor da 3ª edição do Concurso Nacional de Ensaios Prêmio Gilberto Freyre 2008/2009, promovido pela editora e pela Fundação Gilberto Freyre. A Global Editora publica a 4ª edição de *O escravo nos anúncios de jornais brasileiros do século XIX*, com apresentação de Alberto da Costa e Silva. A É Realizações publica a 4ª edição de *Aventura e rotina*, a 2ª edição de *Homens, engenharias e rumos sociais*, as 2ªs edições de *O luso e o trópico*, *O mundo que o português criou*, *Uma cultura ameaçada e outros ensaios* (versão ampliada de *Uma cultura ameaçada: a luso-brasileira*), *Um brasileiro em terras portuguesas* (a 1ª edição publicada no Brasil) e a 3ª edição de *Vida, forma e cor*. A Editora Girafa publica *Em torno de Joaquim Nabuco*, reunião de textos que Gilberto Freyre escreveu sobre o abolicionista organizada por Edson Nery da Fonseca com colaboração de Jamille Cabral Pereira Barbosa. Gilberto Freyre é o autor homenageado da 10ª edição da Feira Nacional do Livro de Ribeirão Preto, realizada entre os dias 14 e 18 de junho. É também o autor homenageado da 8ª edição da Festa Literária Internacional de Paraty (Flip), ocorrida na cidade carioca entre os dias 4 e 8 de agosto. Para a homenagem, foram organizadas mesas com convidados nacionais e do exterior. A conferência de abertura, em 4 de agosto, é lida pelo ex-presidente Fernando Henrique Cardoso e debatida pelo historiador Luiz Felipe de Alencastro; no dia 5 realiza-se a mesa Ao correr da pena, com Moacyr Scliar, Ricardo Benzaquen e Edson Nery da Fonseca, com mediação de Ángel Gurría-Quintana; no dia 6 ocorre a mesa Além da casa-grande, com Alberto da Costa e Silva, Maria Lúcia Pallares-Burke e Ângela Alonso, com mediação de Lilia Schwarcz; no dia 8 realiza-se a mesa Gilberto Freyre e o século XXI, com José de Souza Martins, Peter Burke e Hermano Vianna, com mediação de Benjamim Moser. É lançado na Flip o tão esperado inédito de Gilberto Freyre *De menino a homem*, espécie de livro de memórias do pernambucano, pela Global Editora. A edição, feita com capa dura, traz um rico caderno iconográfico, conta com texto de apresentação de Fátima Quintas e notas de Gustavo Henrique Tuna. O lançamento do tão aguardado relato autobiográfico até então inédito de Gilberto Freyre realiza-se na noite de 5 de agosto, na Casa da Cultura de Paraty, ocasião em que o ator Dan Stulbach lê trechos da obra para o público presente. O Instituto Moreira Salles publica uma edição especial para a Flip de sua revista *Serrote*, com poemas de Gilberto Freyre comentados por Eucanaã Ferraz. A Funarte publica o volume 5 da Coleção Pensamento Crítico, intitulado *Gilberto Freyre, uma coletânea de escritos do sociólogo pernambucano sobre arte*, organizado por Clarissa Diniz e Gleyce Heitor.

2011 Realiza-se entre os dias 31 de março e 1º de abril na Universidade Lusófona, em Lisboa, o colóquio Identidades, hibridismos e tropicalismos: leituras pós-coloniais de Gilberto Freyre, com a participação de importantes intelectuais portugueses como Diogo Ramada Curto, Pedro Cardim, António Manuel Hespanha, Cláudia Castelo, entre outros. A Global Editora publica *Perfil de Euclides e outros perfis*, com texto de apresentação de Walnice Nogueira Galvão. O livro *De menino a homem* é escolhido vencedor na categoria Biografia da 53ª edição do Prêmio Jabuti. A cerimônia de entrega do prêmio ocorre em 30 de novembro na Sala São Paulo, na capital paulista. A 7ª edição da Festa Literária Internacional de Pernambuco (Fliporto), realizada entre os dias 11 e 15 de novembro na Praça do Carmo, em Olinda, tem Gilberto Freyre como autor homenageado, com mesas dedicadas a discutir a obra do sociólogo. Participam das mesas no Congresso Literário da Fliporto intelectuais como Edson Nery da Fonseca, Fátima Quintas, Raul Lody, João Cezar de Castro Rocha, Vamireh Chacon, José Carlos Venâncio, Valéria Torres da Costa e Silva, Maria Lecticia Cavalcanti, entre outros. Dentro da programação da Feira, a Global Editora lança os livros *China tropical*, com texto de apresentação de Vamireh Chacon, e *O outro Brasil que vem aí*, publicação voltada para o público infantil que traz o poema de Gilberto Freyre ilustrado por Dave Santana. No mesmo evento, é lançado pela Editora Cassará o livro *O grande sedutor: escritos sobre Gilberto Freyre de 1945 até hoje*, reunião de vários textos de Edson Nery da Fonseca a respeito da obra do sociólogo. Publica-se pela Editora Unesp o livro *Um estilo de história A viagem, a memória e o ensaio: sobre Casa-grande & senzala e a representação do passado*, de autoria de Fernando Nicolazzi, originado da tese vencedora do Prêmio Manoel Luiz Salgado Guimarães de teses de doutorado na área de História promovido no ano anterior pela Anpuh.

2012 A edição de março da revista do Sesc de São Paulo publica um perfil de Gilberto Freyre. A Global Editora publica a 2ª edição de *Talvez poesia*, com texto de apresentação de Lêdo Ivo e dois poemas inéditos: "Francisquinha" e "Atelier". Pela mesma editora, publica-se a 2ª edição do livro *As melhores frases de Casa-grande & senzala: a obra-prima de Gilberto Freyre*, organizado por Fátima Quintas. Publica-se pela Topbooks o livro *Caminhos do açúcar*, de Raul Lody, que reúne temas abordados pelos trabalhos do sociólogo pernambucano. A Editora Unesp publica o livro *O triunfo do fracasso: Rüdiger Bilden, o amigo esquecido de Gilberto Freyre*, de Maria Lúcia Pallares-Burke, com texto de orelha de José de Souza Martins. A Fundação Gilberto Freyre promove em sua sede, em 10 de dezembro, o debate "A alimentação na obra de Gilberto Freyre, com presença de Maria Lecticia Monteiro Cavalcanti, pesquisadora em assuntos gastronômicos.

2013 Publica-se pela Fundação Gilberto Freyre o livro *Gilberto Freyre e as aventuras do paladar*, de autoria de Maria Lecticia Monteiro Cavalcanti. Vanessa Carnielo Ramos defende, no Departamento de História do Instituto de Ciências Humanas e Sociais da Universidade Federal de Ouro

Preto, a dissertação de mestrado *À margem do texto: estudo dos prefácios e notas de rodapé de Casa-grande & senzala*. A Global Editora e a Fundação Gilberto Freyre abrem as inscrições para o 5º Concurso Nacional de Ensaios Prêmio Gilberto Freyre 2013/2014, que tem como tema Família, mulher e criança. Em 4 de outubro, inaugura-se no Centro Cultural dos Correios, no Recife, a exposição Recife: Freyre em frames, com fotografias de Max Levay Reis e cocuradoria de Raul Lody, baseada em textos do livro *Guia prático, histórico e sentimental da cidade do Recife*, de Gilberto Freyre. Publica-se pela Global Editora uma edição comemorativa de *Casa-grande & senzala*, por ocasião dos oitenta anos de publicação do livro, completados no mês de dezembro. Feita em capa dura, a edição traz nova capa com foto do Engenho Poço Comprido, localizado no município pernambucano de Vicência, de autoria de Fabio Knoll, e novo caderno iconográfico, contendo imagens relativas à história da obra-mestra de Gilberto Freyre e fortuna crítica. Da tiragem da referida edição, foram separados e numerados 2013 exemplares pela editora.

2014 Nos dias 4 e 5 de fevereiro, no auditório Manuel Correia de Andrade do Centro de Filosofia e Ciências Humanas da Universidade Federal de Pernambuco, realiza-se o evento Gilberto Freyre: vida e obra em comemoração aos 15 anos da criação da Cátedra Gilberto Freyre, contemplando palestras, mesas-redondas e distribuição de brindes. No dia 23 de maio, em evento da Festa Literária Internacional das UPPs (FLUPP) realizado no Centro Cultural da Juventude, sediado na capital paulista, o historiador Marcos Alvito profere aula sobre Gilberto Freyre. Entre os dias 12 e 15 de agosto, no auditório do Instituto Ricardo Brennand, no Recife, Maria Lúcia Pallares-Burke ministra o VIII Curso de Extensão Para ler Gilberto Freyre. Realiza-se em 11 de novembro no Empório Eça de Queiroz, na Madalena, o lançamento do livro *Caipirinha: espírito, sabor e cor do Brasil*, de Jairo Martins da Silva. A publicação bilíngue (português e inglês), além de ser prefaciada por Gilberto Freyre Neto, traz capítulo dedicado ao sociólogo pernambucano intitulado "Batidas: a drincologia do mestre Gilberto Freyre".

2015 Publica-se pela Global Editora a 3ª edição de *Interpretação do Brasil*, com introdução e notas de Omar Ribeiro Thomaz e apresentação de Eduardo Portella. Publica-se pela editora Appris, de Curitiba, o livro *Artesania da Sociologia no Brasil: contribuições e interpretações de Gilberto Freyre*, de autoria de Simone Meucci. Pela Edusp, publica-se a obra coletiva *Gilberto Freyre: novas leituras do outro lado do Atlântico*, organizada por Marcos Cardão e Cláudia Castelo. Marcando os 90 anos da publicação do *Livro do Nordeste*, realiza-se em 2 de setembro na I Feira Nordestina do Livro, no Centro de Convenções de Pernambuco, em Olinda, um debate com a presença de Mário Hélio e Zuleide Duarte. Sob o selo Luminária Academia, da Editora Multifoco, publica-se *O jornalista Gilberto Freyre: a fusão entre literatura e imprensa*, de Suellen Napoleão.

2016 A Global Editora e a Fundação Gilberto Freyre abrem as inscrições para o 6º Concurso Nacional de Ensaios Prêmio Gilberto Freyre 2016/2017. Realiza-se entre 22 de março e 8 de maio no Recife, na Caixa Cultural, a exposição inédita "Vida, forma e cor", abordando a produção visual de Gilberto Freyre e explorando sua relação com importantes artistas brasileiros do século XX. Na sequência, a mostra segue para São Paulo, ocupando, entre os dias 21 de maio e 10 de julho, um dos andares da Caixa Cultural, na Praça da Sé. Em 14 de abril, Luciana Cavalcanti Mendes defende a dissertação de mestrado *Diários fotográficos de bicicleta em Pernambuco: os irmãos Ulysses e Gilberto Freyre na documentação de cidades na década de 1920* dentro do Programa de Pós-Graduação "Culturas e Identidades Brasileiras" do Instituto de Estudos Brasileiros da USP, sob a orientação da Profa. Dra. Vanderli Custódio. Publica-se pela Global Editora a 2ª edição de *Tempo de aprendiz*, com apresentação do jornalista Geneton Moraes Neto. Em 25 de outubro, na Fundação Joaquim Nabuco, em sessão do Seminário de Tropicologia organizada pela Profa. Fátima Quintas, o Prof. Dr. Antonio Dimas (USP) profere palestra a respeito do *Manifesto Regionalista* por ocasião do aniversário de 90 anos de sua publicação.

2017 O ensaio *Gilberto Freyre e o Estado Novo: região, nação e modernidade*, de autoria de Gustavo Mesquita, é anunciado como o vencedor do 6º Concurso Nacional de Ensaios Prêmio Gilberto Freyre 2016/2017, promovido pela Fundação Gilberto Freyre e pela Global Editora. A entrega do prêmio é realizada em 15 de março na sede da fundação, em Apipucos, celebrando conjuntamente os 30 anos da instituição, criada para conservar e disseminar o legado do sociólogo. Publicam-se pela Global Editora o livro *Cartas provincianas: correspondência entre Gilberto Freyre e Manuel Bandeira*, com organização e notas de Silvana Moreli Vicente Dias, e *Algumas assombrações do Recife Velho*, adaptação para os quadrinhos de sete contos extraídos do livro *Assombrações do Recife Velho*: "O Boca-de-Ouro", "Um lobisomem doutor", "O Papa-Figo", "Um barão perseguido pelo diabo", "O visconde encantado", "Visita de amigo moribundo" e "O sobrado da rua de São José". A adaptação é de autoria de André Balaio e Roberto Beltrão; a pesquisa, realizada por Naymme Moraes e as ilustrações, concebidas por Téo Pinheiro.

Nota: após o falecimento de Edson Nery da Fonseca, em 22 de junho de 2014, autor deste minucioso levantamento biobibliográfico, sua atualização está sendo realizada por Gustavo Henrique Tuna e tenciona seguir os mesmos critérios empregados pelo profundo estudioso da obra gilbertiana e amigo do autor.

Outros títulos da Coleção Gilberto Freyre

Casa-grande & Senzala
728 PÁGINAS
2 ENCARTES COLORIDOS
(32 PÁGINAS)
ISBN 978-85-260-0869-4

Casa-grande & Senzala em Quadrinhos
ADAPTAÇÃO DE ESTÊVÃO PINTO
64 PÁGINAS
ISBN 978-85-260-1059-8

Sobrados e Mucambos
976 PÁGINAS
2 ENCARTES COLORIDOS
(32 PÁGINAS)
ISBN 978-85-260-0835-9

Tempo Morto e Outros Tempos – Trechos de um Diário de Adolescência e Primeira Mocidade 1915-1930
384 PÁGINAS
1 ENCARTE COLORIDO (8 PÁGINAS)
ISBN 85-260-1074-3

Ordem e Progresso
1.120 PÁGINAS
1 ENCARTE COLORIDO
(24 PÁGINAS)
ISBN 978-85-260-0836-6

Insurgências e Ressurgências Atuais – Cruzamentos de Sins e Nãos num Mundo em Transição
368 PÁGINAS
ISBN 85-260-1072-8

Nordeste
256 PÁGINAS
1 ENCARTE COLORIDO
(16 PÁGINAS)
ISBN 85-260-0837-4

Olinda – 2º Guia Prático, Histórico e Sentimental de Cidade Brasileira
224 PÁGINAS
1 MAPA TURÍSTICO COLORIDO
ISBN 978-85-260-1073-4

Guia Prático, Histórico e Sentimental da Cidade do Recife

264 PÁGINAS

1 MAPA TURÍSTICO COLORIDO

ISBN 978-85-260-1067-3

De menino a homem – De Mais de Trinta e de Quarenta, de Sessenta e Mais Anos

224 PÁGINAS

1 ENCARTE COLORIDO

(32 PÁGINAS)

ISBN 978-85-260-1077-2

Vida Social no Brasil nos Meados do Século XIX

160 PÁGINAS

1 ENCARTE PRETO E BRANCO

16 PÁGINAS

ISBN 978-85-260-1314-8

Novo Mundo nos Trópicos

376 PÁGINAS

ISBN 978-85-260-1538-8

Açúcar – Uma Sociologia do Doce

280 PÁGINAS

ISBN 978-85-260-1069-7

Perfil de Euclides e outros Perfis

288 PÁGINAS

ISBN 978-85-260-1562-3

O Escravo nos Anúncios de Jornais Brasileiros do Século XIX

248 PÁGINAS

1 ENCARTE PRETO E BRANCO

(8 PÁGINAS)

ISBN 978-85-260-0134-3

China Tropical

256 PÁGINAS

ISBN 978-85-260-1587-6

Talvez Poesia

208 PÁGINAS

ISBN 978-85-260-1735-1

Assombrações do Recife Velho

240 PÁGINAS

ISBN 978-85-260-1310-0

Interpretação do Brasil

256 PÁGINAS

ISBN 978-85-260-2223-2

Bahia de Todos os Santos e de Quase Todos os Pecados

32 PÁGINAS

ISBN 978-85-260-2405-2

Tempo de Aprendiz

760 PÁGINAS

ISBN 978-85-260-1923-2

O Outro Brasil que Vem Aí

32 PÁGINAS

ISBN 978-85-260-1609-5

Algumas Assombrações do Recife Velho (quadrinhos)

72 PÁGINAS

ISBN 978-85-260-2340-6

Impressão e Acabamento:
EXPRESSÃO & ARTE
EDITORA E GRÁFICA
www.graficaexpressaoearte.com.br